KB170869

기적의 氣功

小野田大藏
안광수 편역

명지사

머 리 말

인류는 평화를 달성하는 수단으로 전쟁을 한다. 개인은 행복을 얻기 위해 고생한다. 이것은 몇 천년 전부터 되풀이한 경험이면서, 그것이 모순이며 무익한 방법이라는 것에 생각이 미치지 못하고 있는 것은 이해할 수 없는 일이다.

우리가 현재 살고 있는 것은, 우리에게 살 자격과 권리가 주어져 있다는 증거이다. 산다고 하는 것은 즐거운 것이어야 한다. 즉 살 자격과 권리가 있다는 것은, 즐겁게 살 자격과 권리가 있다는 것이다. 그럼에도 불구하고, 즐거움보다 고생스러운 일이 많은 것이 현실이다.——왜 그럴까.

그것은 어딘가에 잘못이 있기 때문이다. 사회가 잘못 되어 있으니 사회 개혁을 하지 않으면 안 된다는 것도 한 가지 방법일지 모르겠다. 그러나 즐겁다든가 행복이라는 것은 원래 개인개인의 마음 상태이다. 개인개인이 즐겁게 삶으로써 즐거운 사회, 평화스러운 세계가 실현되는 것이 아닐까.

개인이 즐겁게 살 수 없다는 것은, 사회의 죄가 아니고 개인의 생활이 잘못 되어 있기 때문이다. 그것은 자연의 원리에 위배되고 생명의 법칙을 무시함으로써 천박한 사람의 직식으로 만든 작위(作爲)나 물질에 의존하여 행복을 얻으려고 하는 사고방식과 생활방식의 잘못에서 일어나는 필연적 현상이다.

인류는 진보(進歩)를 원하고 있으나, 진보하는 것은 기계와 같은 물질력이며, 인간의 존재 방식은 2천년 전이나 현재나 조금도 변하지 않고 있다. 춘추전국이라는 피로써 피를 씻는 고대 중국에 있어서의 민중도, 문명과 문화를 자랑하는 현대인도, 사는 즐거움을 암중모색하고 있는 점에서는 조금도 다를 바 없다.

그렇기 때문에 4천 년이나 전에, 여하이 인생을 즐겁게 그리고 오래 살 수 있을 것인가의 명제 아래 탐구된 〈선도〉의 행법이 오늘날에도 생생하게 우리의 생활 지침으로 될 수가 있는 것이다.

그런 뜻에서 앞서 「현대에 사는 선도」를 제목으로 하여, 고대 한 민족의 귀중한 유산을 곧바로 현대인에게 이용 실천할 수 있도록, 그 행법의 대요를 소개했지만, 수많은 행법을 비록 일부분이기는 하지만 제한된 지면에 집어넣으려다 보니, 방법은 많이 열거했으나 그것을 어떻게 즐거운 인생을 얻는 데 응용하는가 하는 점에 있어서 미흡하고 또 설명 부족의 감이 없지 않다.

꽤 많은 열성적인 독자의 성원과 편달이 있었고, 전번 저서에 소개 못한 행법의 해설도 포함해서, 일상 생활에 어떻게 도움을 줄 수 있는가 하는 관점에서 이 책을 쓰게 되었다. 지면 관계도 있고, 행법 해설의 중복은 되도록 피해, 중복되는 것은 별도의 용도에서 해설하도록 주의를 기울였으므로, 되도록 「현대에 사는 선도」와 겸해 읽어줄 것을 바라 마지 않는다. 그런 의미에서 권말에 선도행법체계 요람을 부록으로 실었으니 참조하면 많은 도움이 될 것이다.

저 자

차　　례

기적의 氣功

제1장 즐겁게 오래 사는 법

1. 장생(長生)의 한계

인간은 모두가 오래 살고 싶은 것이 당연한 생각이겠지만, 그렇다면 인간은 도대체 몇 년 정도 생존할 수 있을까.

생물은 자기 성장 기간의 7배가 수명이라고 하는 설이 있다. 이 설을 근거로, 인간의 성장기를 20년으로 칠 때 사람의 수명은 140세가 한계라고 할 수 있을 것이다. 그러나 이 설은 실제면에서 볼 때 의아하게 느껴진다.

동방삭(東方朔)은 3천갑자를, 의선(醫仙) 팽조(膨祖)는 900년을 살았다고 전해진다. 이것을 전설이라고 치더라도, 현재 중국의 고산 지대나 히말라야 동굴에는 200세 300세 된 사람이 생존하고 있다 한다.

또한 현재 코카사스 지방에는 150세부터 160세에 이르는 사람들이 생존하여 건강하게 활동하고 있다. 예를 들어 코카사스의 아젤바이잔 공화국에 살고 있는 실러리 바바 미스리모프라는 사람은 1825년생이라고 하니까 이미 160세를 넘어선 것이다.

의사의 보고에 의하면 이 사람의 맥박은 70~72이고, 혈압은 최고120, 최저75로 청장년 같다는 것이다. 현재도 건강하게 공동 농장에서 일을 하며, 여가 때는 승마 등을 즐기고, 신문이나 라디오를 통하여 세계 정치 정세에도 정통하고 있다 하니 이처럼 살아간다면 앞으로도 몇십년은 더 살 수 있으리라 예상된다.

그 외에도 150세를 넘어 아직 정부 기관의 요직에 있는 사람이나 120세가 되었어도 여전히 여자로서의 매력이 넘치는 부인 등 수많은 사람들이 생존하고 있다는 것이다.

코카사스 지방에는 장수하는 사람이 많아서 아젤바이쟌 공화국에는 100세 이상의 사람이 3,000명(인구 비율로 만명에 9명) 있으며, 인근 그루지아 공화국에도 2,000명(인구 비율로 만명에 5명)이 생존하고 있다.

이들 지방은 공기가 좋으며, 모든 환경이 장수에 적합한 것 같다. 이와 같은 사실로 미루어볼 때, 140세 수명설의 근거는 더욱 의아하게 느껴지며, 환경 여하에 따라서는 인간이 좀더 오래 살 수 있는 것 같다.

학문적으로도 인간의 수명 한계를 결정지을 수 있는 이론적 근거는 없다. 생활 환경이나 내부 조건에 따라서 노화 현상이나 병이 생겨 그 원인으로 죽는 것이며, 이것을 통계로 하여 평균 수명을 산출하는 것에 지나지 않는다. 그러므로 실제로는 인간의 수명은 한계가 없다는 것이 결론인 것 같다.

2. 즐겁게 오래 산다는 것은

맛있는 음식을 먹으며, 재미있는 것을 보거나 들으며, 또는 좋아하는 것을 해보고 싶어하는 욕망을 만족시킬 수 있는 생활을 오래 지속시키고 싶다는 것이 인간의 욕망이다. 결국 산다고 하는 것은 즐긴다고 하는 것이다. 누구나 오래 살고 싶어도 사는 것이 즐겁지 않고 고생뿐인 인생이라면 아마도 사는 것보다 죽는 것을 더 바랄 것이다. 살아가는 데에 즐거움이 함께 할 때 하루라도 더 오래 살기를 원하게 되지 않을까. 즐거운 인생이라면 누구든 오래 살고 싶을 것이며, 또한 오래 살아야만 여러 가지 즐거움을 맛볼 수 있을 것이다.

조균(朝菌)이라고 하는 버섯은 불과 반나절의 생명뿐이기 때문에 그믐이나 초하루를 알지 못한다. 매미도 성충이 되어 짧은 기간밖에 살지 못하므로 봄 가을의 변하는 홍미를 즐길 수가 없다.

옛날에는 그 시대의 즐거움이 있었으며, 오늘날에는 현대의 즐거움이 있는 것이다.

4계절의 변화, 풍습의 변천, 과학의 발달 등에서 사람은 무한한 즐거움을 맛볼 수가 있다. 오래 살면 살수록 즐거움도 많을 것이다. 그러나 그것은 신체가 건강하여 자기의 눈으로 보고 귀로 들으며 혀로 맛볼 때 비로소 즐거움이라 할 수 있는 것이지, 병상에 누워서 일체 남의 신세로 살아가는 상태로써는 생이 즐겁다고 말할 수 없을 것이다.

선도(仙道)에서는 즐거운 인생을 항상 오래 지속시킬 수가 있다. 이것이야말로 모든 사람의 소원이며 그 곳에만 장생의 의의가 있다 할 것이다.

◆ 즐겁게 사는 법

인생이란 즐기는 것이다. 고생하며 가늘게 오래 사는 것보다는, 마음껏 즐기며 굵고 짧게 사는 편이 뜻있는 것이다, 라는 생각도 이루어질 수가 있다.

옛날 중국 진(秦)나라에 시황제(始皇帝)라고 하는 영웅이 있었다. 기원전 770년부터 중국은 소위 춘추전국이라는 시대에 접어들어 천하가 삼(麻)처럼 엉키어 전국이 전란의 도가니로 화해 버렸다. 제(齊)·초(楚)·오(吳)·월(越)·진(晋)·한(韓)·조(趙)·진(秦)이라는 나라들이 서로 사력을 다하여 싸우며 흥망성쇄를 거듭하는 동안, 결국 진(秦)의 세력이 가장 강해서 기원전 221년에 드디어 진이 천하를 평정하여 통일국가를 만든다.

그 때의 진왕(秦王)은 자신을 시황제라 칭하고 천하에 호령하며 중앙집권의 강화에 중점을 두고 철저한 정책을 실시하였다. 동시에 언론통제를 위하여 귀중한 문헌을 대량 소각하거나 많은 학자를 생매장하는 폭거를 서슴지 않고 자행하는 한편, 도량형·문자·화폐 등을 통일하여 통일국가의 틀을 구축하였다. 그 중에도 토목공사에 힘을 쏟아 만리장성을 비롯하여 운하·도로·궁전의 건축 등 힘에 겨운 대규모의 건설을 실시하였다.

특히 유명한 아방궁(阿房宮)은 동서 약 700미터, 남북 약 160미터의 광대한 궁전으로, 전상(殿上)에는 1만 명을 수용하고 상하(床下)에는 5장(丈)의 기를 세울 수 있는 대궁전이었다. 시황제는 이 아방궁에다 젊은 미녀 3천명을 모아 밤낮으로 이들과 접하며 환락의 극성을 다하였다. 이와 같이 재미나는 인생이 또 있었을까.

그가 이 즐거움을 영원히 계속하고자 하여 심복 부하 서복(徐福)에 명하여 봉래도(蓬萊島)로 대규모의 탐험대를 파견, 불사약을 얻으려고 시도했던 것도 실로 무리가 아닌 사람의 마음이라 할 수 있을 것이다.

그러나 여러 번의 탐험도 실패로 돌아가 결국 목적을 달성하지 못하고 재위 불과 15년, 49세의 젊음으로 이 세상을 하직했다.

시황제는 분명 쾌락의 한계를 다한, 굵고 짧게 산 삶이었다. 그러나 그는 그처럼 쾌락을 마음대로 즐겼음에도 불구하고, 더욱 장생불로를 갈망하며 번민 끝에 이 세상을 떠났던 것이다. 그것은 쾌락과 생명의 모순으로 고민한 것이다. 사는 것을 즐겁게 하기 위한 쾌락이 반대로 삶을 단축시켜 장생의 욕망이 이루어지지 않는 번민 때문에 오히려 고통받는 결과로 끝난 것이다.

이것은, 즐거움이 없는 장생이 참다운 인생이 아닌 것처럼 장생을 희생으로 하는 것과 같은 욕망의 만족이 결코 참된 즐거움이 될 수 없다는 것을 말해 주고 있다.

훔친 돈으로 방탕하거나 마약을 즐기며 환상의 쾌락을 추구하는 것과 같이, 삶과 즐거움이 모순되는 생활 방식은 즐거운 인생이라고 할 수 없다. 즐거움이 장생으로 이어져 사는 것이 즐거움이 되는 삶만이 만인이 바라는 인생인 것이며, 그런 삶의 방식이 인생을 완성시켜 주는 것이다.

◆ 욕망의 달성

즐겁다는 것은 어떠한 것일까.

낚시를 좋아하는 사람은 추위나 더위를 무릅쓰고 낚싯대를 메고 여가를 즐긴다. 술을 좋아하는 사람은 하루의 일을 마친 후 마시는 술자리에 더 없는 즐거움을 느낀다.

그런데 낚시를 싫어하는 사람이 이끌려서 낚시에 갔다고 하면 결코 즐거울 리 없을 것이고 쓸쓸히 하늘만 쳐다보며 탄식할 것이다. 또 술을 싫어하는 사람이 주석에 초대되어도 아무런 즐거움이 없을 뿐만 아니라 억지로 권하는 술잔을 받으며 괴로와할 것이다. 낚시를 즐기는 사람은 낚고 싶은 욕망이 있음으로써 그것이 실현되면 즐거울 것이고, 또 술을 좋아하는 사람은 술을 마시고 싶은 욕망을 달성함으로써 즐거움을 느끼는 것이다. 이처럼 즐거움이란 욕망이 달성될 때 마음 속에 느껴지는 만족감이라고 할 수 있다.

인간의 욕망은 한이 없고 하나의 욕망이 충족되면 곧바로 다음 욕망이 생긴다. 이와 같이 생기는 욕망을 차례로 달성시켜 가는 데 인생의 즐거움이 있다. 그런데 욕망의 달성이 즐거움보다 오히려 괴로움을 가져오는 경우가 있다.

술을 좋아하는 사람이 지나치게 마시어 건강을 해치고 병들어 고통을 받거나, 노름에 빠져 집안을 어지럽힌 나머지 부인에게 쫓겨나든가 하는 종류의 트러블이 세상에는 빈번하게 일어나고 있다. 그처럼 지나치면 안 된다고 하는 사람이 있다. 그러나 이성으로 그것을 억제하면 욕망이 충족되지 않으며, 따라서 즐거움이 없어진다. 왜냐 하면 즐거움이란 욕망의 만족이기 때문이다.

또한 좋은 욕망을 지니고 나쁜 욕망을 버리라고 말하는 사람이 있다. 그럼 무엇이 좋은 욕망이며 어떤 것이 나쁜 욕망인가 하는 기준은 어디서 정해질까. 욕망이란 제한이 없는 것으로 여하한 욕망이라도 결국에는 지나치게 되어 몸을 망치게 한다. 그러기에 욕망을 버리고 욕망이 없는 상태에 머무르는 것이 제일 좋은 방법이라고 말하는 사람도 있다.

그러나 욕망은 생명 활동이며 인간은 욕망이 있음으로써 살아갈 수 있는 것이다. 욕망의 달성이 즐거움이며 즐거움을 찾는 일은 살아간다는 것을 의미한다.

만일 사람으로부터 욕망을 떼어 버린다면 모든 사람은 사는 즐거움을 잃어버리고, 문화의 향상이나 사회의 발전도 없이 인류 그 자체가 멸망하게 될 것이다. 살아 있는 사람에게 욕망을 버리라고 하는 자체가 넌센스이다. 스스로 욕망이 없다고 하는 사람일수록 몰래 소곤소곤 무엇인가를 즐기고 있는 것이다.

선인(仙人)은 욕망을 버리고 산속으로 은신한다고 하는데 그것은 거짓말이다. 포박자(抱朴子)가 말한 것처럼 인도(人道)라 함은 맛있는 것을 먹으며 가볍고 따뜻한 의복을 입고, 남녀가 즐겁게 사귀며 이목(耳目)이 총명하고, 신체가 건강하며 얼굴에 항상 웃음을 띄우고, 오래 살았어도 조금도 늙은 티가 없으며 근심되는 일이나 사람들로부터 욕먹는 일이 없는 상태가 귀중한 것이지, 처자를 버리고 홀로 산속에 숨어 목석과 같은 생활을 하는 것은 도(道)에 어긋나는 것으로, 도를 존중하는 선인이 어찌 그와 같이 도에 벗어나는 일을 하겠는가.

선도는 활력을 존중한다. 생명력의 완전한 발현을 다하는 것이 목적이다. 욕망은 생명력의 구현이다. 따라서 욕망은 어디까지나 달성해야 할 것이며, 그것이 충분히 만족되어야 비로소 인생의 즐거움이 있는 것이다.

◆ 욕망과 생명

욕망은 생명의 발현이며 욕망의 달성이 즐거운 것이라 한다면, 욕망의 완전한 달성은 생명의 즐거움이 되어야 할 것이다. 그렇다면 왜 욕망이 달성되는 것으로 인하여 오히려 고통이 발생되고 생명의 완전 발현을 저해하는 것과 같은 결과가 생기는 것일까.

이와 같은 삶과 즐거움의 모순은 본래 인류에게 부과된 숙명이라고 하는 전제에 입각하는 설이 있다. 예를 들어 기독교에서는 인류의 선조가 신의 뜻을 거역하여 금단의 죄를 범했기 때문에 인생은 평생 이 모순과 고통을 짊어지고 살아가지 않으면 안된다. 그것이 원죄에 대한 보상이며 신으로부터 보상을 인정받는 자는 하늘 나라에 초대되어 비로소 즐거운 제2의 삶을 보낼 수가 있다는 설이다.

그런데 선도(仙道)에서는 창조주로서의 신을 인정치 않으며, 인간은 자연의 산물이라는 견지에 입각하고 있으므로, 당연히 신으로부터 부과되었다고 하는 벌이라는 이론은 성립되지 않는다. 우주 속의 만물처럼 인간도 자연(道)에서 태어났다는 것이다. 도(道)는 우주의 원리이며 지각(知覺)을 초월한 존재이기 때문에, 눈으로 볼 수도 손으로 만질 수도 없으나 만물 중에 엄연하게 존재하고 있는 것이다. 왜냐 하면 도가 구체화된 것이 기(氣)이며 〈기〉는 파동(波動)이지만 그것이 결집하여 물질을 형성하고 또한 생명으로 되었기 때문이다. 생명은 에너지이지만 그것이 응집하여 현상계(現象界)에 발현되어 육체 및 정신, 즉 인간으로 되어진 것이다.

생명은 그 자체가 완전한 것이지만, 그것이 현상계에 발현할 때 여러 가지 사물에 의해 방해되고 휘어져 완전한 모습으로 발현되기가 어렵다. 생명 자체에는 의미가 없으나, 인간의 마음을 통하여 완전한 모습을 발현시키고자 하는 욕망을 가지게 된다. 따라서 생명이 보다 완전한 발현을 달성했을 때 그것은 인간에게 커다란 기쁨을 안겨 준다. 그것을 생명의 기쁨이라고 한다. 생명의 기쁨은 생명의 완전 발현을 추진하는 것으로부터 얻어지는 기쁨이기 때문에 삶과 모순되는 일은 있을 수가 없는 것이다.

따라서 욕망의 달성이 삶과 모순되는 경우에는, 그 욕망을 생명의 기쁨으로 되어지는 욕망이 아니라고 할 수 있다.

참된 생명의 기쁨으로 될 수 있는 욕망의 완전한 달성은 삶을 부추기고 고통을 수반하지 않는 진실한 즐거움으로 되어질 것이다.

◆ 욕망의 정화(淨化)

앞에서 말한 것처럼, 욕망은 인간의 생명 활동의 하나로서 살아 있는 한 차례차례로 생겨나 끝이 없는 것이지만, 그 욕망 중에는 생명의 완전 발현을 달성하는 수단으로 되는 것도 있는 동시에 오히려 삶을 저해하는 것도 있다.

이 경우 어떤 것이 생명을 조장하며 무엇이 방해가 되는가 하는 것은 지적인 활동으로는 판별할 수가 없다. 만일 판별할 수 있다 해도 의지(또는 理性)의 힘으로 억누를 수밖에 별 도리가 없다. 그런데 욕망은 의지로써 억제해도 소멸되는 것이 아니며, 무리하게 억제하면 욕구불만이 되어 잠재해 있게 되고, 변화된 모양으로 표면화되거나 또는 표면 의식의 감시가 약화된 기회를 타고 현실화를 달성하는 것으로 되어 어느 것이나 생명의 완전 발현을 방해한다.

따라서 그와 같은 욕망이 발생한 후에는 이미 때 늦은 것이며, 처음부터 발생되지 않도록 하는 방법밖에 별 도리가 없다. 그러나 공교롭게도 욕망이라는 움직임은 의식 이전의 것으로 의지로써 억지하려 해도 자연적으로 솟아나는 샘물처럼 분출되어진다.

공자는 70이 되어 비로소 마음 먹은 대로 따라도 규칙을 어기지 않게 되었다고 했다. 이것은 욕망대로 행동해도 하나도 삶의 방해가 되지 않았다는 것으로, 이런 경우의 공자에게는 전혀 나쁜 욕망이 생기지 않았기 때문이다. 이런 상태가 바람직한 것으로, 욕망을 의지로써 억누르고 있는 동안에는 참다운 즐거움, 생명의 즐거움은 멀어지지 않는다.

그러나 공자 같은 사람도 그런 상태에 도달한 것이 70이 되어서라고 하니, 우리 같은 범인이 그런 경지에 도달하기란 쉬운 일이 아닌 것 같다.

선도에서는 행(行)으로써 그것을 달성하려고 한다. 의지의 힘으로 할 수 없는 것은 행으로써 실현시키는 길밖에 별 방법이 없다. 이와 같은 실천은 용이한 일이 아니지만 이론은 극히 간단하다. 그것은 욕망이 발생하는 근원을 정화시킨다는 것이다.

인간의 육체나 정신이라고 하는 생명 활동이 원래 완전무결한 생명의 표현체라고 한다면, 같은 생명의 발현인 욕망이라는 생명 활동이 스스로의 완전 발현을 방해하는 작용을 할 이유가 없다. 만일 그와 같은 작용을 하는 것이 있다면 그것은 본래의 생명 욕망이 아닌, 무엇인가 별도의 것으로부터 발생하는 욕망이라고 할 수 있을 것이다.

예를 들어 먹고 싶은 욕망에 대하여 생각해 보자. 식욕이라는 욕망은 개체를 유지시키기 위해 절대로 필요한 욕망이다. 따라서 그 욕망이 충족되는 것은 생명의 즐거움이며 삶의 조장(助長)이다.

그러나 과식으로 속을 버리는 경우 삶의 방해로 되며 생명의 즐거움으로는 되지 않는다. 그것은 생명의 욕망이 아니라 감각의 욕망이기 때문이다. 이것을 방지하려면 그 욕망을 낳게 하는 감각을 바로 잡아 생명의 완전 발현을 위해서만 활동되도록 훈련하지 않으면 안 되는 것이다.

훈련이라고 해도 특수한 활동을 강요하는 것은 아니다. 감각은 본래 환경이나 외부의 적으로부터 생명체를 지키는 제일선 부대이다. 그것이 중앙을 향하여 활을 당기는 행동을 취하는 것은, 진짜 사령부가 아닌 다른 곳에서 하달된 명령에 의하여 활동하기 때문이다. 혹은 전달 기관이 본래의 직무를 충실하게 이행하지 않기 때문이다. 그리하여 감각 기관이 그릇된 행동의 습관을 몸에 익혀 버렸기 때문이다.

그러므로 선도(仙道)에서는 각 기관이 본래의 사명에 철저하도록, 기강숙정(紀網肅正)을 행(行)에 의하여 달성하려고 하는 것이다.

◆ 선도(仙道)와 욕망의 달성

선도는 행(行)에 의해 생명의 완전 발현을 방해하는 것과 같은 욕망이 발생되는 근원을 절단하여 생명 활동의 기구를 정비정돈하며, 생명 본래의 욕망 충족을 달성하여 장생을 실현시키고자 하는 기술이라는 것은 앞에서 설명한 바와 같으나, 여기에는 약간의 의문이 남을 것으로 생각된다. 그 하나는, 예부터 성인 군자 또는 고결한 인격자라고 일컬어지는 사람들은 욕망, 특히 물욕에는 매우 청렴하였는데, 현대의 경제 체제 하에서는 물욕에 초연해 있으면 살아갈 수가 없지 않겠는가 하는 점이다.

정말 성인 군자는 금전이나 물질에 거의 무관심했던 것 같다. 그것은 그들에게 금전이나 물질에 대한 욕망보다 좀더 큰 욕망이 있었기 때문이다. 욕망은 사람에 따라 서로 다르다. 낚시에 열중하는 사람은 물고기 낚는 것이 최대의 욕망이 되겠지만, 낚시가 싫은 사람에게는 낚시에 대한 욕망이 생기지 않는다. 성인군자가 물욕에 청렴했다고 하여 인간 모두가 그처럼 해야 할 이유는 없는 것이다.

현대는 금전의 시대이다. 물론 금전이 전부는 아니다. 금전 때문에 몸을 망치는 사람은 물욕의 포로가 된 사람이며, 그와 같은 욕망은 생명에 반역하는 것이다. 하지만 삶에 필요한 금전은 생명을 조장시키며 기쁨을 가지게 해 준다. 먹는 욕망이 생명의 욕망이며, 그것의 충족이 생명의 기쁨인 것과 같은 것이다.

따라서 정당한 물욕에 대해서 소극적일 필요는 조금도 없다. 용감하게 목적 달성에 매진해야 할 것이다. 선도는 인생을 즐겁게 하는 욕망에 대해서는 거의 탐욕스러울 정도로 적극적이다.

의문의 두 번째는, 서로 다른 입장을 가지고 있는 여러 사람들로 구성되어 있는 현대 사회에 있어서, 기둥만큼 원하지만 바늘 크기만큼도 얻지 못하는 것이 현실이다. 아무리 정당한 욕망이라 할지라도 완전한 달성은 불가능하지 않을까, 달성 불가능인 경우 오히려 불만이 생기고 그것으로 인하여 인생이 불행해지지 않을까 하는 문제이다.

이 문제에 대해서는 다음 장에서 상세히 설명하겠지만, 원래 욕망이 실현된다고 하는 것은 욕망하는 마음과 욕망되는 물건이 일치하는 것을 말한다. 이 두 개가 대립하고 일치하지 않는 경우 욕망의 충족은 없는 것이다.

그런데 우주의 삼라만상은 모두 모습이나 형체를 달리하고 있지만, 궁극적으로는 〈도(道)〉에 귀일(歸一)한다. 그것은 도가 구체화된 〈기(氣)〉에 의하여 구성되어 있기 때문이다. 마음도

〈기〉의 활동이고, 물질도 〈기〉로써 이루어진 것이다. 이 두 개의 〈기〉가 합일하면, 마음과 물질은 하나가 되며, 욕망과 그 대상은 일체가 되는 것이다. 그 때 욕망이 달성된다. 보다 더 근원적으로 말하면, 생명은 〈도〉에서 탄생되는 것이다.

개인의 생명 중에는 〈도〉가 엄연히 존재하고 있다. 이 〈도〉는 모든 물질을 창조 변화시키는 우주 근원의 〈도〉와 동일한 것이다. 따라서 개인 속에 있는 〈도〉는 우주의 〈도〉와 일체가 되어 연결되어 있는 것이다. 우주의 〈도〉는 또한 만물의 내부에도 있다. 무슨 말이냐 하면, 개인의 〈도〉는 만물의 〈도〉와 같다는, 즉 개인의 마음과 대상물은 본래 같은 것이었다는 말이 된다.

이것을 대립한 것으로 보는 것은 사람의 잘못된 지식 때문이다. 그것이 양자를 격리 대립시키고 있다. 이 대립관을 제거시키면 양자는 당연히 일체가 된다. 이와 같이 대립차별관(對立差別觀)을 제거시키는 것이 선도의 행(行)이다. 어찌 욕망이 달성되지 않을 수가 있겠는가.

3. 선도(仙道)의 행법체계(行法體系)

지금까지의 설명을 요약해 보면,

① 인생의 목적은 즐겁게 오래 사는 것이다.

② 즐겁다고 하는 것은 욕망이 만족되는 것이다.

③ 욕망의 추구가 생명의 단축 결과를 가져오는 경우가 많다.

④ 그것은 생명의 만족이 아니므로, 그와 같은 욕망은 버릴 것이다.

⑤ 그러나 욕망이 생기면 의지로 억제해도 꺼지는 것이 아니므로, 처음부터 생기지 않도록 할 수밖에 없다.

⑥ 욕망이 참된 생명의 추구라 한다면 반드시 달성시켜야 할 것이다.

⑦ 욕망은 의식 이전의 것이기 때문에, 나쁜 결과를 가져올 욕망이 일어나지 않게 하려면, 행(行)에 의하여 마음이나 신체를 훈련하는 수밖에 별 다른 방법이 없다.

이상의 목적을 달성하기 위하여 꾸며진 것이 선도의 행법체계이다.

제 1 단계　　재계양생문(齋戒養生門)
제 2 단계　　안처제감문(安處制感門)
제 3 단계　　존상통각문(存想統覺門)
제 4 단계　　좌망환원문(座忘還元門)
제 5 단계　　신해자재문(神解自在門)

이 가운데 제1, 제2단계를 〈축기(築基)〉, 제3단계 이하를 〈연정(煉鼎)〉이라 한다. 〈축가〉라 함은 기초를 만든다는 뜻이다. 그러나 이 〈축기〉가 가장 중요하며, 이것이 안 되면 결국 행의 달성은 불가능하다.

제1단계의 〈재계〉는 주로 육체를 대상으로 하고 있으므로 건강법(健康法), 장생법(長生法)으로 된다. 제2단계는 주로 정신훈련이므로 수양법(修養法)으로 된다. 선도에서는 육체나 정신도 일원(一元)으로 보고 있기 때문에 육체만의 건강, 혹은 마음뿐인 평온 안정이라는 것은 인정하지 않는다. 편의상 육체와 정신의 훈련을 따로 행하고 있을 뿐이다.

제3단계는 역시 마음의 단련이지만, 제2단계보다 적극적인 의도를 가지고 초능력의 개발을 목표로 하고 있다. 제4단계는 다시 붕괴되기 쉬운 물질로 조직되어 있는 육체를 뛰어넘어서 불사(不死)의 정묘체(精妙體)로 비약시키기 위한 행법 부문으로 되어 있으며, 그리고 제5단계에서는 무엇에든지 구속되지 않은 자유를 얻는 참된 사람을 완성시키는 것이다.

이것은 우선 흔한 일상 생활에서 출발하여 가깝고 낮은 것으로부터 멀고 높은 것으로, 표면적·현상적(現象的)인 것으로부터 심오하고 근본적인 것에 도달할 수 있도록 짜여져 있다. 처음부터 충실하게 실천해 가면 누구든지 알지 못하고 느끼지 못하는 사이에 높은 경지에 인도되어 즐거운 인생은 물론이고 불로불사(不老不死)까지 달성되도록 되어 있다.

이와 같은 체계는 물론 특정한 사람의 창의나 단시일에 이루어진 것이 아니고, 유구한 5천 년의 세월과 수많은 선각자의 체험 및 영계(靈界)로부터의 지원에 의하여 만들어졌다. 귀중한 인류의 유산인 것이다.

오늘의 과학 발달, 문명의 진전도 이 유산의 토양 위에 세워진 것이지만, 근대의 인류는 스스로 만들어낸 물질 문명에 도취되어 인류의 존엄성과 주체성을 망각하고 물질의 노예로 전락하여 시기와 싸움으로 심신을 피폐시키며 소모시키는 반면 참된 삶의 즐거움을 알지 못하고 늙어 가는 것은 참으로 유감스러운 일이다.

우리는 다시 한번 선인들의 유산을 검토하여 그 중에서 참된 인간으로서의 사는 방법을 배울 필요가 있지 않을까 생각된다.

4. 재계(齋戒; 자연으로 돌아가는 것)

선도 행법체계의 제1단계에 마련되어 있는 것이 〈재계〉라고 하는 부분이다.

〈재계〉라 함은 깨끗하게 한다는 뜻이지만, 제사(祭祀) 때에 행해지는 재계목욕과는 다르다. 사람은 불결한 것이므로 신 앞에 엎드리려면 몸을 씻고 음식을 조심해야 한다는 것이 재계목욕이지만, 선도에서는 인간을 불결한 것으로 보지 않기 때문에 그럴 필요를 인정하지 않는다.

선도에서 말하는 〈재계〉는 부자연스러운 생활 습관으로 오랜 세월 동안에 이루어진 신체의 굳어짐이나 뒤틀림을 교정하여 인간 본연의 자연적인 모습으로 환원시키는 행위이다.

인간의 육체는 생명이 현상(現象)으로 나타난 것이며 생명 그 자체는 완전무결한 것이기 때문에, 생명이 완전 발현되면 육체도 또한 완전한 생명 활동을 시작하며, 따라서 병이나 젊어서 죽는 것과 같은 일이 일어나지 않을 것이다. 그러나 현실적으로 육체가 병에 걸리거나 고장을 일으키는 것은 생명의 완전 발현을 방해하는 것이 있기 때문이다.

생명의 완전 발현을 방해하고 있는 것의 하나가 늙어서 자연스럽지 못한 생활에 따른 신체의 뒤틀림이다. 그러므로 이 뒤틀림을 교정하여 생활 습관을 자연에 따른 방법으로 고치면 방해물은 없어져서, 생명은 그 본연의 완전한 발현을 할 수 있을 것이다. 이것이 〈재계〉이다.

따라서 〈재계〉는 종래의 신체적 결함이나 뒤틀림을 교정하는 것(맑게 한다는 것)과 금후 그와 같은 굳어짐이나 뒤틀림이 나타나지 않는 생활 습관을 몸에 익히는 것(한 마디로 좋은 것은 하고 나쁜 것은 하지 말라는 것)의 두 가지를 주안점으로 하고 있다. 좋다든가 나쁘다는 것은 도덕적인 문제가 아니라, 체위(體位)에서 행주좌와(行住座臥)의 생활 양식 전반에 걸쳐 자연에 따른 형식을 좋은 것이라 하고 자연에 거슬리는 양식을 나쁘다고 하는 것이다.

왜냐 하면 인간은 자연의 산물이기 때문이다. 그러므로 〈재계〉는 한 마디로 "자연으로 돌아가라"는 것이다.

◆ 기(氣)의 순환(循環)

〈재계〉는 생명의 완전 발현을 저해하는 신체의 뒤틀림을 수정하는 것이라고 했는데, 신체의 뒤틀림이 어떻게 생명의 완전 발현을 방해하는가, 그것을 교정하면 왜 생명이 완전 발현을 하는가, 하는 문제에 대하여 설명하고자 한다.

앞에서도 설명한 바와 같이 선도에서는, 우주의 만물은 창조주라든가 신이라고 하는 의지를 가진 인격적 존재에 의하여 창조된 것이 아니고, 자연적으로 생성된 것으로 해석하고 있다. 자연이라고 하는 것은 과학에서 말하는 것처럼 인간의 대립물로서의 자연이라고 하는 의미는 아니고, 인간도 포함되어 있는 전 우주는 누군가에 의하여 창조된 것도 아니며, 또한 누구에게 지배되고 있는 것도 아니다. 자연 발생적으로 생성된 것이며, 스스로 떳떳한 것이라고 하는 것이다.

우주는 자연 발생적으로 생긴 것이라고 하지만 그것에는 엄연한 원리, 법칙이 있다. 4계절의 변화도, 천체의 운행도 모든 것이 일정한 법칙에 따라 질서를 유지하는 것이다. 그 원리를 〈도(道)〉라고 이름을 붙였다. 이것은 어디까지나 설명의 필요상 부여한 명칭일 뿐 〈도〉 그 자체는 지각(知覺)을 초월한 존재로서 물질적 존재가 아니다. 그러므로 이것은 만물로부터 떨어져서 만물을 움직이게 하는 것이 아니고, 모든 물질 속에 숨어 있다. 그러나 〈도〉가 작게 쪼개져서 여기저기 물질 속에 틀어박혀 있다는 것이 아니라, 만물 모두가 〈도〉의 표현체라고 하는 관계에 있다.

만물이 한 개의 〈도〉의 표현체라면 어째서 하나하나의 다른 형체나 성상(性狀)을 하고 있을까 하는 의문이 생길 것이다.

그것은 〈도〉가 여러 가지로 변하기 때문이다. 〈도〉는 고정된 것이 아니고 또한 일정불변의 것도 아니며, 시시각각으로 변화유전(變化流轉)하고 있다. 변화유전 그것이 〈도〉라고 할 수 있다. 그렇지만 〈도〉는 물질적인 존재가 아니므로 변화한다고 해도 〈도〉 그 자체가 변화하는 것이 아니다. 변화하는 것은 〈기(氣)〉이다.

우주 만물은 〈기〉에 의하여 물질화되어 있다. 〈기〉는 〈도〉의 구체화된 것이라고도 할 수 있다. 만물의 형체, 성상이 다른 것은 〈기〉의 변화에 의하여 그렇게 되어 있는 것이다. 또 만물이 생성쇠멸(生成衰滅)을 거듭하고 있는 것도 〈기〉의 변화에 의하여 행해지고 있는 것이다. 〈기〉를 현대식으로 바꾸어 말하면 파동(波動)이다. 무한한 종류의 〈기〉가 집산이합(集散離合)하여 만물 및 모든 현상을 나타낸다.

생명도 〈기〉의 응집에 의하여 만들어진다. 생명을 만드는 〈기〉는 물질을 구성하는 〈기〉보다 훨씬 정묘(精妙)한 〈기〉이다. 진동수가 많은 파동이라고 할 수 있을 것이다. 그것을 〈생기(生氣)〉라고 한다. 〈생기〉가 물체에 생명을 주고 있다. 인간의 육체도 물론 〈기〉로 만들어지고 있으나 그것은 조잡한 〈기〉이다. 조잡한 〈기〉로 되어 있는 육체 속을 〈생기〉가 순환하는 것에 의하여 인간은 살아 있는 것이다.

이 〈기〉의 순환이 육체의 구석구석까지 빠짐없이 일정한 리듬으로 순환할 때 생체는 건전하다. 이것은 생명이 완전 발현되기 때문이다. 그런데 육체 속에 고장이나 폐쇄부가 생겨 그것으로 인하여 〈기〉의 원활한 순환이 저해되어 온 몸에 빠짐없이 순환되지 않거나 순환의 리듬이 흩어지거나 하면, 생명의 완전 발현은 저지되어 육체의 건강이 유지되지 않게 된다. 또는 〈생기〉가 부족하고 체내 기관에 보급이 불충분해지면 노쇠현상이 나타난다. 그리고 〈생기〉가 고갈되면 조잡한 〈기〉로 만들어져 있는 육체는 붕괴된다. 그것이 죽음이라는 현상이다.

인간의 육체도 〈도〉의 법칙에 의하여 만들어지며 변화한다. 따라서 〈도〉의 원리 법칙에 순응해 가면 고장이나 폐쇄부가 생기지 않지만, 〈도〉의 원리에 거슬리는 처리법을 하면 고장을 일으킨다. 만물은 〈도〉의 표현체이며 〈도〉에 거슬리는 것은 존재할 수 없기 때문이다.

그런데 인간은 지적 활동으로 자연과 동떨어진 인위적 환경을 만들어 반자연적인 생활 양식 속에 살고 〈도〉에 거슬리는 생활 행동을 하기 때문에 신체에 부자연한 뒤틀림이 생기며, 그로 인하여 〈기〉가 원활히 순환되지 못하고 병에 걸리며 결함이 생기게 된다. 이미 생겨난 뒤틀림은 교정법으로 자연의 형태로 회복시켜야 한다. 이와 같은 뒤틀림이 생기지 않도록 하려면 생활 형태는 자연에 순응한 방식으로 고치지 않으면 안 된다. 〈재계〉는 이것을 위한 행법(行法)이며, 〈재계〉에 따라 육체의 건전, 인생의 쾌락이 얻어지는 것은 이상과 같기 때문이다.

◆ 양　생(養生)

〈재계〉의 부분은 한편 양생문(養生門)이라고도 한다. 〈양생〉

이라는 것은 몸에 해로울 것 같은 음식을 먹지 않으며, 더위와 추위에 따라 의복을 가감하며, 사람이 많이 모인 곳에서는 마스크를 하며, 감기에 걸릴 듯하면 일찍 잠자리에 드는 것과 같이 소극적인 질병 예방법처럼 생각하고 있으나, 이것은 참뜻을 잘못 이해하고 있는 것으로 〈양생〉은 삶을 기른다는 것, 즉 적극적으로 생명 활동을 왕성하게 하는 것이다.

〈양생〉에는 두 개의 중요한 요소가 있다.

그 중의 하나는 형체를 기른다는(養形) 것이다. 형체를 기른다는 것은 앞에서 설명한 바와 같이, 〈기〉의 순환을 저해하는 신체의 뒤틀림을 수정하여 생명의 완전 발현을 촉진하고, 다시 되풀이되지 않도록 앉고 서는 행동 등 몸의 놀림을 자연법칙에 적응한 형식으로 행동한다는 식으로, 형체의 면에서부터 생명 활동을 바로 잡아가는 것이다.

이것은 형체상의 문제이지만, 단지 신체의 건강이라는 것을 목적으로 하는 것이 아니고 욕망의 규정, 정신의 안정 등에도 통하는 것이다.

인간의 육체와 정신은 원래 별개의 것이 아니며, 생명이라고 하는 하나가 달라진 양상으로 나타난 것에 불과하다. 따라서 이 양면은 밀접한 상호관계가 있으며, 마음의 변화는 즉각 신체면에 나타나고, 신체의 이변은 곧바로 마음에 반영된다.

예를 들어 슬프면 눈물이 나지만, 눈물이 나면 또한 슬프게 된다는 상관관계를 가지고 있다. 같은 말이 되지만 상심했을 때는 어깨를 굽히고 걷고, 의기양양할 때는 가슴을 펴고 걷는다. 반대로 축 처져 걸을 때는 마음이 무겁고, 하늘을 쳐다보며 걸으면 희망이 넘쳐오게 된다. 따라서 항상 가슴을 펴고 당당하게 걸어

開眉仰月口(良)

寄眉覆舟口(惡)

가면, 역경에 굴하지 않는 정신력이 생기게 된다. 괴로울 때는 이맛살을 찌푸린다. 기쁠 때는 이맛살을 펴고 밝게 웃는 얼굴이 되며 마음이 밝아져 온다. 이것은 〈개미앙월구(開眉仰月口)〉라고 하는 얼굴상이며, 운이 열리는 비결로 삼고 있다.

이처럼 형태를 고치는 것에 의하여 마음을 바르게 할 수가 있다.

〈양생〉의 또 다른 요소는 정신을 기르는 것이다. 이것을 〈양신(養神)〉이라 하며, 정신집중 등의 방법으로 정신을 순화하고 강화시키는 방법이다. 이것은 〈선도(仙道)〉의 제 2 단계 이후의 행법에서 실시한다.

아뭏든 〈양생〉이라는 것은 마음과 형체 양면에 걸쳐 부자연한 생활 형태를 개선하여 생명의 완전 발현을 달성시키고자 하는 기법이지, 단순하고 소극적인 건강 보전법은 아니다. 생명의 완전 발현이 달성된다는 것은, 단지 한 개의 심신이 건전하게 된다는 것만이 아니라, 대인·대물의 관계를 시정하여 사회 생활을 원활하게 하고 물질과의 조화도 유지할 수가 있어 처세법(處世法)으로도 커다란 의의를 갖게 된다.

5. 재계(齋戒)의 행법

〈재계〉에 속하는 행법의 중요한 부분은 다음과 같다.

◆ 도 인(導引)

〈도인〉은 예부터 발달된 양생술(養生術)의 하나로 〈기〉의 원활한 순환을 방해하는 체내의 폐쇄부를 개방시키기 위하여 행하는 신체의 신축법(伸縮法)이다.

〈도인〉에는 안마 마사지의 선조로 피부의 표면에서 마찰이나 두드리는 방법으로 신체의 뒤틀림이나 굳어짐을 제거하여 〈기〉의 소통을 도모하는 방법과, 신체를 굴신시켜 몸의 표면 및 내부 폐쇄부를 개방시키는 방법이 있다. 후자는 특히 균재재법(均齋齋法)이라 불려진다.

〈도인〉은 체력의 증강을 목적으로 행해지고 있는 체조나 운동과는 달라, 근육과 골격을 강하게 하는 것보다는 신체의 뒤틀림을 교정하는 것이 목적이다. 형식은 비슷하지만 목적이 전혀 다르다는 점에 유의하지 않으면 안 된다. 부자연스런 근육 골격의 증대는 오히려 신체의 뒤틀림을 더하는 원인이 된다. 〈도인〉은 불필요하고 유해한 부분을 제거하는 것이 목적이므로 외형적으로는 오히려 야위어 약하게 보이게 되지만, 이것은 〈기〉가 많고 〈육(肉)〉이 적은 상태로 육체 기능은 비교도 안 될이만큼 강해진다.

◆ 식 이(食餌)

〈선도〉의 식이법은 흔히 말하는 식양법(食養法)이라고 하는 것과 다르며, 특별한 의미를 가지고 있다. 〈선도〉는 원래 현세에서 될수록 오래 삶을 즐기려고 하는 것이 목적이며, 그러기 위하여는 육체를 오래 유지시키지 않으면 안 된다. 그러나 조잡한 물질로 되어 있는 육체 조직은 조만간 붕괴될 필연성을 지니고 있으므로, 조직 요소가 붕괴되기 어려운 물질, 즉 정묘한 〈기〉로 되어 있는 물질로 변환시키지 않으면 안 된다. 부패되기 쉬운 육체를 만드는 것은 음식물이기 때문에 음식물을 선별하며 조잡한 〈기〉로 만들어진 식품은 피하고, 보다 정묘한 〈기〉로 형성되어 있는 것을 취하는 것이 필요하다는 견지에서 출발하고 있는 것이 다.

정묘한 〈기〉를 가진 식품이란, 생기를 많이 내포하고 있는 식품이다. 그것은 신선하고 생활력이 왕성한 야생초라든가 성장력이 강한 나무의 싹이나 새 잎 따위이다. 죽은 고기나 노화된 것은 생기가 없으며 육체를 더욱더 조잡하게 하기 때문에 피해야만 한다. 이것이 목이법(木餌法)이라 불려지는 〈식이법〉이다.

또한 육체에는, 소위 사자의 몸 속에 벌레라고도 할 수 있는 해충이 서식하고 있어, 이것이 체내에서 육체를 쇠퇴시켜 가는 원인으로 되어 있다. 이 벌레는 곡물을 먹이로 하고 있기 때문에, 곡물류를 끊어버리고 먹이의 줄을 차단하여 절멸시키지 않으면 안 된다는 견지에서 벽곡법(辟穀法)이라는 방법도 고려되었 다.

이와 같은 식이법에 대한 발생의 가부는 토의 대상이 되겠지만, 목이법이나 벽곡법은 현대의 영양학에서 보아도 결코 비합리적인 식사법은 아니다. 이미 칼로리 학설은 낡은 학설로 되어, 비타민이나 미네랄 또는 산염기설(酸鹽基說) 등이 영양학의 주력으로 되어 있는 현금에 있어서, 목이법은 매우 합리적인 식사법이며, 또한 쌀을 과식하는 폐해가 지적되고 있는 오늘날 벽곡법의 의의를 크게 생각해 보아야 할 것이다.

◆ 복 기(服氣)

생체에 생명력을 주고 있는 것은 〈생기〉라고 하는 것은 앞에서 말한 대로이다. 따라서 생명 활동을 왕성하게 하기 위하여는 체내에 〈생기〉를 풍부하게 채워 주어야 한다.

그런데 모든 생명 활동은 당연생기(當然生氣)——이것을 체내 원기라 함——의 소모를 수반한다. 수족을 움직이거나 무거운 물건을 운반하거나 할 때만 아니라, 말하거나 생각하고 보고 듣고 할 때에도 모두 체내 원기의 소모에 의하여 행하여진다.

그러므로 생체를 유지하며 생명 활동을 왕성하게 하기 위하여는, 항상 체내 원기를 외부에서 보충하지 않으면 안 된다.

우리는 보통 호흡으로 〈생기〉를 대기 중에서 흡수하고 있다. 호흡은 생체에 자연적으로 얻어지는 〈생기〉의 보충법이다. 그런데 자연에서 멀어진 현대의 호흡법으로는 소비된 〈생기〉를 보충하기 위하여 필요에 따른 충분한 〈생기〉를 체내에 흡수시키는 것이 불가능하다.

현대인의 호흡은, 예를 들어 책상에 앉아 일을 하든가 바느질을 하는 것과 같이 가슴을 압박하는 자세를 계속하지 않으면 안 되는 생활 양식 때문에 또는 공기의 오염, 실내에 많은 사람이 모여 있는 환경 등 외부의 부자연한 조건으로 자연히 얇고 짧아지고 있다.

이와 같은 호흡으로는, 〈생기〉가 충분히 체내에 들어가지 않을뿐더러 숨쉬고 내뿜는 것을 침착하게 반복하지 못하기 때문에 체내 원기로서 축적되지 않는다.

그 때문에 체내 원기는 점차 감소되고 생명 활동이 쇠퇴되어 병이나 노쇠를 초래하는 것이다.

그러므로 1일 중 몇 차례 〈생기〉를 흠뻑 들이마시어 그것을 체내에 축적하기 위해 〈복기(服氣)〉라고 하는 기법이 필요하게 된다.

〈복기〉는 대기에서 흡수하는 것만 아니라, 고체나 물에서도 취할 수가 있다. 그것은 먹거나 또는 마시는 방법으로 행하여진다. 앞에서 설명한 식이법도 〈생기〉를 섭취하는 것이 주된 목적이다.

그러나 가장 쉽고 그러면서도 효과적인 방법은 대기에서 호흡으로 얻는 방법이다. 〈생기〉는 대기 중에 다량으로 무한하게 충만하고 있기 때문이다.

단지 대기 중에 충만되어 있는 〈생기〉는 외기(이것을 宇宙元氣라고 한다)라 하며 생명 에너지의 원천이긴 해도 그대로의 형태로는 체내 원기로 되지 않는다. 이것은 식물의 영양소가 그대로 피와 살이 되지 않는 것과 같다.

외기(宇宙元氣)를 체내에 넣어 이것을 내기(體內元氣)로 하려면 여러 가지 조작을 필요로 한다.

따라서 복기법이라 함은 외기를 대량 체내에 넣어 그것을 체내 원기로 전환시켜 체내에 축적하는 기법이라고 말할 수 있다.

바꾸어 말하면, 보통 코로 아주 조용하게 서서히 들이마시어(吸氣), 충분히 흡수한 다음 숨을 멈추고(蓄氣), 이것을 척추를 통하여 맨끝 미골(尾骨)까지 잠입시키며, 미골 위에 있는 두 개의 구멍에서 앞쪽에 있는 최궁(峻宮; 生殖腺)으로 도입시킨다. 여기서 체내에 있는 정(精; 內氣)과 혼합한 다음 체내 원기로 한다. 그 후 숨을 내뱉는데, 이 때 대개 입을 약간 벌리고 역시 조용히 아주 천천히 내뱉는다(吐氣). 이와 같은 일련의 방법으로 실시한다.

◆ 행 기(行氣)

호흡으로 대기 중에서 흡수한 외기를 축기하는 동안 내기로 전환시켜 체내에 축적하는 방법이 복기라고 하는 행법이라는 것은 앞에서 설명했지만, 다시 정확히 말하면 내기는 준궁에 축적되는 것만으로는 여러 가지 생명 활동의 원천으로는 되지 않는다. 〈기〉가 체내에서 원활히 순환되어 비로소 체내 원기로 되며, 건전한 생명 활동이 왕성하게 영위 되는 것이다.

따라서 호흡에 의하여 내기로 전환시킨 〈기〉를 관념의 유도(誘導)로써 체내에 빈틈없이 순환, 주류(周流)시키는 조작이 필요하다. 이것을 〈행기〉라 한다.

6. 삼소법(三少法; 養生法)

〈양생법〉의 일환으로 선가(仙家) 사람들이 중요시하는 행법에 삼소법이라는 것이 있다.

〈삼소법〉은 적게 먹고(食少), 적게 말하며(言少), 생각을 적게 한다(思少)는 것이다. 이것은 평범한 것 같으나 〈생기〉를 기르는 데 중요한 행법이다.

◆ 식 소(食少)

〈식소〉는 글자 그대로 식사의 양을 적게 하는 것이다.

과식이 해롭다는 것은 상식이며, 예부터 적게 먹으면(80% 배를 채움) 의사가 필요 없다고 했다.

포식은 제일 먼저 소화기관에 과중한 부담을 주어 소화기능을 약화시킨다. 그리하여 선도에서는 위장의 부담을 덜어주고 휴식을 주기 위하여 식사의 시간을 정해 〈흘반법(吃飯法)〉이라는 방법을 쓰고 있다.

흘반법에는 반천법(半天法), 사반천법(四半天法), 일천법(一天法)이라는 세 종류가 있다. 이 세 가지 방법을 실천하면, 난치의 위장병도 이것으로 완쾌된다.

〈식소〉의 제2목적은 〈기〉의 순환을 원활히 하는 것이다. 위장에 덩어리가 고여 있으면 〈기〉의 순환이 저해된다. 생명의 활동은 〈기〉의 순환에 의하여 행하여지므로 〈기〉의 순환이 저해되면 생명의 활동은 그만큼 감소되는 것이다.

육체는 조잡한 물질로 구성되어 있으므로 빨리 노화하고 붕괴되기 쉬운 것이지만, 그것을 만드는 것은 식품이므로 동일하게 조잡한 사물(死物)을 아무리 많이 먹어도 육체의 장생에는 도움이 되지 않는다. 그것은 쓸데없이 소화기, 기타에 부담을 가중시켜 체내 기능을 약화시킬 뿐이다. 육체를 오래 유지시키려면 〈생기〉를 많이 포함하고 있는 식품을 소량으로 먹도록 하고, 되도록 딱딱한 식품을 전폐하여 순수한 〈생기〉뿐인 신체를 길러가는 것이 필요하다.

〈기〉로 신체를 기르면 육체 조직은 조잡한 물질에서 보다 정묘한 물질로 되어 불로(不老)를 달성하며 붕괴를 지연시킬 수 있다. 선인이 행하는 찬하법(餐霞法; 안개를 먹는 법)이라고 하는 것은 육체를 건체(健體), 강체(强體)로부터 정체(精體)로 전환시키는 방법이다.

이것은 매우 어려운 방법으로 보통 사람은 불가능하나, 선도에서 말하는 〈식소〉의 뜻은 그와 같은 곳에 있다는 것을 이해하면 된다.

◆언 소(言少)

〈언소〉도 글자 그대로 말을 적게 한다는 것이다.

말한다고 하는 생명 활동은 대단히 많은 체내 원기를 소모시킨다. 1분간 말하는 데 2억8천만의 적혈구가 소실된다고 하는 것으로도 추측할 수 있다.

말 많은 사람은 보고 들은 것을 자기의 보탬도 섞어서 하나하나 이야기한다. 하지만 사람은 눈이 둘, 귀가 둘 있으나 입은 하나밖에 없으므로, 보고 들은 것을 전부 지껄인다는 것은 너무나 자연의 조형(造形)을 무시하는 행위이다.

이런 관점에서 볼 때 견문한 것의 4분의 1 정도가 적당하다고 하겠으나, 입은 말하는 것 이외에 보다 중요한 사명이 있으므로 그 이야기를 반으로 하여 발언을 견문의 8분의 1 이하에서 그쳐야 할 것이다.

또 예부터 "입은 화근의 문" "칼을 빼는 것보다 실언이 나쁘다" "촌철살인(寸鉄殺人)" 등의 지나친 언사를 경계하는 말이 많이 있다. 아뭏든 말이 많으면 트러블을 일으키기 쉬우므로, 발언시는 주의를 충분히 할 필요가 있다. 아무쪼록 "침묵은 금이다"라는 격언처럼 불필요한 것은 지껄이지 않는 것이 양생을 위해 바람직하다.

◆ 사 소(思少)

〈사소〉는 사물을 지나치게 생각하지 말라는 것이다. 지나친 사색은 호르몬의 균형을 깨뜨리고 정신을 피로하게 한다. 인간의 사고(思考)를 조용히 반성해 보면, 거의 대부분은 쓸데없는 것이 많다. 소위 망상이나 잡념 같은 것이 대부분이다. 삶에 쓸모없는 잡념과 망상으로 머리를 쓰고 많은 〈생기〉를 소모하는 짓은 바보스러운 일이다.

사고(思考)는 또한 지식과 연결된다. 인간은 지적 동물이기 때문에 지를 과대시하고 지식에 의존하는 경향이 있다. 특히 현대인은 지식 일변도이다.

그러나 지식이란 사물의 실상에 대한 올바른 인식은 아니다.

우주의 실상은 변화이며, 잠시라도 고정된 모양을 취하는 것이 없다. 지적인 활동은 사물을 고정시키고 분별하는 활동이다. 본래 고정되지 않은 것을 어떤 시점에 한정시켜 그것을 분류 구별하는 것이 지식이다. 따라서 지식은 변화하는 것의 어떤 시점에 있어서의 단면적 양상이지 결코 그 사물 본연의 모습이 아니다. 그러면서도 그 양상은 모두가 상대적으로만 존재하는 것으로 절대적인 것은 하나도 없다.

지구는 크다고 말하지만 그것은 야구공보다 큰 것이지 우주에서 보면 한 알의 모래보다 더 작다. 야구공이 작다고 하나 원자에 비하면 비교가 안 될이만큼 크다. 그러나 원자는 우주의 크기를 구성하고 시시각각 변모하며 한순간도 정지하고 있지 않다.

그와 같은 사물을 한정하고 분별하는 지식은 사물의 실상에서 보면 일종의 착각이다. 그런 의미에서 지식을 근거로 판단하는 사고는 착각을 토대로 하고 있으며, 착각을 더욱 심화시켜 진리에서 더욱 멀어지는 행위이다. 이처럼 잘못된 사고 작용은 삶을 조장하는 것이 되지 못한다. 노자(老子)의 말과 같이 많으면 엇갈린다는 것은 이와 같은 이치 때문이다.

따라서 사고는 적을수록 좋은 것이다. 착각을 기반으로 한 사고 작용을 방지할 때 비로소 실상을 인식하게 된다.

그러므로 선도에서는 앞에서 말한 〈식소〉, 〈언소〉를 포함하여 〈무사(無思)〉, 〈무언(無言)〉, 〈단식(斷食)〉의 행을 일정한 기간 실시한다. 이것을 〈금정(金鼎)〉의 행이라 하며, 〈재계〉 중에서도 최고의 행법으로 간주하고 있다.

제 2 장 오관(五官)의 강화법

1. 강안술(强眼術)

◆ 쾌락과 감각기관(感覺器官)

즐겁다는 것은 욕망이 만족된 상태이다. 역으로 말하면 욕망은 쾌락을 얻으려는 생명 활동이다. 쾌락은 우선 감각을 통하여 얻어진다. 음악을 들어서 즐겁다고 느끼는 것은 귀라는 감각기관이 있기 때문이다. 맛있는 음식을 먹으며 즐기는 경우 혀라는 감각기관이 개입된다.

그 때 만일 감각기관이 건전하고 자연스런 생명 활동을 하지 못하고 있으면, 그 감각을 통하여 얻어지는 것은 참된 생명의 기쁨이 되지 못할 것이다. 감각기관은 본래 생명의 완전 발현을 달성하기 위해 외부 세계와 접촉하는 최일선 기관이다. 그런데 그것만이 외계에 순응하는 성질을 가지고 있기 때문에, 인간의 생활 환경이 자연에서 이탈됨에 따라 생명이라는 사령부의 요구보다 오히려 환경에 지배받게 되었다.

예를 들면 모르핀의 남용은 생명 활동을 약화시켜 생명의 발현을 방해하는 행위임에도 불구하고, 감각은 자신의 쾌락을 위하여 그것을 사용하고 싶다는 욕망을 추구하려 하는 것이다. 따라서 참된 즐거움, 즉 생명의 기쁨이 되는 욕망을 달성하기 위해서는 우선 감각기관을 건전하게 하고, 그것이 본래의 사명에 따라 바르게 활동하도록 〈재계〉하지 않으면 안 된다.

감각기관 중에서 제일 혹사되는 것이 눈이다. 그러므로 눈은 가장 약해지기 쉽고 노화가 빨리 오는 것이다. 그러기에 눈의 강화법은 인생을 즐겁고 오래 사는 데에 필요불가결한 사항이다.

◆ 안구(眼球)의 회전운동

양손을 세게 비벼서 열이 나게 한 다음 두 눈에 광선이 들어가지 않게 손바닥으로 밀폐한다. 이 때 손바닥을 직접 눈 위에 밀착시키지 않고 손바닥 중앙 부분을 오목하게 하여 가볍게 두 눈을 덮는 것이 필요하다.

양쪽 눈으로,

① 상・하
② 좌・우
③ 사우상(斜右上)・사좌하(斜左下)
④ 사좌상・사우하
⑤ 우방향 회전
⑥ 좌방향 회전

의 운동을 아침저녁(또는 수시로) 20~30회씩 한다. 익숙해지면 그다지 많은 시간이 필요하지 않으므로 아침 일어났을 때, 저녁 자기 전에, 혹은 차를 타고 있는 동안의 시간을 이용하면 좋을 것이다.

〈안구의 회전운동으로 녹내장이 고쳐지다〉 ──Y씨의 체험

사람의 오관(五官) 중에서 어떤 것이 가장 중요하다고 할 수는 없다. 어느 하나가 병들어도 곤란하지만, 그 중에서도 눈이 부자유스럽게 되면 인생은 정말 암흑이 된다. 중풍이 들어 움직일 수 없어도 눈이 좋으면 텔레비도 볼 수 있고 연극이나 영화를 즐길 수도 있다. 그런데 50이나 60이 되어 몸은 건강하지만 눈이 나빠진 사람이 뜻밖에 적지 않은 것은 노화현상이 눈에 빨리 오기 때문이다.

나는 30년 전에 왼쪽 눈이 중심성각막염에 걸려 여러 모로 치료해 보다가 전쟁이 시작되자 어찌할 수 없어 그대로 내버려둔 탓인지 나빠진 채 굳어 버렸다. 다행히도 눈은 두 개여서 오른쪽 눈은 괜찮아 그럭저럭 살아 왔었다.

그런데 3～4년 전부터 의지하고 있던 오른쪽 눈에 이상이 생기기 시작했다. 약간만 눈을 사용해도 시야에 모기나 파리 같은 부유물이 나타나기 시작했다. 처음에는 피로가 풀리면 그 흑점이 사라졌으나, 점점 지워지지 않더니 시력을 방해하게끔 되었다. 왼쪽이 나쁜 터에 오른쪽마저 나빠진다면 돈벌이마저 못하게 될 것이다.

서둘러 안과에 가 보았더니 녹내장이었으며, 백내장보다 손대기 곤란하다고 의사는 말하는 것이었다. 그 곳은 한방의로써 수술은 하지 않으며, 등이나 머리에 주사를 놓아서 치료하는데 주사가 몹시 아팠다. 2～3개월간 계속했으나 그다지 좋아지지 않았다. 아마도 치료가 매우 장기간 걸릴 것 같았다.

그해 4월경 나는 볼일이 있어 K국회 의원 한 분을 방문했었다. 그 분은 오래 전부터 사귀어 온 분으로 만난 지가 10몇년 전

이었다. 그 분의 집은 고급 맨숀이었다.

대화 도중 그 분이 안경 없이 신문을 읽는 것을 보고 나는 이상한 생각이 들었다. 젊어서 근시였던 사람은 노년이 되면 안경이 필요없다는 것은 알고 있었으나, 그 분은 근시가 아니었다. 그 분은 백발이 성성한, 70에 가까운 연령이었다.

"돋보기 안경이 필요없나요?" 하고 물었더니,

"최근 필요없게 되었어요."

"아니, 그럴 수가 있읍니까?"

"이것은 눈운동을 하고 있는 덕분입니다."

"눈운동이라니요?"

"실은 P장군이 직접 가르쳐준 것으로, 강안술이라는 겁니다. 그 분은 조종사 출신으로 눈을 중요하게 생각해 왔고, 한 걸음 더 나아가 시력을 강화시키는 연구를 하여, 그 결과 발명해 낸 것입니다. 나는 그 분으로부터 전수(傳授)받아 2년간 줄곧 계속하고 있는데, 덕분에 돋보기안경도 필요없게 되었읍니다."

"방법을 가르쳐 주십시오. 어려운가요?"

"아니, 간단해요. 그저 짬만 있으면 눈알을 상하좌우 또는 원을 그리든지 움직이는 것입니다. 그저 그것뿐입니다. 그 분은 차에 타고 있는 동안에도 언제든지 눈운동을 하고 있었어요."

"그게 눈체조이군요."

나는 즉시 실행하기로 마음먹었다. 그러나 아무 때나 한다고 하면 잊어버리기 쉬워 하루 종일 하지않고 지나쳐 버리는 수가 있다. 적어도 하루에 한 번은 실행하도록 아침식사 후 화장실 시간을 이용하도록 정했다. 그저 아무렇게나 하면 끝도 제한도 없는 것이므로,

① 위에서 아래로 20회
② 좌에서 우로 20회
③ 시계바늘과 반대 방향으로 20회
이것으로 60회가 되지만,
④ 아래서 위로 20회
⑤ 우에서 좌로 20회
⑥ 시계바늘과 같은 방향으로 20회
이상과 같이 120회 눈알을 움직이는 운동을 하기로 했다.

그랬더니 2개월 후부터 왼쪽 눈에 나타났던 흑점의 부유물이 없어져 가는 느낌이 들었으며, 반 년이 지나자 어느새 완전히 없어져 버린 것이다.

당초 이 흑점은 수정체 내에 떠 있는 먼지 같은 것이었는데, 매일 눈알을 굴리면 떠 있지 않고 없어져 버리는 것 같았다.

그 동안 안과에는 다니지 않았으나 완전히 흑점 같은 것이 없어진 다음 안과에 찾아가서 검안했더니,

"아, 다 나았군요."

라고 이상하게 생각하는 모습을 했다. 자세히 이야기했더니

"오, 생각할 수 없는 일은 아닙니다." 라고 말하는 것이었다.

그 의사가 말하기를, 백내장이나 녹내장은 노화현상에 의한 혈액순환의 불완전에서 오는 질환이므로, 안구의 운동으로 낫는 수가 있겠지 —— 라는 것이다.

그 후 눈운동은 하루도 빠짐 없이 계속했으며, 흑점이 나타나지 않을 정도로 녹내장은 완치된 것 같았다. 그뿐만 아니라 최근에는 30년이 다 된 오른쪽 눈의 중심성각막염도 거의 가벼워져 가는 느낌이 들기 시작했다.

효과를 본 나는 눈운동을 여러 사람에게 권했더니, 좋아졌다고 하는 감사의 말을 많이 받곤 한다. 10일쯤 전에 프랑스로 떠난 모 여탈렌트도 그 중의 한 사람으로, 그녀는 안경 없이 신문의 방송란을 읽을 수 있게 되었다고 감사의 전화를 걸어왔다.

내가 다니던 안과의는 한방의여서 특수한 치료법을 썼다. 백내장의 치료는 수술하기 힘들어, 조그만 흑점이 점점 커져 그것이 중심으로 모인 다음 완전히 안 보이게 될 때를 기다려 그 중심부를 도려내는 것이 유일한 방법인 것 같다.

그 동안 많은 시간이 걸리고 돈도 없어진다. 고통도 이겨내야 한다. 그러나 강안술을 시작하면 한푼도 안 들이고 아프거나 가렵지도 않는 것이다. 다만 도중에 중단할 염려가 있을 뿐이다.

나의 경우는 녹내장이 고쳐졌다는 경험뿐이다. 이것은 1일 1회의 눈운동의 결과이지만, 이것을 2회든 3회든 열심히 계속할 경우 어쩌면 노안도 고쳐져서 젊어질지도 모른다.

또 한 가지 덕을 보았다.

그것은 화장실에 들어가서 눈운동을 시작하면 반드시 용변을 보고 싶은 조건반사가 일어나게 되었다는 것이다. 나는 10시경에 가는 습관이 있었으나, 때로는 일 때문에 잊어버리는 수가 있었다. 오후에 그것이 생각나 1일 1회 용변이 중요한데 잊어먹고 있었구나! 하고 화장실에 간다. 이 때 용변 생각이 없어도 눈운동을 시작하면 반드시 일을 보아 그날의 의무를 다하는 것이다.

이것은 여행 중에 매우 편리하다. 차 시간 문제로 아침 일찍 용변을 보아 둘 필요가 있으면, 5시건 6시건 적당한 때 용변을 마치고 맑고 가라앉은 기분으로 출발할 수가 있는 것이다.

◆ 눈의 도인(導引)

① 두 손을 비벼서 열이 난 손바닥을 양 눈 위에(눈을 감고) 밀착시킨다. 이것은 앞에서의 〈회전운동〉의 경우와는 다르며, 눈 위를 따뜻하게 하는 것이 목적이므로 손바닥을 밀착시키는 것이 중요하다. 10~15초 정도 열을 가한 다음 그 손바닥으로 눈 위를 마찰시킨다. 손바닥 일부를 직접 눈 위에 밀착시켜 눈 안쪽 방향에서 시작하여 양 눈끝 쪽으로 가면서 눈 위를 마찰시킨다. 될수록 세게 마찰하지 않으면 효과가 없다. 강하고 빠른 속도로 20회 정도 반복한다.

② 둘째손가락 손톱 위에 세째손가락 끝을 얹고 둘째손가락 끝으로 눈의 윗뼈를 코 있는 쪽에서 양 눈끝 쪽을 향하여 눌러간다. 이 때 세째손가락 끝에 힘을 주어 누르는 것이 요령이다. 끝까지 가면 다시 출발점으로 되돌아와 4~5회 되풀이 한다. 같은 요령으로 눈 아랫뼈도 지압한다.

③ 둘째, 세째, 네째손가락 끝을 모아서 눈의 윗뼈를 아래서 밀어올리는 것처럼 3~4회 누른다. 같은 요령으로 위에서 끌어내리듯이 누른다 (그림 1, 2)

④ 둘째, 세째, 네째손가락 끝을 모아서 위쪽 눈 위를 누른다 (眼球는 아래쪽을 향하게 한다). 같은 요령으로 눈 아래쪽도 세 손가락 끝을 모아 누른다. 다음에는 둘째 또는 세째 손가락 끝을 눈 위에 대고 안구를 양 눈끝 쪽으로 몰아붙인다. 다음에는 양 눈끝 쪽에서 안쪽 방향으로 안구를 밀어붙인다.

⑤ 엄지손가락을 턱 밑에 대고 나머지 손가락은 위로 편다. 둘

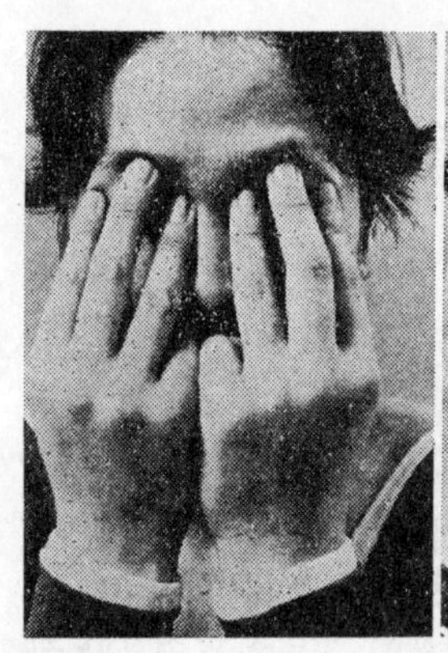

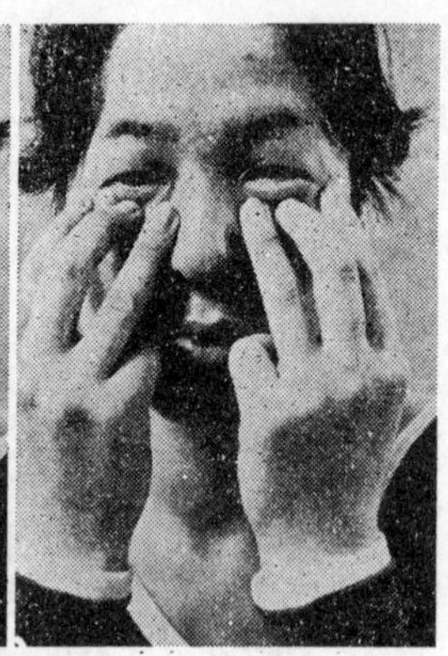

〈그림 1〉 〈그림 2〉

째, 세째, 네째의 세 손가락은 바로 눈 위에 오게 하여 세 손가락 끝으로 눈 위를 지압한다. 양손으로 좌우의 안구를 동시에 입으로 숨을 내쉬며 손 끝에 힘을 천천히 더하면서 3~4회 되풀이한다. 같은 요령으로 이번에는 세 손가락 끝으로 동시에 누르는 것이 아니고 한 손가락씩 지압한다. 이 때 나머지 두 손가락 끝은 가볍게 눈 위에 얹어놓고 둘째, 세째, 네째손가락의 순서로 3~5회 지압을 반복한다.

이상이 눈의 도인(導引)의 중요한 것이다. 이것 역시 안부(眼部)의 피순환을 좋게 하며 안구의 협잡물을 제거시켜 시신경(視神經)의 조절을 부드럽게 해주기 때문에, 근시나 노안을 고쳐주며 내장안(内障眼)이나 비문증(飛蚊症)이 고쳐지기도 한다. 비문증이란 눈앞에 파리나 모기 같은 것이 엇갈리게 날아다니는 것처럼 보이는 증상으로, 증상이 커지면 그로 인하여 시계가 가려져 앞이 보이지 않게 되는 병이며, 내장안처럼 수술 이외는 치료법이 없다. 이것은 수정체 내의 협잡물이 원인이므로 〈도인〉으로 그것을 제거시킬 수 있다. 〈재계〉가 생명 활동의 방해물을 제거하는 것으로 기관(器官)의 제기능을 회복시켜 주는 하나의 좋은 예라고 할 수 있겠다.

◆ 눈의 세척 및 냉수욕

① **세척** 아침 세수할 때 실시한다. 이것은 세수의 한 부분으로 행하는 것이 편리하다. 우선 소금으로 이를 닦을 때 나오는 타액과 소금의 혼합물을 세면기에 받아 놓고, 여기에 물을 부어 눈의 안팎을 씻은 다음, 두 손으로 물을 떠서 그 속에 두 눈을 담그고 깜박깜박 눈을 떴다 감았다 하며 눈 속을 씻는 방법이다. 얼굴을 세면기 속에 담그고 해도 무방하다.

② **냉수욕** 세척과는 다르며 눈의 피로를 푸는 것이 목적이다. 눈 속을 씻을 필요는 없다. 세면기의 물을 두 손으로 떠서 눈을 감고 눈 위에 끼얹듯이 물을 뿌린다. 20～30회 끼얹은 다음 마른 수건으로 눈을 마찰하듯이 닦아낸다. 이것은 과로한 뒤나 목욕 후에 하면 좋은 것이다.

눈의 세척은 생수보다 타액과 소금의 혼합물로 씻는 편이 효과가 좋다. 타액과 소금의 살균력이나 약효가 세척의 효과를 높여 주기 때문이다. 이것은 눈 속을 씻는 것이 목적이므로 물 속에서 눈을 떴다 감았다 하며 물이 눈 속에 잘 들어가도록 하는 것이다.

튼튼하게 그리고 건강하게 유지한다는 것은 청결하게 한다는 것이 전제이므로, 불결하거나 불순한 것으로부터는 건전 강화가 생기지 않는다는 것을 명심할 일이다. 따라서 세수법은 여러 가지 눈병의 치료나 예방에 효과가 있을뿐더러, 시력을 강화시키고 눈을 아름답게 하는 데 크게 이바지한다.

예부터 눈은 마음의 창문이라 하여 눈이 아름다운 사람은 잡념이 없는 사람으로 신뢰를 받고 있다. 이것은 어린애 눈과 어른 눈을 비교해 보면 명확해진다. 지식이 늘고 여러 가지 일을 경험하고 나면 눈이 흐려지는 것은, 그와 같은 지식 또는 경험이 전적으로 자타를 행복하게 하는 것이 아님을 말해 주고 있다. 또한 눈은 〈간의 입구〉라고 할이만큼 간장과 밀접한 관계를 가지고 있다. 간장이 좋지 않은 사람은 눈이 황색으로 흐려져 있고,

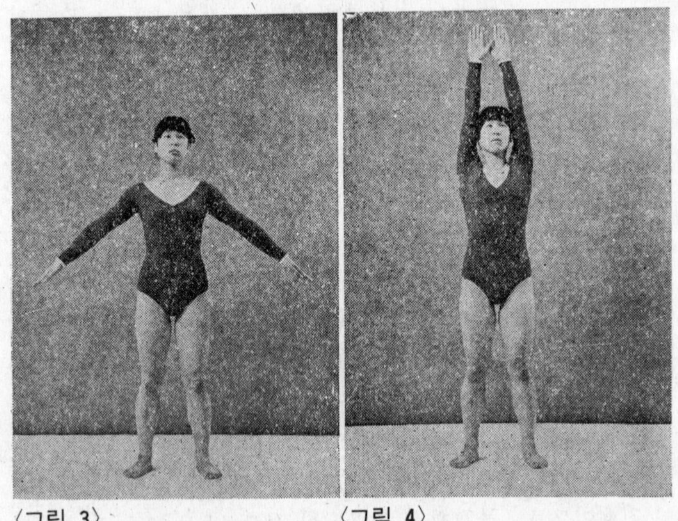

〈그림 3〉 〈그림 4〉

〈그림 5〉 〈그림 6〉

〈그림 7〉 〈그림 8〉

생기를 잃는다. 그러므로 눈을 항상 건전하고 청결히 유지하는 것은, 간접적으로 간장을 튼튼히 하는 데 이바지하게 된다.

◆ 눈의 복기법(服氣法)

눈에 한정되지 않고 여하한 기관(器官)이라도 기혈(氣血)의 원활하고 충분한 순환이 이루어지지 않으면, 그 기능이 쇠퇴해진다. 역으로 말하면, 눈이 쇠퇴하거나 병에 걸리는 것은, 〈기〉의 순환 및 충실이 이루어지지 않고 있기 때문이다. 그러므로 이와 같은 부위에 생기(또는 元氣)를 충분히 공급하면 기능을 회복하게 되는 것이다. 눈의 〈복기법〉은 이와 같은 목적을 위한 건강법의 하나이다.

① 아침에 태양을 향해 서서 〈향양복기법(向陽服氣法)〉을 한다. 향양복기법(그림 3～8)에서는 눈이 제일 중요하다. 이것의 응용법은 우선 숨을 충분히 내쉬고 아랫배를 수축시키며, 상반신을 약간 앞으로 기울이고 얼굴이 약간 아래로 향하게 하여 태양 광선이 바로 눈 위에 오도록 한다.

② 코로 숨을 천천히 들이마시며, 아랫배의 힘을 풀고, 폐의 하부에서 가운데, 그리고 상부의 순으로 공기를 채운다. 동시에 상반신을 약간 뒤로 제치고 상흉부(上胸部)에 공기를 충분히 들이마셨을 때, 얼굴을 약간 하늘로 향하게 하여 눈의 아랫부분에 햇빛이 닿을 정도의 위치로 한다. 여기서 숨을 멈추고 일반 복기법의 원칙에 따라 들이마신 생기(이 경우 태양 에너지)를 척추를 통하여 일단 미골(尾骨) 끝까지 떨어뜨린다. 거기서 최궁(前立腺)으로 들여보내 체내의 내기와 합류시킨 다음 강력한 정(精)으로 전환하여 상승시킨

다. 이것은 강한 관념의 힘으로 〈기〉를 유도하는 (이것은 〈行氣〉라고 하는 행법이다) 것이지만, 태양의 강렬한 에너지가 체내를 흘러다니는 상태를 강하게 상상하면서 실시한다. 이 때 〈향양복기법〉처럼 양손을 위로 뻐칠 필요는 없다.

③ 상승시킨 〈기〉가 뇌까지 도달했을 때, 마신 숨을 풀어 입으로 서서히 내뿜는다. 뇌까지 도달한 〈기〉(이것은 태양 에너지로 강화된 생명 에너지이다)를 눈 부위에 강한 관념으로 주입시켜, 그 〈기〉가 수정체나 시신경 등 여러 감각기관으로 집중될 때 병균, 장애물이 하나하나 용해되어 독소가 입으로 토해내는 숨과 함께 몸 밖으로 방출되는 상태를 실제로 느끼는 마음 가짐을 그려보는 것이다.

④ 숨을 내쉴 때 처음 ①과 같은 체위를 유지하며, 숨을 다 내쉬면 두 번째의 흡식(吸息) ②로 옮겨간다. 이것을 5~7회 되풀이한 뒤 온 몸에서 힘을 빼 이완시키며, 눈병은 이제는 완전히 끝났으며, 시각기관은 완전히 건강화된 것으로 마음먹는다.

이 방법은 눈의 일광욕과 〈복기〉라고 하는 외부적인 방법과, 〈행기(行氣)〉·〈내관(內觀)〉의 내부적 방법(심리적)과를 결합시킨 가장 강력한 강건술(强健術)이다.

◆ 시력(視力) 강화법

이것은 〈통각법(統覺法)〉을 응용한 시력 및 안력(眼力) 강화법이다.

① 조용한 방에서 편히 앉거나 의자에 걸터앉아 마주 보이는 벽에 직경 1~2 센티미터 정도의 흑점(黑點)을 그린 흰 종

이를 눈 높이보다 약간 낮게 붙인다. 이 흑점을 2～3 미터 떨어져서 주시한다.

② 숨은 자연호흡이며 몸 어느 구석에도 의식이 흩어지지 않도록 목표의 흑점에 집중시킨다. 그러나 눈을 크게 떠서 흑점을 노려보는 것이 아니고, 멍하게 아주 자연스럽게 바라보는 것이 중요하다. 그러나 눈을 깜박거리는 것을 참는다. 익숙해짐에 따라 시간을 연장한다. 처음에는 1분 정도 주시하며, 보는 동안 눈을 깜박거리지 않는다. 그 다음 가볍게 눈을 감고 안근(眼筋)의 긴장을 풀어 또다시 앞에서처럼 흑점을 주시한다. 이것을 반복하는 동안에 흑점이 점차 선명하게 보이게 된다.

보는 대상을 흑점으로 한정시킬 필요는 없다. 예를 들어 액자

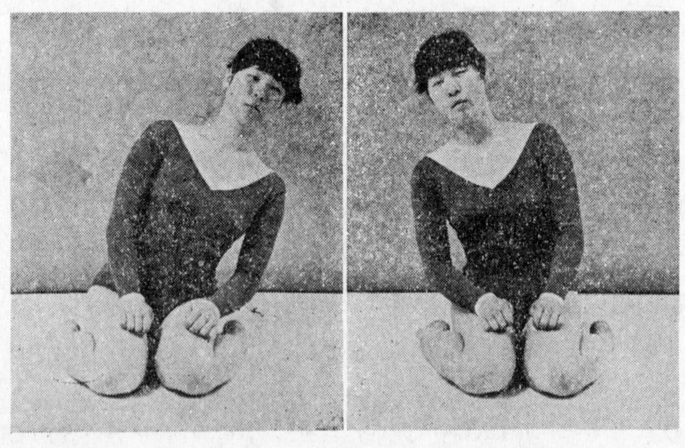

〈그림 9〉 〈그림 10〉

같으면 십자로 교차시킨 중심점이든가 문의 손잡이 등 적당한 것이면 되고, 처음에는 되도록 작은 것으로 색채나 형태가 단조로운 것을 선택한다. 단순하게 보이는 것도 훈련함에 따라 그 속에서 색의 변화라든가 흠집이나 무늬 등 가는 점들이 뚜렷이 보여지게 된다. 또 대상물을 외부에서 구하지 말고 자기 손톱을 주시하는 것도 좋은 방법이다.

이와 같은 방법을 실천할 때, 낮 같으면 어떤 것을 보다가 눈을 돌려 창밖의 먼 곳을 보면 눈의 긴장이 풀어지며 효과가 더욱 커진다. 큰 목표물을 택했을 경우 한 곳만 보지 말고, 그 물건의 외곽을 따라 시선을 돌리면서 눈을 감았을 때 그 물건의 형태를 눈으로 그려 본다.

◆ 요신법(搖身法)

① 마루 끝 같은 데서 밖을 보며 단좌(端座)하여 상반신을 곧바로 한 채 허리를 중심으로 좌우로 흔든다 (그림 9, 10). 시선은 몸이 움직이는 대로 이동시키며, 일정한 물건에 고정시키지 않는다. 그리하여 몸이 움직이는 것이 아니라 경치가 움직이고 있는 것으로 인식한다.

② 일어서서 행하는 경우, 발을 30센티미터 정도 벌리고 서서 몸을 곧바로 유지한 다음, 오른쪽으로 흔들 때는 왼쪽 발꿈치를 들고, 왼쪽으로 흔들 때는 오른쪽 발꿈치를 들어서 왼발에 중심을 걸어 준다. 막대기가 좌우로 흔들리듯 몸을 굽히지 않을 것 (그림 11, 12).

이〈요신법〉은 눈을 위해 매우 좋은 운동이므로 꼭 권하고 싶다. 또 머리의 회전, 전후좌우로 굽히는 운동 등도 두뇌부의 혈

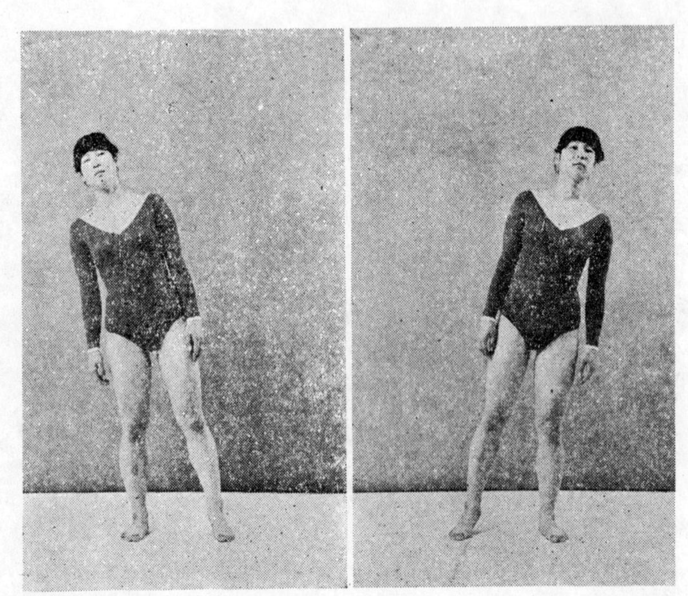

〈그림 11〉 〈그림 12〉

액 순환을 좋게 하고 눈의 건강에 이바지한다.

◆ 안근이완법(眼筋弛緩法)

지금까지 설명드린 눈의 건강법은 거의가 〈긴장에 의한 강화법〉이었다. 그러나 긴장의 연속으로는, 강화라고 하는 소기의 목적을 달성할 수가 없다. 특히 눈의 경우에는 항상 긴장을 강요당하고 있으며, 과로가 원인이 되어 병이나 노화가 생기는 경우가 대부분이다. 특히 눈이 피로해지는 일에 종사하고 있어 눈의 긴장이 계속되고 있는 사람은 수면으로 안근의 피로가 풀리지 않는다. 눈동자의 피로나 눈에서 오는 신경쇠약증 등은 눈의 과로가 누적된 결과이다.

눈의 피로 회복은 눈을 감거나 또는 시력의 거리를 변경시키는 것으로 어느 정도는 된다. 눈을 깜박거리는 것도 피로 회복의 일종이다. 여기에 설명드리는 〈안근이완법〉은 이것을 한층 더 효과적으로 하는 눈의 피로 회복법인 동시에, 더 나아가 눈동자의 피로나 노이로제의 좋은 치료법이기도 하다. 이것은 앞에서의 〈눈의 도인〉에 이어 행하면 더욱 효과가 좋을 것이다.

① 양손을 비벼서 열이 난 손바닥을 양쪽 눈 위에 대고 눈 위를 덥게 한다. 이 때 손바닥을 직접 눈 위에 대고 열을 가하는 것이 아니라, 가운데를 약간 떼고 간접적으로 덥게 한다. 이 때 틈으로 광선이 들어가지 않도록 완전히 밀폐한다 (그림 13).

② 눈을 가린 다음 코로 깊게 숨을 들이마시고, 그 숨(기)이

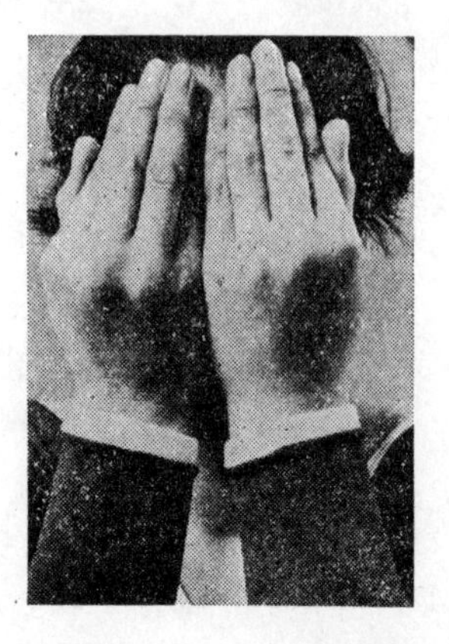

〈그림 13〉

안부(眼部)에 직접 들어가는 것 같은 느낌으로, 강하게 눈을 감고 안부에 의식을 집중시킨다. 이 상태로 잠시 계속한 뒤, 입으로 숨을 내보내며 눈의 힘을 풀어간다. 힘을 풀어감에 따라 눈을 감았는지 떴는지 알 수 없는 상태로 완전히 의식을 눈에서 제거해 버린다. 이것을 2～3회 반복한다.

③ 처음에는 눈앞에 빛이나 희미한 물건의 형태 같은 것이 나타나게 되지만, 그것도 점차 지워져서 완전히 어둠이 깔려진 후 5～10분간 손바닥으로 눈을 가린 채 힘을 빼고 있으면, 눈의 피로는 깨끗이 회복된다.

2. 건비술(健鼻術)

◆코의 중요성

코라고 하는 기관은 감각기관으로서보다 호흡기관으로서 특히 중요하다. 말할 필요도 없이 인간이 생명을 유지하는 데 있어서 가장 중요한 것은 호흡이다. 코는 산소를 폐로 집어넣는 첫번째 관문인 동시에, 우주의 〈생기〉를 체내로 잡아넣는 입구이다. 그 중요한 관문에 이상이나 결함이 생기면 건전한 생명 활동을 영위할 수 없다는 것은 너무나 당연하다.

코는 또한 눈·귀·입(목구멍)과 밀접한 상호관계를 가지며, 위장·심장·성기 등과도 특수한 관계에 있다. 그런면으로 보아서도 코의 건강 여부는 생체의 생명 활동상 중대한 관계를 미치고 있음은 의심의 여지가 없다. 그러나 사람들은 뜻밖에도 그 중요성을 인식하지 못하고 있는 것 같다. 여성은 미용적 가치에 대해서는 매우 예민하지만, 생명 유지 기관으로서는 무관심이다. 대개 중요한 정도를 망각하고 있는 듯한 경향이다. 예를 들면 호흡 자체에 무관심하기 때문에 호흡기관의 제일 관문인 코의 중요성을 잊어버리고 지내는 것이 당연할지도 모른다. 그 때문에 코에 결함이 있는 사람이 뜻밖에도 많다.

비용(鼻茸)이라고 하는 병이 있다. 이런 것쯤은 병에 들지도 못한다고 생각하는 사람이 많은데, 이것이 천식·두통·약시(弱視)·신경쇠약에서 위장병·협심증·냉증까지 관계된다면 놀랄 일이 아니겠는가. 코막힘이나 비후성비염(肥厚性鼻炎)도 그저 대수롭지 않은 코의 고장으로 생각한다면 어처구니없는 실수이며, 기억력 감퇴·불면증·심계항진(心悸亢進)·조울증·망상증에까지 발전되는 무서운 병이다.

코의 모양이나 크고 작은 것에 신경을 쓸 때가 아니다. 우선 코를 건강하게 하는 것이 생명을 보전하는 선결 문제이다.

◆ 건비술(健鼻術)의 기법

코를 건강하게 하고 병이나 이상을 치료 또는 예방하기 위하여 다음과 같은 방법이 있다.

코막힘을 해소시키고 코의 기능을 강화하기 위하여

① 양손의 가운데손가락으로 코뼈를 좌우에서 집는 것처럼 누르고, 손을 상하로 움직이며 코운동을 시킨다. 손가락은 고정시키고 코를 상하로 되도록 빠르게 20회 정도 운동시킨다.

② ①과 같은 요령으로 코를 누르고, 이번에는 손가락으로 코의 양면을 강하게 마찰한다. 코 속까지 따뜻해지도록 20~30회 반복한다.

③ 양손으로 목의 경동맥(頸動脈)을 압박한다. 코막힘의 중증에는 옆을 향해 누워서 직경 12~13센티미터의 둥근 막대

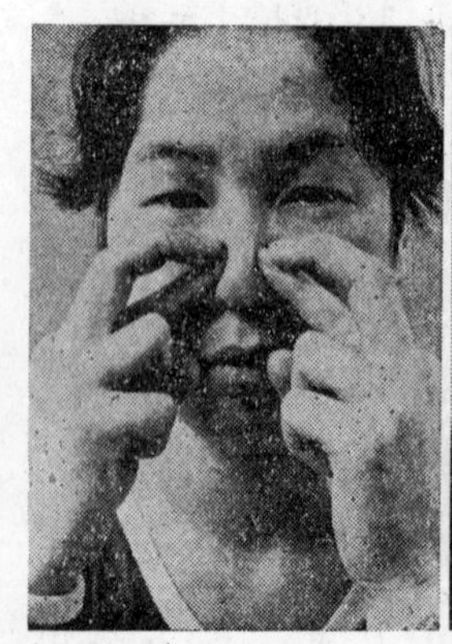
〈그림 14〉

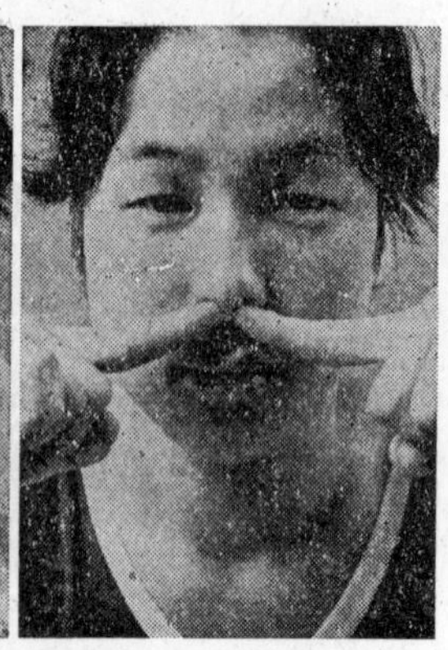
〈그림 15〉

를 쇄골(鎖骨)에 대고 잠시 동안 참고 있는다. 이것은 감기 뒤 코막힌 것을 해소시키는 데 도움이 된다.

축농증에는

① 둘째손가락 손톱 위에 가운데손가락을 얹어놓고 두 손으로 동시에 코의 양쪽을 위에서 아래로 강하게 지압한다. 가운데손가락 끝에 얹어놓은 둘째손가락에 힘을 주어 누르는 것이 요령이다. (그림 14) 이것을 몇 번 되풀이한다.

② 콧구멍에 한 손가락을 넣고 안팎에서 비익(鼻翼)을 세게 접는다.

③ 양손의 둘째손가락을 콧구멍에 넣어 양쪽에서 코의 칸막이를 강하게 지압한다. (그림 15)

코피를 멈추는 응급조치

① 왼손을 이마에 대고, 오른손의 엄지손가락으로 목덜미의 옴

폭 들어간 곳을 반죽하듯이 누른다.

② 이 때 이마에 댄 왼손으로 머리를 뒤로 제치고 턱을 올려 얼굴이 위를 향하게 한다.

관비법(灌鼻法)

이것은 콧구멍의 세척으로, 매일 아침 또는 수시로 한다. 눈의 세척법처럼 세면법의 일부로 되어 있으며, 아침 세수할 때마다 습관적으로 해야 할 것이다. 그 외 외출 전후, 취침 전 등 수시로 행하여 항상 콧구멍을 청결히 하는 것이 무엇보다도 좋은 건강법이다. 이것은 또한 비염(鼻炎)·감기의 예방 및 치료에 가장 좋은 방법이다.

① 오른손의 손가락으로 오른쪽 콧구멍을 단단히 막고, 왼손으로 물을 뜨든가 또는 컵의 물을 왼쪽 코로 빨아들인다. 물은 콧구멍 깊숙이에서 입으로 흘러 나오므로 입에서 뱉어 버린다. 이것을 거듭하면 콧속의 오물이나 세균은 물과 함께 빠지고, 콧속은 안쪽까지 깨끗해진다. 나중에는 코를 푸는 듯이 콧속의 물을 기운차게 뿜아낸다.

② ①과 같은 요령으로 오른쪽 콧구멍도 씻어낸다.

이 〈관비법〉에서 주의할 점은, 막고 있는 콧구멍은 손끝으로 단단히 막을 것과 갑자기 찬 물로 하면 코가 찡하는 아픔이 있으므로 온수나 연한 소금물로 할 것이다.

〈세면법〉에는 우선 소금으로 이를 닦고, 그 때 생기는 타액과 소금의 혼합물을 세면기에 받아 그것을 맑은 물로 희석하여 세척하기로 되어 있는데, 타액과 소금의 살균성과 정기(精氣)에 의하여 효과가 가일층 세지며, 이상적인 방법이라 할 수 있겠다.

두좌법(頭座法)과 기타

건비술(健鼻術)에는 지금까지의 설명 외에도 〈복기법(服氣法)〉·〈두좌법(頭座法)〉·〈내관법(內觀法)〉 등을 사용하는 경우가 있다. 복기법은 전항 〈강안술—눈의 복기법〉의 방법에 준하여 행하면 좋으나, 단지 코의 경우에는 〈향양복기법〉 대신〈음양복기법(陰陽服氣法)〉 또는 〈세뇌복기법(洗腦服氣法)〉의 기법을 응용하는 것이 적당하다.

또한 〈내관법〉 및 〈두좌법〉을 행하는 방법은 다른 기관들과 공통된 것이므로 이 장의 끝에서 설명하기로 한다.

3. 이와 혀의 강건법(强健法)

◆입 속의 세척

입은 미각을 구별하는 감각기관인 동시에 위장과 함께 소화기관의 일부인 것은 다 아는 사실이다. 즉 음식물은 이로 씹어지면서 침이 섞여지고, 소화효소에 의하여 분해, 변화 등의 화학조작이 일어나 위로 보내진다. 때문에 입 속에서의 소화과정이 순조롭게 이루어지지 않은 채 위에 보내지면 위에 과중한 부담을 줄 뿐 아니라, 소화 흡수가 완전하게 되지 않는다. 그러므로 입의 건강 여부는 몸 전체의 건강을 크게 좌우하게 된다.

입 속의 기관을 건강하게 하려면 무엇보다도 입 속을 깨끗이 유지해 주는 것이 필요한 점은 눈이나 코의 경우와 같다.

입의 세척은 매일 아침 세수할 때 행한다. 세수할 때 이를 닦고 입 속을 깨끗이 하지 않는 사람은 거의 없으나, 그 방법은 사람마다 칫솔에 치약을 묻혀 이를 문지르고 양치질하는 정도에 따라 약간 다르다. 칫솔로 이를 문지르는 것은 잇새나 후미진 곳의 찌꺼기를 빼내는 것이 목적이지만, 학자의 설에 의하면 아무리 칫솔로 닦아도 모든 곳에 칫솔이 닿을 수는 없다고 한다. 또한 치약도 제조업자의 선전처럼 아무리 장시간 유효하다 해도 식사나 차를 마실 때마다 씻겨 버리므로, 한두 번의 이 닦기로써 이가 썩는 것을 막을 수 없기 때문에, 지나치게 치약의 효과를 믿지 않는 것이 좋겠다.

그것은 그렇다 치고, 아침 세수할 때 또는 수시로 한 줌의 소금을 왼손(물론 오른손도 무방)에 쥐고 둘째, 세째손가락에 소금을 묻혀 소금이 없어질 때까지 이를 문지른다. 다음 입속과 목구멍을 가셔낸다. 이것은 세척과 동시에 이를 튼튼히 하는 데 도움이 되며, 충치나 잇몸 질환에 대한 예방도 된다. 그런 방법으로 잇새나 후미진 곳의 찌꺼기가 빠질 리가 없다고 생각하겠지만, 이것은 다음에 설명할 〈고치법(叩齒法)〉으로 어느 정도 제거되며, 큰 것은 이쑤시개를 사용하면 좋을 것이다.

◆ 고치법(叩齒法)·추구법(推究法)

〈고치법〉이라 함은 양 손끝으로 잇몸을 볼 위에서 두드리는 방법이다. 이것은 치아의 허슬함을 죄어주며, 타액의 분비를 촉진시키는 효과가 있을 뿐만 아니라, 전신의 〈기〉를 각성시키는 신호가 된다. 선도에서는 극히 이 법을 중요시하며, 여러 가지 행법을 연결시키는 일련의 수법(修法) 앞 순서에 거의 〈고치법〉을 집어 넣고 있다.

〈추구법〉은 지압에 속하는 도인법으로, 얼굴 전체에 걸쳐 행한다. 치아의 경우는 〈고치법〉과 같으며, 볼 위에서 손끝으로 잇몸 위를 세게 지압한다. 일반 지압과 마찬가지로 손끝에 천천히 힘을 더하며 누른다. 누를 때 숨을 내뱉으며 행한다.

〈고치법〉도 〈추구법〉도 입술 둘레를 둥글게, 위턱 아래턱 빠짐없이 행한다.

또한 상하의 치아를 가볍게 딱딱 씹어 맞추는 것과 세게 이를 물어 죄는 것도 이를 튼튼히 하는 효과가 있으므로 수시로 행하여 주기 바란다.

◆ 혀의 강화법

혀의 강화는 미각기관(味覺器官)을 강화시킨다는 목적 외에 발성을 위하여, 또는 〈복기법〉 때 〈기〉의 유실을 방지하기 위하여 혀를 구부려 목구멍을 막아버리든가 하는 중요한 의미를 가지고 있다.

① 혀 구부리기를 연습한다. 혀 끝을 가능한 한 목구멍 쪽으로 말아올려 목구멍에 닿도록 한다.

② 입 속 어느 곳에나 혀 끝이 닿도록 연습한다. 윗입술과 잇몸 사이, 아랫입술과 잇몸 사이, 혀의 아래쪽, 입의 좌우 안쪽, 또는 이나 잇몸을 세게 문지르며, 이에 물려 있는 음식 찌꺼기 등을 떼어낸다. 그리고 위턱을 문질러 타액의 분비를 왕성하게 한다.

③ 혀를 밖으로 내밀어 힘껏 위로 뻗쳐 콧구멍에 닿도록 한다. 또 아래로 혀를 내밀어 아래턱 끝까지 닿도록 한다.

④ 혀 가운데를 오므려 홈통 모양을 하거나 혀를 두텁게 하는 것을 연습한다.

치아로 혀 끝을 가볍게 깨물거나 표면을 긁어 문지르는 것도 도움이 된다. 혀의 운동은 타액의 분비를 촉진시킴으로써 〈연진법(嚥津法)〉·〈복내기법(服内氣法)〉 등의 행법에 크게 도움이 된다.

4. 귀의 강화법

◆ 좋은 귀

여기서 〈좋은 귀〉라고 하는 것은 미용상이나 관상학적인 면에서의 좋은 귀가 아니라, 기능상의 문제이다. 기능상이라고는 하지만, 먼 곳의 소리나 작은 소리가 잘 들린다는 것이 아니다. 귀는 감각기관으로서 눈 못지않게 중요한 기관이다. 다만 눈은 외지의 선택에 따른다. 보고 싶은 것을 보고, 보고 싶지 않은 것은 보지 않으면 그만이다. 그런데 귀는 막아놓지 않는 한 모든 소리가 들린다. 외부의 소리 중 듣고 싶은 소리만 듣고 듣기 싫은 소리는 듣지 않는다는 것은 기술적으로 어려운 일이다. 듣고 나서 취사선택은 할 수 있어도, 일단은 모든 소리가 듣고 싶지 않아도 들려온다.

마음에 들지 않는 소리는 이성의 판단으로 버렸다 해도, 일단 귀에 들려온 소리는 지울 수가 없다. 그것을 잊어버렸다고 생각해도 잠재의식의 창고 속에 저장되어, 자기로서는 느껴지지 않는 동안에, 건전한 생활 활동의 다리를 잡아당기는 것과 같은 장난을 한다.

뛰어난 음악가는 음에 대해 극히 민감하며, 불순하고 저속한 음과 고상하며 아름다운 음을 예리하게 분별할 수 있는 능력을 가지고 있다. 이처럼 음뿐만 아니라 음의 내용에 대해서도 좋은 음과 바른 음, 나쁘고 조잡한 잡음을 구별하여 이성적 선택을 기다리지 않고 구분할 수 있는 귀가 좋은 귀라고 할 수 있다.

이와 같은 능력이 더욱 연마되면 옥석이 뒤섞인 파동 중에서 고상하고 영적인 천뢰(天籟)의 묘음을 청취할 수 있으며, 또 참된 속삭임이라고도 할 수 있는 내면의 소리도 들을 수 있게 된다.

귀의 건강법은 단순히 귀의 병을 고치거나 청각의 노화를 예방할 뿐만 아니라, 참된 성음(聲音)을 듣는 투철한 청각 능력을 기르기 위해서도 반드시 필요한 행동이다.

◆ 귀의 세척

아침 세수할 때 먼저 입을 닦고, 다음 코를 씻으며, 그리고 눈을 씻는다. 이것은 각각 설명한 대로이고, 계속해서 귀도 씻는다. 보통 습관으로는 세수할 때 귀를 씻는 사람이 거의 없다고 하겠다. 귀를 씻는 것은 겨우 목욕할 때뿐이고, 그것도 꽤나 깨끗하기를 좋아하는 사람 정도가 행하고 있으며, 대부분의 사람은 잊어버리고 있는 형편이다. 낮에는 먼지와 매연에 노출되고 밤에는 자는 동안 체내 노폐물이 고이게 되는데, 이것을 전혀 청소하지 않고 성능을 좋게 한다는 것은 무리한 생각이며, 병들지 않는 것이 아뭏든 이상한 일이다. 귀를 좋게 하려면 우선 귀를 깨끗이 해야 할 것이다.

씻는 방법은 얼굴을 옆으로 기울이고 세면기의 물을 손으로 떠서 귀에 끼얹는다. 귓속과 겉귀, 안팎을 손으로 문질러 씻는다. 물방울이 남아 있으면 귓속으로 들어갈 염려가 있으므로, 얼굴을 바로 잡기 전에 수건으로 잘 닦아내고 다른 쪽의 귀를 씻는다. 끝마치면 수건으로 귀를 싸잡아 전체를 문지르듯 닦아낸다.

이것은 아침 세수할 때 반드시 행하여야 된다. 취침 중 체내에서 배설된 노폐물을 일소하기 위한 것으로, 동시에 냉수욕이나 냉수마찰이 되어 귀의 건강에 매우 효과가 있다.

◆ 귀의 도인(導引)

귀의 도인에는 많은 방법이 있지만, 보통 다음 몇 가지 방법을 사용한다.

① **마찰법** 양 손바닥으로 양귀의 뒤쪽를 뒤에서 앞으로 터는 식으로 친다. 가능한 한 세게 또 빨리 양손을 움직이며 팍 팍 털어버린다. 10회 정도 하면 귀에 열이 나지만, 20～30회 정도 계속한다. 또 둘째손가락과 가운데손가락으로 귀를 가위로 베듯이 양손을 상하로 빨리 움직여 귀를 마찰한다. 그리고 또한 손바닥으로 귀 전체를 싸쥐고 그 손을 상하로 움직이면서 귀 전체를 마찰하는 방법도 있다.

② **지압법** 엄지손가락과 둘째손가락으로 귀를 집는 것처럼 하여 앞뒤에서 세게 지압한다. 또는 둘째손가락에 가운데손가락을 얹고 둘째손가락 끝으로 귀의 주위를 돌아가며 지압한다. 특히 뼈 사이의 오목한 곳이나 귓불 부근은 정성드려 지압한다. 귀의 위쪽은 위로, 가운데 부분은 밖으로, 아랫부분은 아래 방향으로 각각 잡아당기듯이 지압하는 것도 좋은 방법이다. 다음 둘째손가락을 천천히 송곳을 돌리듯이 귓속 깊이 압력을 가한다. 그 다음 손을 뺄 때는 빠른 동작으로 뺀다. 이것은 특히 노인성 난청에 탁월한 효과가 있다.

③ **천고(天鼓) 치기** 이것도 도인법의 일종인데, 특히 미묘한 청력(초능력)을 기르는 것과 동시에, 송과선(松果腺)을 강화하여 호르몬 분비를 정상적으로 회복시켜 젊음을 오래 유지시키는 선도비전기법(仙道祕傳技法)의 하나이다. 양손

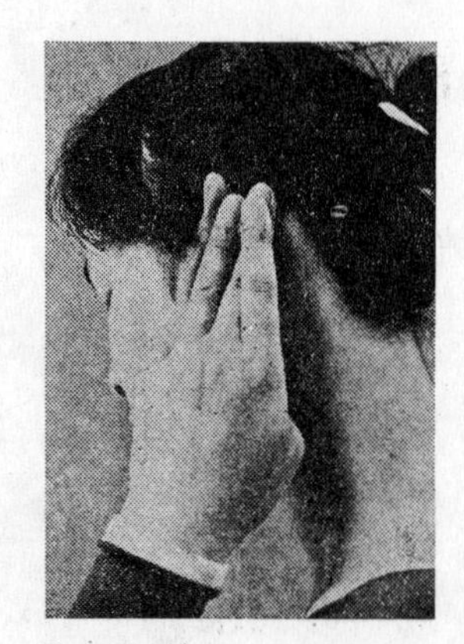
〈그림 16〉

을 각각 양쪽 귀에 대고 약손가락으로 귀를 뒤에서 앞으로 밀어 귓구멍을 막는다. 가운데손가락은 귓불에 대고, 그 가운데 손가락 위에 둘째손가락을 얹어놓는다. 이것이 준비 자세이다. 이번에는 둘째손가락을 가운데손가락 위에서 미끄러뜨리며 귀의 후골을 강하게 때린다. 이것을 몇번이고 계속하는 것인데, 양손으로 동시에 양쪽 귀를 행하며 16회, 24회, 36회 등과 같은 회수로 행하게 되어 있다. 매일 빠짐없이 아침 저녁 행하면 귀는 노쇠하지 않고, 드디어 미묘한 음성을 듣게 될 수도 있다. (그림 16)

◆ 두좌법(頭座法)과 연수법(軟酥法)

눈, 귀, 코 등의 감각기관에 대하여 지금까지 설명했지만, 이들 기관은 모두 머리에서 가까이 있으면서도 서로 상충함이 없이, 오히려 서로 상통하면서 생명 활동을 다하고 있다. 때문에 공통된 강화법이 있는 것도 당연하다 하겠다.

그 하나가 〈두좌법〉이다. (118페이지 그림 20~23 참조) 〈두좌법〉이란 양손을 마주 끼고 뒷머리를 받쳐 거꾸로 서는 것이다. 이 자세를 취하면 혈액이 머리에 모이므로 머리에 있는 여러 기관에 풍부한 혈액(酸素)이 공급되어, 각 기관의 활동이 왕성하게 된다. 따라서 산소 부족으로 오는 뇌의 질환(두통, 노이로제, 히스테리, 기억 장애)을 치료하는 데 유효할 뿐만 아니라 눈, 코, 입, 귀 등 각 기관의 장해를 고치고, 그 기능을 활발하게 해주는 데 큰 효과가 있다.

〈두좌법〉은 단지 두부기관(頭部器官)의 강화라고 하는 목적뿐이라면 굳이 혼자 하려고 애쓸 필요 없이 벽을 의지하든가 또는 누군가에게 다리를 들어달라고 해서 넘어지는 것을 방지하는 것이 무난할 것이다. 그러나 선도에서는 〈두좌법〉을 하면서 별도의 행법도 해야 하기 때문에 혼자서 설 수 있게 되기를 바라는 것이다. 또 이 〈두좌법〉은 앞에서 말한 효과 외에도 생명 기능의 개발을 위한 매우 중요한 결과를 가져오는 것이므로, 매일 아침 저녁 또는 수시로 해 주기를 바란다. 다만 배가 잔뜩 부르거나 고혈압이 있는 경우는 삼가해야 한다.

〈연수법〉도 또한 두부 감각기관에 공통되는 우수한 치료 효과를 가진 방법이다. 이 방법은 감각기관뿐 아니라 온 몸의 질병 해소에 우수한 효과가 있으므로, 제3장의 각병술(却病術)에서 상세히 설명하겠다.

5. 피부의 강건법

◆ 청결의 필요성

눈, 코, 귀, 입에 이어 제5의 감각기관은 피부이다. 이 다섯 개의 기관을 가리켜 감각을 지배하는 〈오관(五官)〉이라고 한다. 넓은 의미로는 혀나 고막 또는 코의 점막, 그리고 눈의 각막이나 수정체도 피부의 일부 또는 피부의 변형이라 할 수 있으나, 그것들은 각기 독립된 감각기관으로 취급되고 있다.

피부는 촉각을 담당하는 감각기관이며, 피부 표면 전체에 촉각소체(觸角小體)가 널려 있어 아픔이나 열 같은 것을 감지할 수 있는 것이다.

피부는 감각기관인 동시에 체내 생명 활동을 외부의 변화로부터 방어하는 방벽의 역할을 하고 있다. 더위와 추위, 습기와 건조 등 외부의 심한 변화를 교묘히 융화시키며, 또는 햇볕이나 비바람, 세균과 먼지 등의 침입을 깨끗이 막아 체내 기구를 지켜준다. 그뿐 아니라 체내 여분의 수분이나 노폐물을 외부로 배설시키는 역할이나, 호흡작용 등의 중요한 역할도 담당한다. 다시 말하면 피부는 외계와 내부를 격리시키는 경계선이 되면서 동시에 두 개의 세계를 연결하는 매개자의 역할도 하고 있다. 그러므로 피부의 대부분이 화상으로 손상되면, 생명은 즉시 위험에 직면하게 된다.

피부는 이처럼 인간 생명의 안정을 좌우하는 중요한 기관이며, 피부의 건강 여하는 생명 활동에 지대한 영향을 미치게 된다. 피부는 얇고 연한 피막이지만 철판보다 더 강인하다. 아무리 두껍고 단단한 철판이라도 항시 비바람에 시달리든가 외부와 접촉되어 있으면, 산화 또는 마멸에 의하여 도저히 오래 유지되지 못한다. 그렇지만 엷으면서도 약한 물질로 되어 있는 피부가 오랜 세월에도 닳아 없어지거나 파손되지 않는 것은 어떤 이유일까.

그것은 끊임없이 무한정 생성되는 세포가 낡아빠진 피부 대신 새로운 피부를 만들어내고 있기 때문이다.

그로 인하여 피부의 표면은 외부에서 오는 먼지나 공해물, 체내에서 배설되는 땀과 지방질, 더우기 자기 자신의 낡은 피부 등으로 인하여 심히 더럽혀지기 때문에 그 기능을 충분히 발휘시키려면 우선 오물을 씻어내고 항상 청결하게 유지시키는 것이 제일 필요한 것이다.

◆ 관수법(灌水法)

일반관수법 피부에는 7백만 개의 기공(氣孔)과 8만4천 개의 모공(毛孔)이 있어서, 그것에 의하여 호흡 및 신진대사 작용을 하고 있으며, 항시 외계와 접촉하여 외부로부터의 먼지로 더럽혀짐과 동시에 체내 노폐물을 내버리는 장소로 되어 있다는 것은 앞의 설명대로이다.

그러므로 피부의 활동을 완전하게 보장하려면 피부의 표면을 늘 깨끗이 유지하는 것이 필수조건이다. 우리는 보통 목욕으로 그 목적을 달성하고 있으나, 하루 종일 외부 활동으로 더러워진 피부를 저녁에만 씻을 것이 아니라, 야간 수면 중 내부에서 배설된 노폐물을 씻어내기 위하여 매일 아침 세수할 때 몸 전체를 씻는 것이 이상적인 방법이라 하겠다. 그것이 〈관수법〉이다.

〈관수법〉은 냉수마찰과 비슷한 방법으로, 우선 세면기에 물을 채워 수건을 적시고 가볍게 살며시 짜서 안면과 목 부분을 닦는다. 그 때 수건을 몇 번씩 헹구어 깨끗하게 한다. 물도 교체한다.

다음에는 수건을 꼭 짜서 피부가 빨개지도록 세게 마찰한다. 맨 나중에 마른 수건으로 온 몸의 물끼를 닦아내며 그친다.

환자의 관수법 병중에는 피부의 신진대사가 떨어지며, 땀이나 병균의 침입으로 인하여 더욱 더러워진다. 그러나 병중이라 목욕이 제한되고 피부를 깨끗이 하기가 곤란하므로 관수법으로 청결하게 하는 것이 필요하다. 관수법은 피부를 깨끗이 할 뿐만 아니라 병의 치료 촉진에도 도움이 된다.

세면기에 물을 부어 수건을 적시고 가볍게 짜서 먼저 얼굴과 목을 씻는다. 그리고 미리 준비해 두었던 마른 수건으로 즉시 물끼를 닦아낸다. 다음에는 웃도리를 벗고 가슴과 양팔, 등허리 등의 상반신을 씻은 다음 얼른 물끼를 닦고 옷을 입는다. 이번에는 하반신을 같은 방법으로 씻어낸다. 그리고 목, 폐, 심장 등에 질환이 있는 사람은 특히 환부를 잘 씻어낸다. 부인들의 경우는 하복부, 허리, 다리 윗부분을 잘 씻는다. 한편 2.5퍼센트의 소금물(세면기에 가득한 물에 소금 100그람 정도 넣음)을 만들어 이것으로 씻는 것도 좋은 방법이다.

◆ 마찰법(摩擦法 ; 乾沐浴)

이것은 손바닥으로 전신의 피부를 마찰하는 도인법이며, 한편 〈건목욕〉이라고도 한다. 이것과 유사한 것으로 건포마찰이라는 것이 있다. 한때는 대유행했는데, 어떤 사람은 천으로는 시원치 않다고 쑤세미로 문지르는 사람도 있었다고 한다. 그러나 이것은 피부를 자극시키기는 하지만 표피를 상하게 하기 쉽고, 안정성이나 간편성으로 보아 도저히 손바닥에 비할 수 없을뿐더러, 효과면에서도 하늘과 땅 차이처럼 특별한 차이가 없으므로, 위험성이 따르는 물건을 이용한다는 것은 어리석은 짓이다.

체내에 정기(內元氣)가 가득 차 있는 사람이 환부에 손바닥을 댔더니 병이 나았다고 한다. 촉수요법(觸手療法)이나 영기요법(靈氣療法)이란 요법이 있지만, 모든 사람에게는 손바닥에 일종의 자기 또는 효소 같은 것이 있어서 그것이 병을 낫게 하는 힘을 가지고 있는 것이다. 사람에게는 자연치료력이라는 것이 있어서, 의술이 없었던 태고의 시대부터 각자가 자기의 병을 고치고 있었던 것이다. 그런 경우 손이 유력한 치료기였다는 증거로, 누구나 아픈 곳에는 손이 자연 가게 된다. 머리가 아플 때는 머리에 손을 대며, 이가 아플 때는 자연히 볼에 손이 가진다. 병 치료에 약손이라는 말도 이런 뜻이 있는 것이다.

〈마찰법〉은 다음과 같이 한다.

① **안면**(顔面) 양 손바닥을 상하로 움직이며, 얼굴 앞면에 열이 나도록 마찰한다. 다음에는 볼이 있는 옆면, 턱 아래를 동일하게 마찰한다.

② **경부**(頸部) 손바닥으로 목 전체를 마찰한다.

③ **완부**(腕部) 한 팔을 앞으로 펴고 다른 쪽 손바닥으로 어깨에서 손 끝을 향하여 세게 쓸어 내린다. 표면을 비비고 나면 팔을 뒤집어 뒷면도 마찰한다. 이 경우 팔에 부착되어 있는 오물이나 세포의 노폐물 따위를 손끝으로 떨어뜨리는 기분으로 행한다. 그리고 나중에는 다시 한번 팔 표면에 특히 힘을 주어, 피부 표면뿐 아니라 팔 내외의 독기나 사기(邪氣)를 손 끝으로 배출시키는 기분으로 1~2회 비벼 내린다.

한쪽 팔을 끝내면 다른 팔도 같은 방법으로 마찰한다.

④ **흉부**(胸部) 우선 오른손바닥으로 왼쪽 가슴을 원형으로 마찰한다. 왼쪽 유두(乳頭)를 중심으로 점점 원을 크게 하면서 비빈다. 다음에는 손을 바꾸어 오른쪽을 동일하게 마찰한다. 나중에는 양 손바닥으로 목 아래부터 배를 향하여 동시에 세게 쓸어내린다. 그 때 가슴에 있는 혼탁한 찌꺼기를 한꺼번에 청소하는 기분으로 몇 차례 되풀이한다.

⑤ **위부**(胃部) 늑골 아랫부분을 양 손바닥으로 가로로 교차시키며 강하고 빠른 속도로 몇 차례 마찰한다.

⑥ **복부**(腹部) 한쪽 손바닥으로 배꼽을 중심으로 원을 그리면서 마찰한다. 오른손으로 20회 원을 그리고 나면 다음에는 왼손으로 20회 마찰하는 방법으로 좌우 번갈아가며 마찰한다. 그리고 나서 양손을 동시에 사용하여 오른손은 우측 갈비뼈 아래서부터 아랫배의 중앙에 걸쳐, 그리고 왼손은 왼쪽 갈비뼈 아래서부터 아랫배의 중앙에 걸쳐 세게 상하로 마찰한다. 그리고 나중에 오른손바닥으로 명치 끝에서 하복부로 수직으로 쓸어내리며 복부의 찌꺼기를 국부(局部)에서 털어내는 기분으로 행한다.

⑦ **양쪽 갈비**(兩脇) 한 팔을 위로 올리고 반대편 손바닥으로 겨드랑이 밑에서 몸통의 옆구리를 쓸어내리며 마찰한다. 마지막 한번은 앞에서의 예와 같이 관념을 이용해서 찌꺼기를 털어내는 기분으로 행한다. 좌우 교대로 같은 방법으로 마찰한다.

⑧ **어깨 및 상배부**(上背部) 오른손바닥으로 왼쪽 어깨를, 왼손바닥으로 오른쪽 어깨를 좌우 상호 양 어깨를 두드린다.

다음에는 오른손바닥으로 왼쪽 어깨 및 왼쪽 등허리 윗부분을 마찰하며, 같은 방법으로 반대편도 행한다.

⑨ **등허리** 한 손씩 등 뒤로 손을 돌려 위쪽은 손등으로, 아래쪽은 손바닥으로 상하 마찰한다. 위(胃)의 뒷부분은 가로로 마찰한다. 같은 장소를 손을 바꾸어 상호 마찰한다.

⑩ **요부**(腰部) 신장(腎臟) 부근은 양손을 뒤로 돌려 양 손바닥을 동시에 상하로 하여 세게 마찰한다. 다음에는 선골(仙骨)에서 미골(尾骨)까지의 위를 손 끝으로 열이 나도록 문지른다.

⑪ **둔부**(臀部) 허리를 굽히고 양 손바닥으로 허리에서 넓적다리 뒷면 상부까지 마찰한다.

⑫ **각부**(脚部) 양 다리를 앞으로 뻗치고, 다리 앞부분을 발목에서 무릎까지 아래 방향으로 문질러 내린다. 다음은 무릎 위에서 발등을 거쳐 발끝까지 여러 번 쓸어내린다. 맨 나중에는 발목에서 발끝까지 다리의 찌꺼기를 발끝에서 털어내 버리는 기분으로 일직선으로 세게 쓸어내린다. 윗몸을 앞으로 굽힘과 동시에, 세게 숨을 토해내면서 행한다. 다음은 양 다리를 약간 벌리고 앞으로 펴서 다리 안쪽을 앞에서와 같은 요령으로 행하며, 그리고 양 다리 바깥쪽, 마지막에는 다리 뒷면도 마찰한다.

⑬ **족부**(足部) 발등은 다리와 함께 앞에서 마찰하였으나 발끝까지 손이 닿지 않으므로, 다시 발을 끌어모아서 마찰한다. 발의 뒷면은 각각 반대쪽 복숭아뼈 위에 걸치고 손바닥을 세게 왕복시키며 마찰한다.

이상은 원칙적으로 앉아서 하는 방법이지만, 취침 전 또는 아침에 눈을 떴을 때 잠자리에서 누운 채 해도 무방하다. 그런 경우 다리 이하의 마찰은 한쪽 발로 반대쪽 발을 마찰하는 등 하기 쉬운 방법을 취하는 것이 좋을 것이다.

이 마찰법은 피부를 청결하게 하는 것과 동시에 피하(皮下)의 혈행(血行)을 좋게 하고 세포의 부활작용을 왕성하게 하는 것으로, 피부색의 윤택을 좋게 하여 살결을 보드럽게 하는 등 미용상의 현저한 효과를 가져오게 한다. 그리고 식욕을 중진시키며 충분한 수면을 취하게 해 준다. 모든 병의 보조 요법으로 뛰어난 효과가 있다.

특히 음성적 질환, 폐결핵, 저혈압, 신장병 등에는 한층더 큰 효과가 기대된다.

◆ 입욕법(入浴法)

뜻밖에도 목욕의 지식을 잘 알고 있는 사람이 적은 것 같다.

목욕은 하루의 피로를 푸는 일종의 피로 회복으로 생각하는 사람이 많다. 분명 이것은 목욕 효과의 하나이지만, 실제로는 피로를 푼다는 것이 오히려 피로를 증가시키는 목욕을 하고 있는 사람이 많다. 휴가 때 온천장에 가서 마음껏 온천탕에 드나드는 것은 즐거운 일임에 틀림없지만, 본전을 찾지 못하면 손해 본다는 생각으로 다섯 번이고 여섯 번이고 탕에 들어가는 사람이 있다. 이것은 심리적으로는 만족감을 얻는다고 해도 신체는 완전히 피로하여, 오히려 건강의 기초를 흔들어놓는 것이 되기 때문에 삼가하는 것이 좋다. 뜨거운 욕탕에 천천히 들어가는 경우 1천 미터를 달린 만큼의 칼로리를 소비하는 것이 되므로, 욕탕에 들어가는 데 조심할 필요가 있다.

목욕은 원칙으로 피부의 정화법이며, 여기서는 특히 그것을 주제로 하고 있으므로 청정법으로서의 목욕에 대하여 설명하겠다.

먼저 탕에 들어가기 전에 온 몸에 물을 끼얹는다. 그 순서는 먼저 머리에 더운 물을 끼얹고, 다음에 얼굴을 씻고 목, 두 팔을 씻는다. 양팔은 어깨부터 손끝에 걸쳐, 타올로 문지러 내린다. 가슴이나 배도 동일하게 수건으로 문질러 내린다. 국부는 더운 물을 잘 끼얹어 씻는다. 그 다음 등, 허리, 엉덩이도 씻고, 다리는 허벅지부터 발끝 방향으로 문질러 내리며, 최후에 더운 물을 어깨로부터 끼얹는다.

수건으로 문질러 내릴 때, 더러운 것을 밖으로 털어내는 기분으로 한다는 것은 〈마찰법〉의 경우와 같다.

그리고 나서 비로소 탕 속에 들어간다. 목욕물은 온도가 약간 덥게(42～43도) 하는 것이 좋을 것이다. 온 몸을 물에 담그지 않고 가슴 위는 물 위에 내놓는다. 4～5분 담그고 있다가는 일단 어깨까지 물 속에 넣고는 얼른 탕에서 나와 물로 얼굴을 씻고 계속해서 국부와 다리에 물을 끼얹고 나서 다시 한번 탕에 들어간다.

이 때도 마찬가지로 가슴까지만 물에 담그고, 나오기 직전에 어깨까지를 담근 다음 탕에서 나온다. 그리고 나서 미지근한 물을 온 몸에 끼얹고, 국부에는 물을 끼얹어 식히며, 물끼를 짜낸 수건으로 몸을 잘 닦아낸 다음 욕실을 나온다.

이상이 〈입욕법〉인데 요점을 반복하면서 주의를 덧붙이면——

① 탕에 들어가는 시간은 짧아야 한다——만일 추운 계절이어서 단시간에 몸이 더워지지 않을 때는, 탕에 들어가고 나오는 일을 되풀이할 것. 어디까지나 탕에 들어 있는 시간은

4~5분 이하로 할 것임.

② 탕에서 나올 때는 미지근한 물을 몸에 끼얹을 것——이 경우 국부에는 냉수를 끼얹되, 온 몸에는 냉수를 끼얹는 것이 좋지 않으며, 특히 고혈압의 경우에는 엄금이다.

③ 비누는 원칙으로 쓰지 않을 것——목욕은 피부의 청결법이지만 그것은 탕에 들어가기 전에 더운 물로 씻는 정도로 되며, 비누를 지나치게 쓰는 것은 피부에도 좋지 않다. 그것은 피부의 표면이 언제나 산성을 유지해야 할 필요가 있기 때문이며, 비누의 과도한 사용은 산성도를 엷게 하여 피부의 저항력을 약화시키기 때문이다. 피부의 표면을 이태리 타올 등으로 박박 문지르는 것도 유해무익이다. 비누와 이태리 타올은 작업 관계상 몸이 아주 더러워졌을 때나 한 달에 한 번 정도면 충분하다.

④ 목욕 후에는 식사나 운동을 피할 것——탕에서 나와 곧바로 술을 마시든가 식사를 하는 것은 가장 삼가야 할 일이다. 탕에서 나오면 물 한 컵 정도를 마시고 잠시 동안 누워서 쉬도록 한다.

이와 같은 목욕법을 실행하면 피부 건강에도 좋을뿐더러 성력 증진, 젊어지는 효과가 현저하게 나타난다. 또한 여성에게는 그 밖의 미용에도 매우 도움이 된다. 하지만 여성은 일반적으로 오래 목욕하는 습관을 가진 사람이 많은 것 같은데, 이것은 스테미나를 감소시키며 피부의 색깔을 떨어뜨리는 원인이 된다.

제 3 장 각병술(却病術)

1. 병이란 어떤 것인가

인생을 즐겁게 보내며 오래 사는 데 제일 장애가 되는 것은 병이다. 병은 오래 사는 것을 위협하며, 즐거운 인생을 암흑으로 몰아넣는 가장 미워할 존재이다. 인간은 때때로 말하기를, 사람의 몸은 생신(生身)이기 때문에 병에 걸리는 것은 당연하다고. 그러나 살아 있기 때문에 병이 든다는 것은 이상한 이야기이다.

어머니 태내에 〈종(種)〉이 뿌려져 그것을 한 개의 육체로 길러온 것은 다름 아닌 우리의 생명이다. 생명이 일정한 패턴에 따라 손과 발이 이루어지고, 복잡한 내장의 기구들, 뼈, 눈과 귀가 이루어져서 인간이라는 형태를 꾸며낸 것이다. 그리고 어머니 태내에서 출생하여 전혀 다른 환경에서 생활할 수 있도록 미리 호흡 기능도 준비해 두었다. 그 후의 성장 과정에 대해서는 일일이 설명할 필요가 없겠다.

우리의 육신을 만든 것은 부모나 과학자, 혹은 의사가 아니다. 우리 자신의 〈생명〉이다. 신앙심이 깊은 사람은 〈생명〉이라는 글자를 〈신〉이라는 말로 바꾸어 놓으면 한층 더 납득하기 쉬울지 모르겠다. 〈신〉은 만능이며, 완전하며, 만물을 창조하였으며, 만물을 생성시켜 육성되게 하는 것이다.

생명은 〈도〉의 표출이다. 〈도〉가 구체화되어 〈기〉로 되고, 〈기〉가 변화 결합하여 우주의 만물로 되었으며, 〈기〉의 완전한 조화가 생명 에너지로 되고, 생명 에너지가 응결하여 육체가 탄생된 것이다.

자신을 만들고, 스스로를 완전한 모습으로 표현하려는 생명이 자기의 완전한 발현을 방해하는 존재(병)를 스스로 만들어 낸다는 것은 있을 수 있는 일일까.

생명은 〈기〉의 완전한 조화와 원활한 순환에 의하여 생명 본연의 모습을 육체로서 구체화하고 있는 것이다. 따라서 〈기〉의 조화와 순환이 완전 원활하게 되지 않을 때는 본래 이루어져야 할 완전한 생명체가 발현되지 않게 된다. 그 상태, 즉 생명이 본연의 생명체로서 발현되지 못한 상태를 병이라 한다. 생명이 본연의 형태로 발현되지 못하는 것은 〈기〉의 조화와 순환을 방해하는 것이 있기 때문이다. 〈기〉의 조화와 순환을 방해하는 것, 그것은 인간의 자연(道)에 역행하는 작위(作爲)이다. 병은 인간이 자연의 원리와 법칙에 어긋나게 인위적으로 반자연적인 삶의 방식을 따르는 데서 생기는 당연한 결과이다.

◆ 주치의(主治醫)는 누군가

사람은 병이 들면 서둘러 의사를 찾아간다. 그것을 반대할 이유는 없으나, 병은 꼭 의사만이 고친다는 생각은 고쳐야 할 것이다.

치유가 뜻대로 안 되면, 그 의사는 내 병을 고칠 능력이 없는 엉터리 의사이므로 의사를 바꾸어 봐야겠다고 마음먹게 된다. 이것은 의사가 병을 고친다고 생각하는 증거이다. 병은 의사가 고치는 것이 아니고, 자기 자신이 고치는 것이다. 의사나 약은 단지 그 심부름을 하는 데 지나지 않는다.

간단히 베어진 상처의 경우에도, 의사가 도대체 무엇을 할 수 있겠는가. 아무리 위대한 의사라도 사람에게 새로운 세포 하나를 절대로 만들어주지 못한다. 의사가 할 수 있는 일은, 다만 상처로 세균이 침입할 수 없게 소독약을 바른다든가, 붕대를 감는 것이 고작이다. 외과 수술의 경우에도, 의사는 상처를 꿰맬 뿐 상처를 접합시킬 수는 없는 것이다. 물론 내과 질환의 경우에도 마찬가지이다. 새 세포를 만들어 상처를 메꾸어 준다든가, 출혈을 멈추기 위해 피를 응결시킨다든가, 칼슘이나 인(燐)을 운반하여 병소(病巢)를 밀폐시키는 등, 인간의 기술이 미치지 못하는 복잡한 작업으로 병을 회복시키는 것은 환자 자신의 생명력이다.

숙련된 수의사의 이야기이지만, 돼지나 가축이 급한 병이라는 말을 듣고 즉시 떠나는 것은 초년생 의사이며, 경험이 많은 의사가 되면 이유를 달아 일부러 여러 시간 기다리게 한 후 여유 있게 떠난다. 만일 수명이 다 된 경우라면 그 때 이미 죽어 있거나, 또는 절망 상태에 빠져 있을 것이다. 어떤 숙련의도 천명을 좌우할 수는 없다. 섣불리 손 쓰다가는 의사의 실수로 되기 때문에, 일이 생겨 늦어졌다는 태도를 보이는 것이 득이 된다. 혹시 요행인 경우에는, 이미 그 때 위험한 고비는 넘겨 병이 쾌유되는 방향으로 들어섰을 것이며, 그 때 치료를 시작하면 치료가 빨라져, 마치 의사가 병을 고친 것처럼 되어 주인으로부터 고맙다는 말을 듣게 된다.

이것은 사람의 경우에도 해당된다. 병은 의사가 고치는 것이 아니고 자기 자신이 고치는 것이며, 생명은 자기 스스로 병을 고치는 능력이 있다는 것을 뒷받침하는 이야기이다.

태내에 심어진 미세한 씨가 이처럼 육체로 길러낸 생명력에, 육체의 파손을 회복시키는 능력이 없을 리가 없는 것이다. 생명은 스스로 완전한 모습을 현상계(現象界)에 구체화하기 위하여, 육체라고 하는 생명 활동을 행하고 있는 것이므로, 병에 걸려 의사에게 갈 때도 주치의는 자기 자신이라는 것을 명심하고 스스로의 생명력에 전적인 신뢰를 가지는 것이, 병을 빨리 낫게 하는 제일의 조건이다.

2. 각병법(却病法)의 필요성

병은 〈기〉의 순환이 원활하고 순조롭게 되지 않는 상태이며, 그것은 일상 생활의 양식이 자연에 거슬리는 것으로부터 생겨나는, 신체의 뒤틀림이 원인으로 되어 있다는 것은 앞에서 설명한 바 있다.

그러므로 늘 신체의 뒤틀림을 교정하여 〈기〉가 신체 내의 어느 곳에서나 원활하게 통하도록 해 두면, 병을 미연에 막을 수 있는 것은 당연한 일이다. 그 조정은 우선 육체의 〈재계〉에 의하여 행한다. 〈재계〉는 병을 미연에 방지하기 위한 행법인 동시에 병이나 결함의 치료법으로도 된다. 왜냐 하면 신체의 뒤틀림이나 〈기〉의 순환을 정지시키는 폐쇄부는 장차 중대한 사태로 발전될 위험을 내포하고 있을 뿐 아니라, 그 자체가 이미 병적인 상태이며, 그 순환 정지 장소를 개방하여 〈기〉의 통행을 원활히 하는 것은, 그와 같은 병적인 상태를 정상적이며 건전한 상태로 되돌리는 것에 지나지 않기 때문이다. 이런 의미에서도 선도의 행법은, 그 모두가 병의 치료법이라 해도 과언이 아니다. 그러나 어디까지나 불로불사의 최종 목표를 달성하기 위한 준비 공작이지 병의 치료가 목적은 아니다.

그런데 병의 증세가 현실화되어 그것으로 인하여 〈기〉의 순환이 저해될 뿐만 아니라 행법의 실천도 만족스럽지 않을 경우에는, 우선 그 병을 치료하는 것이 선결 문제이다. 그러므로 병의 치료를 목적으로 한 행법이 마련되어 있다. 그것을 〈각병법(却病法)〉이라 한다. 의술이 발달한 오늘날에는 의학적 치료법에 적지 않은 의문점이 있다 해도 병의 치료를 의사에 의뢰하는 것은 당연한 일이다. 그에 의한 적절한 조치로 치료를 촉진시키거나 악화를 방지할 수가 있다.

그렇다면 원시적인 각병법 같은 것은 필요 없지 않겠는가, 하는 의문이 생길지 모른다. 그러나 앞에서의 설명처럼 의사에게 맡길 때에도 병을 고치는 것은 의사가 아니고 자기 자신이기 때문에, 어디까지나 자기의 생명력(自然治癒力)을 강화시킬 수단을 강구하는 것이 의사의 치료를 효과적으로 하여 결국 병의 치료를 앞당기게 된다.

현대 의학은 현상(現象)으로 나타난 육체의 병환을 제거하는 점에 있어서는 매우 발전되어 있으나, 그 원인의 추구 및 제거는 치료학의 범위 이외의 것으로 거기까지 손이 미치지 못한다. 그러므로 비록 일시적으로는 완치된 것처럼 보여도, 그 근원을 고치지 않는 한 두번 세번 같은 일을 되풀이할 것이 분명하며, 그런 뜻에서도 병을 퇴치하기 위한 행법이 필요하게 된다.

〈각병법〉이라 해도 결국은 일반 행법을 병의 치료에 응용한 것이며, 특히 침술이나 약물을 사용하는 이외는 역시 〈도인법〉이나 〈복기법〉의 응용에 지나지 않는다. 병의 치료로서의 도인법은 〈각병좌공법(却病座功法)〉으로서 정리되어 있다. 〈각병좌공법〉은 병의 종류에 따라 대단히 많은 연구가 되어 있다.

◆ 수기법(收氣法)

육체와 정신과는 밀접한 상호관계가 있다. 슬프면 눈물이 나고 무서우면 피부에 소름이 돋는다. 동양에서는 칠정오상(七情五傷)이라는 설이 있다. 희(喜)·노(怒)·우(憂)·사(思)·비(悲)·경(驚)·공(恐)의 7정은 곧바로 비(脾)·간(肝)·심(心)·폐(肺)·신(腎)의 5장(臟)에 상해를 준다는 설이다. 또 서양에서느 근래 병은 모두 스트레스에서 생긴다는 스트레스 학설이나 신체정신의학이라는 새로운 학설이 성하고 있다. 〈선도〉에서는 병이 〈기〉의 정체에서 일어나는 것으로 보고 있다. 〈기〉의 정체는 부자연한 생활에 의한 몸의 뒤틀림에 의하여 〈기〉가 순환 정지되기 때문에 일어나는 것인데, 비록 순환 정지가 없어도 마음의 흐트러짐에 의하여 망동폭주(妄動暴走)하여 원활한 순환이 흔들려진다. 이것은 〈기〉가 마음에 따라 움직이기 때문이다.

〈기〉가 망동하면 〈기〉의 한쪽에서 정체가 생기며, 원활한 순환이 흐트러져 병이 생긴다. 이것을 예방하려면 마음의 평정을 유지해야 하는데, 마음의 작용은 대단히 심오하며 또한 보이지 않아 좀처럼 통제하기가 어렵다. 그러나 〈기〉의 작용이기 때문에 형체로 나타난 〈기〉를 통제하면, 스스로 마음의 평정도 얻어지게 된다. 마음이 평정되면 〈기〉는 마음에 따라 움직이는 것이

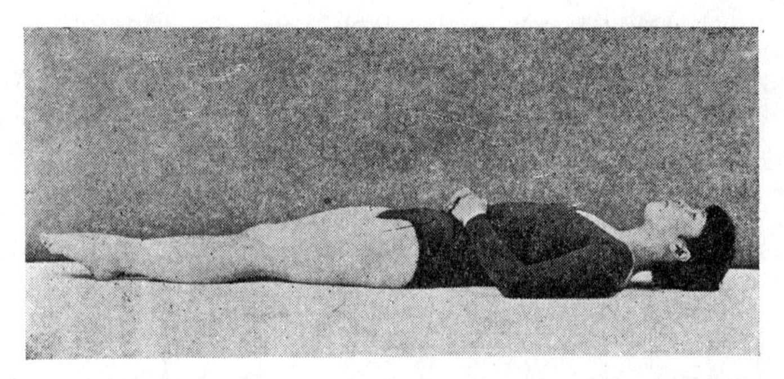

〈그림 17〉

므로, 〈기〉도 안정되어 망동이나 정체가 없어진다. 〈기〉가 안정되면 마음이 평정되고, 마음의 평정이 〈위〉의 망동을 거두어들인다는 상관관계를 이용하면, 〈기〉의 망동 정체에 의한 병도 또한 해소되는 것이다. 〈수기법〉은 그와 같은 이치를 이용하여 병을 고치려는 방법이며, 그 실천법은 다음과 같다.

우선 등을 대고 누워 어깨를 떨어뜨리고 가슴을 좌우로 편다. 두 발은 힘주어 뻗치며 손은 배꼽 위에 얹어놓고, 온 몸에서 힘을 빼어 느긋하게 방심한 상태가 된다. 조용히 코로 숨쉬며 그 호흡을 마음 속으로 세고 있으면, 처음에는 거칠고 어지러우나 점점 조용하게 자리잡게 된다. 드디어 자기의 호흡 리듬이 우주의 리듬과 하나가 된 것 같은 느낌이 들게 된다. 자기가 호흡하고 있는 것인지 우주가 호흡하고 있는 것인지 분별할 수 없는 것 같은 일종의 무아지경에 도달한다. (그림 17)

그와 같은 상태에 달했을 때 가슴과 배에 병이 있을 경우에는 그 부분이 나른하고 또 기분 나쁘게 움직이거나 소리를 낸다. 이것은 결체(結滯)되어 있던 〈기〉가 융화하려고 움직이기 시작하는 것이므로, 그런 느낌이 생기면 손바닥으로 배꼽 근처를 누르면서 비빈다. 그래도 심하게 볶이면 건드리지 않게 조용히 그대로 방치해 두면 자연히 가라앉는다.

등허리에 병이 있을 경우에는 그 부분이 나른하며 쑤시는 느낌이 일어나므로 양 어깨를 뽑는 것처럼 어깨와 가슴을 열면 결체되어 있던 〈기〉가 늘어나 자유롭게 움직이게 되고, 증세가 부드러워지며 병이 치유되는 길로 들어선다.

이것은 자세를 가지고 〈기〉를 해방시키는 기술로 〈수기법〉이라 한다. 〈기〉의 정체를 풀어 놓으면 마음이 굳어진 것도 풀리며, 마음이 가라앉으면 〈기〉도 또한 원활히 자유자재로 움직이게 되므로 병도 저절로 낫게 되는 것이다.

이 방법을 5일에서 7일 정도 하고도 아직 병이 무거울 경우 10일, 20일 계속하면 심신이 유쾌하게 된다. 기분이 좋아지면 자리에 앉아서 복기 및 행기(行氣)의 법을 행하여 〈생기〉를 온몸에 충만시키고 소통시키면 육체의 생명 활동이 왕성하게 되어 모든 병이 무산 소멸되고 재발하지 않는다.

◆정신언와법(正身偃臥法)

〈정신언와법〉이란 의선(醫仙) 팽조(膨祖)가 고안해 낸 병자를 위한 호흡법으로, 〈화신도기법(和神導氣法)〉이라고도 한다. 병상에 곧바로 누워서 행하는 조식법(調息法)이다. 병실을 밀폐시켜 사람의 출입을 막고 병상을 따뜻하게 한 다음 바르게 등을 대고 눕는다. 베개는 얇은 것을 사용한다. 두 눈을 감고 마음을 편히 한 다음, 매우 조용하게 코로 호흡한다. 코앞에 새의 깃털을 놓고 그것이 움직이지 않을 정도로 가늘고 길고 조용한 호흡을 계속한다. 호흡이 정돈되고 마음이 평정을 유지하게 되면, 우주의 원기가 호흡과 함께 체내에 흘러 들어온다는 것을 강하게 생각한다. 이것은 우주에 차 있는 생물에 삶의 힘을 주는 생명 에너지원(源)이며, 이것이 체내에 들어가서 강력한 생명력으로 되어, 신체의 모든 기관과 모든 세포로 생생하게 활동시키는 것이다. 지금 그 우주 생명력이 내 몸에 들어와 체내의 생명력과 합류하여 강력한 생명 에너지로 되어 가고 있다는 것을 자기 자신에게 납득시키는 것처럼 강한 관념으로 의식하는 것이다.

그와 같은 관념을 가지고 서서히 조용히 숨을 흠뻑 들이마신 다음, 양 발끝을 안쪽으로 세게 구부리고, 지금 들이마신 생명 에너지를 발에 밀어넣는다. 이것도 물론 관념의 힘을 이용해서 행하는데 발 이외에는 힘을 주지 않도록 하며, 발가락에는 되도록 힘을 준다.

거기서 잠시 호흡을 멈추고, 생명 에너지가 발에 집중한 것을 확인하도록 다시 한번 강하게 의식하고, 다음에는 발 끝을 제자리로 가져가면서 발에서 힘을 빼고 동시에 입으로 서서히 숨을 내뱉는다. 잡념과 망상으로 의식집중이 처음에는 잘 안 되지만, 잡념에도 불구하고 발 뒤를 잔뜩 노려보는 듯한 기분으로 되풀이하는 동안 알지 못하게 잡념이 없어진다.

다음 익숙해지면 발 끝의 굴신(屈伸) 대신, 아랫배를 신축시키는 방법을 쓴다. 이 때 호흡은 같은 방법이지만, 숨을 마시면서 우주의 원기가 체내에 들어오는 것을 생각하며, 그것을 아랫배로 보냄과 동시에 아랫배에 힘을 주며 복압(腹壓)을 높인다. 이 때 주의할 점은 아랫배 이외의 부분에는 힘이 들어가지 않도록 힘써야 할 것이다.

아랫배에 힘이 들어가면 거기서 호흡을 멈추고 원기가 아랫배에 충만하였다고 강하게 생각한다. 만일 무리 없이 호흡을 멈출 수 있으면, 멈추는 시간은 길수록 좋으나 체력, 능력을 고려해서 무리해서는 안 된다.

다음 숨을 내쉴 때, 숨을 입으로 천천히 내뱉으며, 이번에는 하복부를 가능한 한 수축시킨다. 배의 내벽이 등허리에 맞닿을 정도로 힘을 주어 아랫배를 움츠린다. 거듭할수록 아랫배가 유연해지며, 신축되는 진폭이 커져서 이로 인하여 복강(腹腔) 내의 장기(臟器)나 혈관의 탄력성이 증가하고 복강 내의 울혈(鬱血)된 혈액이 심장에 환원되어 온 몸의 피순환이 왕성하게 된다. 이것은 즉 자연치유력의 활동이 활발해져 병의 회복이 촉진된다는 것이다.

이상의 방법은 1회 5분에서 10분 정도씩 1일 3~4회 행하는데, 식사 직후는 피하고 식후 2~3시간 때가 가장 적합하다.

3. 각병복기법(却病服氣法)

◆ 폐기법(閉氣法)

〈각병복기법〉 중에서도 여러 가지 다른 방법이 있는데, 앞에서 설명한 〈전신언와법〉과 다음에 설명할 〈육기법(六氣法)〉도 〈각병복기법〉의 일종이다.

〈복기법〉이란 대기 중에 차 있는 우주 원기를 호흡으로 체내에 집어넣는 방법인데, 집어넣은 우주 원기를 외원기(外元氣)라 하며, 그 상태로는 생명 에너지가 되지 못한다. 집어넣은 후 체내 원기(内氣)와 접촉 혼합시켜 체내 원기로 바꾼 다음 체내에 축적(循環)시키지 않으면 안 된다. 그렇지 않으면 호흡 때마다 드나들 뿐이며 정(精)의 증가로는 되지 않는다.

그러므로 복기법이 단지 외기를 체내에 집어넣는 행위뿐이라면 일반 호흡법과 하등 다름 없을 것이다. 복기법이 보통 호흡법과 다른 것은 외부에서 집어넣은 외기를 특수한 방법으로 체내 원기로 전환시켜, 일곱 개의 정궁(精宮)에 축적하거나 또는 체내 말단까지 순환시키든가 하여 생명력의 증강, 장생에 필요하도록 하는 것에 있는 것이다.

체내에 집어넣어 내원기화한 생기를 생명 활동을 위하여 쓰는 사용법을 〈용기법(用氣法)〉이라 한다. 용기법에는 여러 가지 종류가 있으며, 그 중의 하나가 〈폐기법(閉氣法)〉이다.

〈폐기법〉이란 〈기〉를 병의 치료에 사용하는 방법이다. 그리고 여기서 설명하는 각병복기법은 폐기법의 병용(併用)에 따라 병을 치료하는 복기법이다.

손발을 편히 뻗치고 눕거나 상반신에서 힘을 빼고 앉는다. 〈음양복기법(陰陽服氣法)〉(그림 18) 또는 〈복기법〉의 기본형에 따라, 코로 서서히 들이마시는 외기를 척추의 수관(髓管)을 통하여 일단 미골(尾骨) 끝까지 떨어뜨려 거기서 하복부에 끌어들인다. 이 조작은 호흡을 멈추고 있는 동안에 하지만, 병중에는 축기(蓄氣)에 무리가 안 가게 원칙의 칠정궁(七精宮) 순환은 하지 않고, 최궁(峻宮) 또는 준궁과 현궁(玄宮)에서 연기(煉氣)하기 위하여 정지한다. 요는 배꼽 아래, 즉 기해(氣海)라고 하는 곳에 〈기〉를 도입하여 여기서 내기와 결합시켜, 강력한 내원기인 정(精)을 만든다. 올바로 행하여 숙련되면 이 부위에 열이 생기며, 정(精)의 존재를 몸소 느끼게 된다. 초심자들은 관념의 힘

〈그림 18〉

으로 정이 이루어졌다고 상상한다.

다음에 숨 멈추기를 끝내고, 숨 내뱉기에 들어간다. 내뱉는 숨은 입으로 서서히 그리고 조용히 토하는 것이다. 이것은 가스교환시의 탄산가스와 같은 환부의 더럽혀진 〈기〉이며, 새로 들어간 내원기는 역으로 환부에 스며드는 것이다. 아니 관념력으로 스며드는 것이다.

청신한 외원기를 코로 서서히 빨아들여서 숨을 멈추고, 이것을 기해(氣海)에 유도시켜 강력한 내원기를 만들며, 숨을 입으로 조용히 토하면서 그 내원기를 환부에 주입하는 조작을 거듭행한다.

이 복기법은 새벽부터 정오까지, 즉 오전 중에 한다. 오후에는 공기가 혼탁해지고 〈기〉가 죽어 있으므로 원칙으로 하지 않는다. 그 대신 오후에 할 때는 타액을 사용한다. 타액은 정(精)이 액화한 것이다. 오전에 복기를 하여 내원기를 왕성하게 해 두면, 타액도 청신한 활기에 넘쳐 있게 되므로, 입 속에 우러나오게 하여 이것을 삼키면 환부에 정(精)을 보내어 목적을 달성할 수가 있다. 그러므로 오전 오후 가릴 것 없이 1일 3~5회 하고 나면 어떤 병이든 낫게 된다. 왜냐 하면 병은 모두 정의 고갈에서 생기는 것이기 때문에 청신하고 강력한 정을 공급해 주면 반드시 고쳐지기 마련이다.

◆ 육기법(六氣法)

우주의 여러 현상, 생명이나 물질 그 밖의 자연 현상, 이것들이 결합되어진 것이 우주이다. 이것을 발생 순서적으로 생각해 보면 여기에는 우선 원리원칙이라는 것이 있다. 선도에서는 이것을 〈도(道)〉라 이름붙였다. 그러나 〈도〉는 단지 원리라든가 법칙이라고 하는 추상적인 것으로, 형체도 없고 의지도 없다. 진짜로 〈무(無)〉 또는 〈공(空)〉이며 현상적인 것은 아니다. 이것을 현상화시키는 구체적인 나타남이 〈기〉이다. 〈기〉는 처음에는 혼탁하게 섞여 있었지만, 그것이 분리, 변화, 결합이라는 움직임을 시작, 무거운 것은 하강하고 가벼운 것은 상승하였으며, 조잡한 것이 물질을 만들고 정묘한 것은 응집하여 생명 에너지로 되어 오늘날 우리가 보는 우주를 형성하였다. 그러나 그것은 시간적인 발생 과정이 아니고 오늘 이 시간에도 시시각각 행해지고 있으며, 말하자면 철학적 이념이다.

〈기〉가 변화하여 만물이 이루어졌다는 것을 현상(現象)의 측

면에서 말하면, 만물은 그것을 나타내는 성질을 가진 〈기〉에 의하여 구성되어 있다는 것이 된다. 돌은 돌이 될 특성을 가진 〈기〉의 집합에서, 나무는 나무라는 소질의 〈기〉에 의하여 만들어져 있다. 인간의 육체도 〈기〉로 구성되어 있으므로 육체를 구성하는 같은 파장(波長)의 〈기〉가 집결하여 육체가 만들어져 있다는 것이 된다.

좀더 세밀히 분석하면, 같은 육체 중에서도 뼈는 뼈, 근육은 근육이라는 종류가 다른 〈기〉에 의하여 신체의 각 부분이 만들어진 것이 된다. 내장 기관에서도 위나 간장, 심장이나 폐 등과 같이 형체도 다르고 작용도 다른 각 기관은 각기 그 기관을 구성하는 〈기〉에 의하여 만들어지고 움직여지고 있다고 생각할 수가 있다.

따라서 어떤 부분에 병이 생긴 경우, 그 부분을 구성하는 〈기〉를 처리하는 데 가장 적합한 방법을 취하는 것이 제일 빠른 길이라는 이치이다. 〈6기법〉이라는 것은 폐(肺)·심(心)·비(脾)·간(肝)·신(腎)의 5장(臟)과 6부(腑) 중의 삼초(三焦 ; 한방의학에서 말하는 胃에서 膀胱에 이르는 수분의 배설기관으로, 上焦는 胃의 위쪽 입구, 中焦는 위의 가운데, 下焦는 방광의 위쪽 입구에 있으며 이것을 총칭하여 三焦라 함)에 각각 소속하는 6개의 〈기〉를 정해서, 그들 기관에 병이 생긴 때 각기 소속된 〈기〉로서 병을 처리하고자 하는 방법이다. 〈6기법〉은 〈각병복기법〉의 일종이지만, 그것은 토기(吐氣)에 의하여 환부의 혼탁한 〈기〉를 몸 밖으로 방출시켜 청신 발랄한 원기를 보내는 각병법이다.

〈6기〉라 함은 허(噓)·가(呵)·히(呬)·취(吹)·호(呼)·희(嘻)를 말한다.

허(噓)는 간장에 속하며, 또 눈도 관리하는 〈기〉이다. 그리하여 간장이 나쁠 때는 허(噓)의 방법으로 숨을 토하며, 간장의 병독을 입으로 토해내고, 이어서 코로 아주 천천히 조용하게 숨을 들이마시어 청신한 원기를 환부에 보내는 것이다. 이 때 정신을 간장부에 집중시켜 행하며, 주의할 점은 간장의 병에 관심을 두지 말고, 강하고 바르게 활동하는 간장 본래의 완전한 모습에다 마음의 눈을 기울여야 한다. 이것은 이하 각 장기에 대하여 행하는 경우도 공통되는 주의 사항이다.

〈허(噓)〉의 방법은 입을 둥글게 벌리고, 힘을 빼며, 멍청하고 느릿느릿하게 "쉬이—"하고 토하는 것이다.

〈가(呵)〉는 심장에 속하며 또 혀도 지배한다. 그런데 심장이 나쁜 경우에는 〈가(呵)의 기〉로서 처리하는 것이 합리적이다.

심장이 나쁜 사람은 헛되게 하품을 잘 하는데 그것이 가(呵)이며, 무의식으로 〈가기(呵氣)〉의 법을 행하고 있는 것이다.

〈가기〉의 법은 입을 크게 벌리고 "허어—" 하고 토한다. 이 경우 손을 깍지끼고 손바닥을 하늘로 향하게 하며, 양팔을 뻗어 올리듯이 자세를 취하면서 하면 하기가 쉽다.

이와 같이 토해냄으로써 환부의 사악한 〈기〉를 몽땅 토해 버리고, 계속해서 코로 가늘고 길게 생기를 흡입해서 심장부에 보낸다. 이 때 심장이 건전하고 강하게 활동하고 있는 상태를 눈으로 보듯이 상상한다.

히(呬)는 폐에서 코, 즉 호흡기에 속하는 〈기〉이다. 히의 기는 입을 다물고 가볍게 물어낸 잇새를 통하여, 입술 사이의 작은 틈 사이로 "스으—"하고 토해낸다. 그 다음 역시 매우 조용하게 코로 숨을 들이마신다. 환부가 호흡기에 해당하는 관계상 깊게

들이마실 필요는 없고 폐에 도달하는 정도면 된다.

취(吹)는 신장에 속하는 〈기〉이다. 신장은 귀와도 연결되며, 부신(副腎) 및 성기(性器)와도 밀접히 관련되어 있다. 따라서 이들 기관에는 공통적으로 유효하기 마련이다. (그림 19)

〈취〉는 입을 오므리고 강하게 불어내듯이 "취이—"하고 토한다. 이 때 양 무릎을 손으로 끌어앉고 배를 움츠리며 상반신을 앞으로 내밀면서 머리를 숙이는 자세를 취하고 행하면 잘 된다.

〈호(呼)〉는 비장에 속하며, 비는 위장과 밀접한 관계가 있다. 위가 고통스럽고 장이 긴장해 있을 때는 호의 방법으로 처리한다. 〈호〉는 개가 하품하듯이 입을 좌우로 벌리고 "후우—" 하며 숨을 토해낸다.

〈희(嘻)〉는 웃을 때와 같은 입 모양으로 "시이—" 하고 토한다.

〈6기〉의 법은 오전 1시경부터 10시경까지의 사이에 동쪽을

〈그림 19〉

향해 조용히 앉아서 한다. 그리고 치아를 딱딱 치며 침을 삼키기를 각각 3회, 몸의 긴장을 풀고 마음을 안정하게 가지며 행한다. 이렇게 1회에 6번씩 매일 행하면 병의 치료에 효과가 매우 크다.

4. 내관법(內觀法)과 치병(治病)

〈내관〉의 행법은 선도행법체계에서는 제2단계에 행하는 행법이다.

이미 설명한 것처럼, 선도행법에는 5개의 단계가 설정되어 있으며, 제1단계부터 단수를 올리면서 순서를 정하여 행하도록 짜여져 있다. 이 순서에 따라 충실하게 행법을 실천해 갈 때 모르는 사이에 점차 높은 경지에 유도되어, 드디어 최고의 경지에 도달할 수가 있다.

제1단계는 〈재계〉로서, 주로 육체의 뒤틀림을 교정하여 그곳에서의 〈기〉의 원활한 순환을 기도하기 위한 행법이 설정되어 있다. 그런데 인간의 생명 활동은 육체 외에 또 하나의 분야가 있다. 그것은 마음(정신)이라는 영역이다.

육체나 정신도 하나의 본원(本源)에서 나온 생명 활동이다. 둘다 〈기〉의 활동에 의하여 나타내지는 생명의 두 가지 면에서 서로 다른 활동을 하지만, 서로 밀접하고 뗄 수 없는 상호관계를 가지고 있다. 그러나 그 활동의 범위는 마음 쪽이 훨씬 넓고 또 심오한 것으로, 일부러 〈재계〉로 신체의 결함을 교정해도 마음 쪽을 그대로 방치해 두면 육체의 장생, 마음의 기쁨을 달성할 수가 없는 것이다.

그러므로 선도에서는 제2단계로서 마음의 안정을 꾀하는 행법단계를 설정했다. 제 2 단계는 〈안처(安處, 즉 制感)〉라는 부분인데, 제 1 단계가 주로 부자연한 생활에 따른 육체의 더럽힘을 청결히 하려는 것을 목적으로 한 것에 반하여, 제 2 단계는 〈도〉에서 동떨어진 인위적 정신 생활에 따른 마음의 비뚤어짐을 교정하는 것을 목적으로 하고 있다.

〈내관법〉은 제 2 단계에 설정한 행법으로 심리적인 면에서 불로장생, 낙생불사(樂生不死)를 달성할 것을 목적으로 하는 행법의 하나이다. 그것은 물론 단순히 병의 치료를 위한 기법은 아니지만, 육체와 정신이 〈기〉의 활동이라는 공통의 활동을 통하여 상호 밀접한 상관관계를 가지는 생명 활동이기 때문에, 이것을 병의 치료에 응용하면 큰 치병 효과를 얻어내는 이치는 당연하다 하겠다.

왜냐 하면 〈기〉는 마음에 따라 움직이는 것이므로, 마음의 리드에 따라 〈기〉를 수습 조절할 수가 있으며, 〈기〉의 망동이 멈추어지고 막힘이나 편중이 제거되어 원활한 활동을 하게 되면, 육체의 건강을 회복하는 것이 당연하다.

◆ 연수법(軟酥法)

인간은 호흡으로 〈기〉의 순환을 이룩하고 있다. 즉 〈흡(吸)〉에 의하여 외기를 체내로 도입하고, 들어온 〈기〉는 비장을 통하여 하강시켜 간장 및 신장에 유도된다. 그리하여 〈호(呼)〉에 따라 또 다시 신장에서 비장을 통하여 상승시켜 심장과 폐로 되돌려진다. 〈기〉가 비장을 통과할 때 혈액이 만들어지며, 혈액은 호흡에 의하여 정맥(靜脈) 속에서 3 치씩 전진하여 1 주야간에 50회 몸 속을 회전한다. 이것이 정상적인 〈기(血)〉의 순환이며, 이와 같은 정상 순환이 유지되어 있으면 사람의 건강은 확보되며 결코 병들지 않지만, 이 정수(定數)가 흐트러지면 즉시 백 가지 병이 발생한다는 것이 한방 의학의 병리관(病理觀)이다.

그런데 정상적인 〈기(血)〉의 순환 정수를 흐트러뜨리는 것은 마음이다. 마음(心氣)은 불의 성질을 가지고 있으며, 불이 타오르려는 것처럼 항상 상승하려고 한다. 상승되면 안정이 깨지고 여기저기 떠돌게 된다. 〈기〉는 마음에 따라 움직이는 것이기 때문에 마음이 흐트러지면 〈기〉도 흐트러지며, 정상적인 순환이 무너지고 모든 병이 발생한다. 이것이 원인으로 생긴 병은 약물이나 외과적 치료로는 고칠 수 없다. 이것을 고치는 유일한 길은 마음을 가라앉히고 몸의 하부를 안정시켜 주는 일이다.

〈연초〉의 법은 내관법의 일종인데, 상승된 심기를 아랫배(氣海丹田), 발 다리 부위에 하강 안정시켜, 그것으로 〈기〉의 정상적인 순환을 회복, 병을 고치는 데 극히 효과적인 방법이다.

등뼈를 곧바로 세우고 상체의 힘을 빼고 바르게 앉아(端座, 盤座, 趺座) 가볍게 눈을 감는다. 오리알 크기만한 것이 금빛으로 빛나며 향내를 내는 영약이 하늘에서 내려와 머리 위에 놓여졌다고 상상한다. 이 영약이 체온으로 녹아서 머리 속으로 침투, 머리 속을 완전히 적신다. 계속해서 하강하여 양 어깨, 양 팔로 흘러내려 흉부와 폐, 심장에서 간장으로, 그리고 위장과 복부에 침투하며, 등허리 부위는 등골에서 허리 쪽으로 흘러내려가는 것을 육안으로 보는 것처럼 상상한다. 5장(臟) 6부(腑), 뼈와 근육, 신체의 모든 부분에 침투하여 일체의 병독, 사기(邪氣)를 씻어내리며 하강하여 허리에서 발에 다다른다. 이것을 몇 번 되풀이하면, 그 액이 고여 허리 아랫부분이 더운 물에 담겨져 있는 것처럼 더워져 온다. 숙련되면 미묘한, 무어라 말할 수 없는 향내를 맡을 수 있으며, 역력히 체내에서 흘러내리는 소리를 들을 수 있다.

머리 부분에서는 상쾌한 청량감을 느끼며, 허리와 다리 부분은 가볍고 따뜻한 기분에 휩싸여 아픈 데나 결리는 데 할 것 없이 신체 그 자체가 있는지 없는지 판단할 수 없는 것 같은 황홀감에 싸이게 된다.

이 방법으로 백은(白隱)이라는 승려가 난치병인 노이로제와 폐병을 고치고, 5백년 동안에 처음 있는 고승(高僧)으로서 85세의 고령에 이르기까지 민중의 교화 및 후진 양성에 이바지한 것은 너무나 유명한 역사상의 사실이다.

◆ 신기법(神氣法)

선도에서는 우주를 창조하고 만물을 지배하는 〈신〉이라는 존재를 인정하지 않는다. 말하자면 신에 해당하는 것은 〈도〉이며, 도는 의지를 지닌 인격적 존재가 아니라, 우주의 원리, 법칙에 지나지 않는다.

병이나 불행은 〈도〉의 뜻에 거슬려 잘못을 범했기 때문에 〈도〉가 내린 벌이 아니고, 우주의 법칙에 위배되는 행위에 의하여 스스로 불러들인 결과이다. 〈도〉는 선량한 자를 우대하고 불행한 자를 처벌하는 것 같은 의지적 행동은 하지 않으나, 모든 것이 자연의 법칙에 따라 존재하는 이상 반자연적 행동과 자연의 법칙에 위반했기 때문에 스스로의 존재를 위태롭게 하는 것은 당연한 귀결이다.

이와 같이 선도에서는 우주의 지배자로서의 〈신〉은 설정하지 않지(따라서 仙道는 信仰을 내용으로 하는 소위 宗教가 아니다)만, 우주의 삼라만상을 바르게 움직이도록 하기 위한 행정관이며 또한 지도자라는 의미의 〈신〉은 대단히 많이 설정하고 있다.

인체의 각 기관에도 다수의 신들이 배치되어 있어 체내의 메카니즘을 조작하고 있다. 거기에는 당연히 조직이 있으며 계급도 있다. 그것은 큰 회사나 관청과 비슷하다. 옛 사람들이 이와 같은 가정(假定)을 생각해 낸 것은, 인체의 기구가 그 사람의 뜻대로 자유로이 되지 않는다는 이유 때문이다. 내장의 여러 기관을 비롯하여 대부분의 기관은 그 사람의 점유물인 동시에 그 점유자의 의지대로의 명령에 따라 움직이거나 멈추어지는 것이 아니다. 이것은 다시 뒤에서 자세히 설명하겠지만, 내장 기관은 물론 일반 근육도 사람의 뜻대로 움직이는 것은 아무것도 없다. 그렇다면 그것은 어떤 자의 명령에 의하여 움직이고 있을까, 하는 의문이 생기게 된다. 물론 그것은 〈도〉의 법칙에 의하여 움직이고 있지만, 직접 이것을 조작하는 것은 각 부분을 담당하는 조작관인 신들이라는 결론을 옛 사람들은 설정했던 것이다.

우리의 의식이 잠자고 있을 때도 육체 내의 기구는 쉬지 않고 일하고 있다. 반대로 의식이 똑똑히 눈을 떠서 의지가 완전한 동작을 요구해도 병이 된다. 즉 병은 의지와는 무관하게 생기며 또 고쳐지기도 한다 라고 한다면, 병은 체내의 신들에게 그 처분을 위임한 데 지나지 않는다. 체내의 일은 눈에도 보이지 않고 의식으로 인식할 수도 없으나, 직접 조작을 담당하는 신들은 어디가 나쁜지 어떻게 하면 치유되는지 알고 있을 것이다. 그들에게 맡기면 그 조직을 통하여 온 몸의 치병 활동을 일으켜, 비록 의식적으로는 원인이나 병원(病源)을 모르는 경우에도 적절한 조치를 강구할 것이다.

신들에게 맡긴다는 것은 표면 의식을 개입시키지 않는다는 것이다. 즉 신기(神氣)의 법이라고 하는 것은 일종의 잠재의식 요법이다. 신기(잠재의식)를 발동시키려면 다소 시간이 걸린다. 조용한 장소에 정좌(靜座)하여 합장하고 의식을 손 끝에 집중시킨다. 통각(統覺)의 행을 할 수 있는 사람이면 별문제 없지만, 보통 사람도 매일 20～30분씩 이 정신 통일법을 행하면, 1주일～2주일 후에는 〈신기〉가 발동한다.

〈신기〉가 발동되면 합장한 양손이 저절로 움직이기 시작한다. 그렇다고 놀라거나 의심해서는 안 된다. 의식이 개입되기 때문이다. 그 때는 양손의 움직임이 정지되므로 처음부터 다시 시작한다.

양손이 움직이기 시작하면 그대로 움직이도록 방치해 둔다. 그러면 양손이 저절로 강하게 마찰되고, 다음에는 떨어져서 자기 몸을 마찰하기 시작한다. 양손은 의식적으로는 도저히 움직일 수 없을 정도로 강하고 빠르게 복부에 또는 다리로 내려가 예측할 수 없는 움직임을 되풀이하면서 혹은 마찰하고 또는 두드리며 때로는 주무른다고 하는 무의식의 도인을 행한다.

이것은 자기최면이 아니기 때문에 의식은 또렷하다. 다만 의식을 동작에 개입시키지 않을 것, 만일 의식이 개입되면 즉시 동작이 정지한다. 따라서 중지하려고 마음 먹으면 정지된다. 그러나 동작을 방치해 두면 일정한 시간(대략 40분 정도) 후 양손은 저절로 최초의 합장한 상태로 되돌아와서 정지한다. 이렇게 해서 1회의 치료를 끝낸다.

그리고 심한 동작에도 불구하고 조금도 피로하지 않으며, 온 몸이 경쾌해지고, 가벼운 고장이면 한두 번에 낫게 된다. 이 방법은 자신의 치료뿐만 아니라 타인을 시료(施療)할 수도 있다. 남에게 시료해 줄 때에는, 그 사람의 뒤에 앉아 정신을 통일하고 〈신기〉의 발동을 기다린다. 드디어 양손이 움직이고 피시술자(被施術者)의 몸에 접촉하게 되는데, 이상하게도 그 사람으로부터 병의 증세를 듣지 않았어도 손이 먼저 아픈 부위로 가진다.

이것은 〈기〉가 항상 조화하려고 움직이게 되므로 기운이 많은 데서 적거나 약한 곳으로 흘러가기 때문이다. 피시술자는 병자이므로 〈기〉가 약하고 특히 환부에는 〈기〉가 부족해 있다. 그러므로 시술자의 기운이 약한 곳으로 흘러간다.

따라서 시술자는 남에게 시료를 해줌으로써 자기의 기운을 빼앗기게 되며, 시술 후에는 몹시 피곤해진다. 손의 움직임에 의식을 가하지 않고 그대로 방치해 두면, 시료를 마친 후 손은 스스로 자기의 신체를 도인한다. 이것은 피로 회복을 위한 것이다.

◆ 포기법(布氣法)

〈포기법〉이란 남의 병을 고치는 법이다. 원래 선도는 개개인이 자기 완성을 달성하기 위한 수행법이다. 병의 치료를 목적으로 하는 〈각병술(却病術)〉도 자기 인간을 완성하는 데 장해가 되는 자기의 병을 고치는 것이 주안점이고, 남의 병을 고치기 위한 기술이 아니다.

질병뿐만 아니라, 사람에게는 그 사람 특유의 업보가 있어, 그것은 각자가 스스로 극복해야 할 것이며, 남의 힘을 비는 것은 도리가 아니다. 선도는 너무나 이기적이라고 생각되겠지만, 자기가 완성되지 않는데 남에게 도움을 준다는 것은 어쨌든 쓸데없는 짓이라 하겠다. 모든 사람이 자기의 완성을 목표로 할 때 비로소 사회는 향상되는 것이다. 자기의 노력도 하지 않고 남의 일만 뇌까리는 것은 잠자는 사람을 깨우는 것과 같은 무책임한 행동이며, 결코 남을 위하는 것도 사회를 위하는 것도 아니다. 현대에는 너무나 이런 사람들이 많은 것 같다. 그건 그쯤해 두고, 〈각병술〉은 자기를 위한 치병법이지만, 자력으로 병을 고치는 능력이 없어서 고통받는 사람을 도와 서로 함께 인간 완성을 위하여 협력하는 것이 필요할 경우도 있을 것이다. 그런 경우를 위하여 〈포기법〉이 마련되어 있는 것이다.

전항에서도 설명했듯이, 〈기〉는 강한 데서 약한 데로, 많은 데서 적은 데로 흐른다. 우주는 음양의 조화로서 이루어지고 있는 것으로, 조화가 흐트러지면 그것을 되돌리려는 자연의 움직임이 일어난다.

여기서 정(精)이 꽉 들어찬 시술자(施術者)의 기운이 정이 소모된 병자를 대하면, 시술자의 원기가 피시술자의 체내에 흡수되어 피시술자의 체내 원기가 충실해지고 병에 대한 자연치유력이 왕성해져서, 병이 낫는다는 경과를 밟게 되는 것이다.

〈포기법〉은 보통 손바닥을 사용한다. 단 시술자는 병자의 환부에 가볍게 손바닥을 대고 있어도, 또는 상대방의 몸에 대지 않아도 된다.

우선 〈복기법〉에 의하여 숨을 들이쉬고, 다음 숨을 멈추고 행기(行氣)하며, 그리고 숨을 내쉰다. 숨을 토하면서 관념으로 손바닥을 통하여 피시술자의 체내에 〈기〉를 불어넣는 것이다.

이 경우 중요한 것은, 시료를 받는 사람도 시술자와 호흡을 맞추어 시술자로부터 보내는 〈기〉를 자기 체내에 받아 넣을 마음 가짐을 갖는 것이다. 〈기〉는 강한 데서 약한 데로 흐르는데, 그것은 느낌이 합쳐질 때 비로소 행해지는 것이며, 서로 〈기〉의 감응이 없으면 〈기〉가 흐르지 않는다.

또 시술자는 돈을 번다든가, 자기 능력을 과시하려는 욕심이 있거나, 또는 고치지 못하면 부끄럽다든가 하는 집착심이 있으면, 그것으로 방해를 받아 〈기〉의 흐름이 잘 안 된다. 또 받는 사람도 이런 것으로 고칠 수 있을까 또는 과연 나을 수 있을까 하는 의심을 가지면 〈기〉가 감응되지 않는다.

쌍방 모두 의심을 버리고 허심탄회하게 상대하는 것이 필요하다. 만일 쌍방이 서로 허심탄회하게 되어 〈기〉가 완전히 감응할 수 있는 상태가 이루어지면, 시술자와 피시술자의 거리는 문제되지 않는다. 서로 멀리 떨어져 있어도 〈기〉의 흐름은 원활히 이루어진다. 이것을 〈원격치료(遠隔治療)〉라고 한다.

〈포기법〉을 행한 경우, 시술자는 그 후 〈복기법〉을 반드시 행하여 소모된 체내 원기를 보충해 두는 것이 필요하다.

5. 벽곡법(辟穀法 ; 避穀法이라고도 함)

〈벽곡법〉은, 본래 곡류를 먹이로 하여 체내에서 인간의 육체를 좀먹는 벌레를 절멸시켜, 체질을 개선하며 불로불사의 정체(精體)를 조성함을 목적으로 하는 행법인데, 치병법으로서도 탁월한 효과를 가지고 있다.

그 중에서도 뚜렷한 효과가 있는 것은 다음과 같은 병이다. 동맥경화증, 고혈압, 위하수, 위확장이나 그 밖의 만성위장병, 당뇨병, 만성신장병, 류머티스, 신경통, 월경불순 등의 만성부인병, 천식, 허약체질, 노이로제 등의 신경장해, 빼빼마름, 뚱뚱

보 등등.

〈벽곡법〉은 일종의 단식요법이지만, 일반 단식법처럼 위험성이 없고, 누구나 가정에서 일상 생활을 계속하면서 할 수 있다.

벽곡의 기간은 병의 종류와 증상에 따라 3일～7일 사이에서 적당히 정한다. 난치병의 경우는 장기간 하는 것이 바람직하지만, 그런 경우에도 일상 생활을 계속하면서 하기 위해서는 7일간을 한도로 하여 2～3개월마다 수차례 행하는 것이 무난하다.

벽곡 기간에는 일체의 곡물 및 곡류를 원료로 한 식품을 비롯하여 동식물성 단백질, 지방성 식품, 그것들의 가공품, 기름류, 술 담배 등 자극성인 것, 설탕이나 그 밖의 인공 조미료 등을 식탁에서 추방한다.

꿀은 당뇨병 환자 외는 허용된다. 소금도 고혈압, 신장병 외는 소량이면 무방하다. 따라서 음식물로서 적당한 것은 청즙(青汁), 녹엽생야채, 야채 스우프(조미료 없이), 과일과 과일즙, 꿀, 다시마, 약초 끓인 물 등이다.

이 기간 중 물은 되도록 많이 마셔도 무방하다. 다만 수도물은 하루 낮 동안 공기에 노출시키든가, 하룻밤 방치해서 염소 성분을 침전시킨 것을 사용한다. 그러나 무리하게 많이 마실 필요는 없다. 1일 5～6홉이면 충분하다.

벽곡 기간을 마치고 평상시의 식사로 되돌아올 경우, 벽곡한 만큼의 일수를 복식기간(復食期間)으로 하여 아주 천천히 보통식사로 되돌아온다.

예를 들면 복식 첫날에는 중탕(重湯), 건더기 없는 장국을 소량 식탁에 놓고, 제2일에는 중탕 대신에 죽과 우유 약간을 더하고, 제3일에는 죽에다 두부국이나 야채 수우프 등을 추가시킨다. 이렇게 서서히 식품의 종류 및 식사의 양을 증가시키며, 일정한 복식 기간을 지난 다음 평상식으로 완전히 환원한다.

그러나 제일 중요한 것은 또다시 그전처럼 악식, 편식, 과식의 나쁜 습관을 되풀이하지 않도록 스스로 조심하며, 이것을 기회로 하여 바르고 자연스런 식생활 습관을 몸에 익히도록 한다.

6. 현대의학과 각병술(却病術)

이상과 같이 각병술의 주요한 부분을 설명했다. 이미 느낀 대로 이것은 특정한 병을 대상으로 하는 치료법이 아니며, 몸 전체의 부조화(不調和)를 해소하고 음양의 균형을 회복시키기 위한 기법이다.

원래 병이란 부자연스런 생활로 생겨난 신체의 비틀림 때문에 〈기〉의 원활한 순환이 저해되어 생명의 완전 발현이 실현되지 않는 상태이며, 그것이 가끔 체내의 어떤 곳에 나타나는 데 지나지 않는다. 예를 들어 열이 나면 일반 사람들은 그것이 병이라고 생각하는데, 열이 나는 것은 몸의 음양 균형이 무너져 몸이 음에 기울어졌을 때 이것을 조화하려고 생겨나는 자연의 처방이며, 쓸데없이 해열제 등을 써서 열을 내리면 오히려 병의 회복을 지연시키는 결과가 된다.

이런 생각이 경험 없는 사람의 생각이라고 웃을지 모르나, 현대의학은 그런 입장에서 병의 치료를 하고 있다. 즉 나타난 증상을 제거시키는 말초, 국소의 치료법이 의학이 취하고 있는 태도이다. 그런 경향은 최근 더욱더 심해져, 기계의 급속한 발전으로 가까운 장래에는 진단을 모두 기계가 하고, 환부의 치료도 기계 또는 과학장치로 하며, 환자에 대한 조언도 콤퓨터가 하게 된다는 경향을 보이고 있다. 그렇다면 의사는 단지 기계의 기술자 내지는 병리학의 연구가로서의 존재로 되어 버리며, 임상의학은 불필요하다는 시대가 올 것도 예상된다. 기계 능력이 환자의 체내 이상을 의사보다 조기에 발견할 수 있기 때문이다. 그런데 기계가 발견하는 이상(異常)은 증상이다. 예를 들어 심장의 이상을 발견했다고 해도, 그것이 어떻게 생겼으며, 어떻게 하면 낫는가, 하는 것에는 전혀 무관심하다. 치료로서 할 수 있는 것은 환부의 절제나 증상을 호전시키는 대증요법뿐이다.

현재 암과 더불어 사망율이 높은 고혈압이나 뇌연화증 등이 좋은 예이다. 이것은 고혈압이 원인인데, 고혈압 중에서도 가장 많은 본태성고혈압에 대해서는 병의 원인이 판명되어 있지 않다. 단지 고혈압이라는 이상성이 발견되어 있을 뿐이다. 따라서 그 치료법으로서는 혈압을 내리는 이외의 방법은 없다는 것이다.

이것은 경험 없는 사람이 열이 나는 데 놀라서 열을 내리려고 하는 태도와 똑같은 이치이다. 매년마다 의과대학에서 수천 명의 의사가 배출된다. 또한 의료 시설도 해마다 확충되고 있다. 방대한 국가 예산이나 지방 또는 민간 자금을 의료 기관에 쏟아 넣는데도, 병자는 점점 늘어나고, 의사의 부족, 의료 제도의 불비가 지적되고 있는 것은, 현대의학이 병의 치료에 무력하다고는 말할 수 없어도, 대단히 힘이 부족하다고 해석할 수는 있을 것이다.

현대의 의료법은 〈기〉의 소통을 저해하는 폐쇄부를 개방한다는 수단으로서는 매우 적절하지만, 근본적인 병의 치료로서는 대단히 무책임하다. 더우기 그것은 의학의 영역이 아닌지도 모르겠다. 병은 어디까지나 병자 자신이 고쳐야 할 것이다. 동시에 병에 걸리지 않는 것이 가장 중요하다.

〈선도〉에서는 증상에 구애됨이 없이 〈기〉의 원활한 순환에 의하여 전신 기능을 부활시켜, 생명 활동을 왕성하게 하는 것을 목적으로 하고 있다.

제4장 각로술(却老術)

1. 나이란 무엇인가

시계가 발명되기 훨씬 전부터, 아마도 우주 창조 이래 시간은 있었다. 왜냐 하면 우주라고 하는 현상은 자연현상이며, 물질이며, 모두가 〈도〉의 변화이며, 변화는 움직이는 것이며, 움직임이 없는 공간은 있을 수 없기 때문이다.

현재 우리가 살고 있는 세계를 보통 3차원의 세계라고 하는데, 3차원의 세계는 실제로 존재하지 않고, 현상으로서 존재하는 이상 반드시 시간이라고 하는 또 하나의 차원을 동반하고 있다. 그 이유는 변화 그 자체가 현상이기 때문이다.

그런데 시계가 발명되고부터, 시간을 시계바늘의 움직임으로 측정하는 물리적 척도로 생각하는 습관이 생겨났다. 말할 필요도 없이, 시계는 지구의 자전과 공전을 기준으로 하여 만들어진 도구이며, 학문 연구나 집단 생활의 규정상 매우 편리하기 때문에 자연히 신간을 시계적 시간으로 생각하게 되었을 것이다. 하지만 시계적 시간은 단지 편의상 설정해 놓은 하나의 척도이며, 물질이나 현상의 한 차원으로서의 시간은 아니다. 진정한 의미의 시간은 폭과 길이, 두께라고 하는, 보통 3차원이라 불리는 공간과 같으며, 일정불변의 척도가 아니고, 공간과 상대적으로 움직이며 변화하는 우주 현상의 일면이다.

시간에는 여러 가지 성질이 있으나, 세 가지 종류로 나눌 수 있다. 그것은 물리적 시간과 생리적 시간 그리고 심리적 시간이다. 시계적 시간은 수학적 시간이라고도 하며, 이것은 앞에서의 말대로 척도로서의 추상적인 것이고 실존하는 시간이라고는 할 수 없다.

물리적 시간에 대하여 설명하면, 예를 들어 광속(光速)에 가까운 우주선 안에서는 시간이 늦어진다는 것이 물리학에서 증명되어 있다. 또 생리학적 시간은 사람의 일생에 걸친 육체상(肉體上)의 변화이며, 이것은 개개인에 따라 상이하다. 심리적 시간은 인간 의식의 움직임이며, 즐거운 처지에 있을 때와 괴로운 환경에 놓였을 때, 소년기와 노년기의 하루에 느끼는 시간적 차이 등을 고려해서 합쳐 보면, 일정하지 않다는 것을 우리의 경험상으로도 분명히 알 수 있다.

우리의 생활은 항상 변하는 공간과 여러 가지 양상을 가진 시간과의 결합에 의하여 구성되어 있다. 그런데 사회 생활을 규정하기 위한 기준으로서 1일 또는 1년이라는 수학적 시간이 사용되고 있으며, 그것이 오랜 세월의 습관으로 되었기 때문에, 인간은 시간을 고정적이며 일정불변의 것으로 생각하여 우주의 현상은 일정한 시간의 흐름 속에서 생멸변화(生滅變化)하는 공간적 존재로 믿게 되었다.

이것은 착각인데, 이 착각 때문에 달력상의 나이의 자각이 사람들의 육체적 노화의 커다란 원인으로 되어 있는 것이다. 정신

연령과 육체 연령이라는 말은 최근 자주 사용되지만, 인간의 나이를 세는 데는 그것이 정확한 것이며, 달력상의 나이는 인간의 나이를 측정하는 기준이 되지 못한다.

그런데 예를 들어 70세된 사람이 의학적으로 50대의 육체 소유자라 해도, 본인의 의식은 달력상의 나이를 중요시하기 때문에 스스로 늙어지고 마는 경우가 허다하다.

장생이라 하는 것은 달력상의 나이가 아니며, 어디까지나 현실적으로 삶을 오래도록 즐겁게 해야 할 것이므로, 오래 살고 싶으면 우선 호적상의 나이를 잊어버리는 것이 필요불가결의 조건이라 하겠다.

◆ 젊어질 가능성

젊어지는 것은 가능한가를 생각해 보자.

상대성 원리로 말하면, 광속(光速)에 가까와질수록 시간은 늦어진다. 그리하여 빛과 같은 속도가 되면 진행은 제로가 되며, 광속보다 빨라지면 시간은 역행하게 된다. 이와 같은 이론으로는, 광속보다 빠른 우주선이 나오면 그 우주선의 승무원은 나이를 거꾸로 먹는 것이 되고, 실제로 젊어질 수가 있다는 결론이 된다.

그러나 이것은 이론에 불과하고 실제로 광속보다 빠른 것은 만들 수 없으므로, 현실 문제로서 이런 방법으로 젊어질 수는 없는 것이다. 다만 광속에 어느 정도 가까와져서 나이 먹는 것이 느려지는 것은 생각할 수 있겠다. 현대인이 옛 사람보다 젊어 보이는 것은 그런 이유 때문인지도 모른다.

보다 현실성이 있고 현재 활발히 성행되고 있는 방법이 있다.

그것은 인체 기관의 이식이라는 의학적 조치이다. 이것은 현재 병들어 기능이 상실된 기관을 젊은 사람의 기관과 교체하는 의료 시술로서 행하고 있으나, 만일 그것이 아무런 장애 없이 성공한다면, 노화된 기관을 청년의 젊은 기관과 교체함으로써 목적이 달성되는 것이다.

최근에는 심장 이식까지 가능하게 되었으며, 이 방면의 의학이 좀더 발전한다면 위장이나 그 밖에 내장의 여러 기관을 비롯 혈액이나 분비선마저 교체하게 될지도 모르겠다. 그러나 그것은 과연 실제로 젊어지는 것일까.

인간의 신체는 하나의 유기체로서 각 기관이 서로 밀접하게 관련되어 하나의 생명 활동을 꾸려간다. 따라서 신체의 각 기관이 조화와 동일 리듬을 유지하며 활동할 때 건강과 젊음이 유지되는 것이지, 어떤 기관이 다른 기관과의 보조를 잃게 되면 신체의 전반적인 조화가 무너져 병에 걸리거나 노화를 재촉하게 된다. 이 부분적 부조화는, 어떤 기관이 타기관보다 빨리 노쇠한다는 경우뿐만 아니라, 역으로 어떤 기관이 타기관보다 지나치게 젊다고 할 때에도 당연히 있을 수 있는 것이다. 어떤 기관, 그것은 위장이든 생식기이든, 또는 근육이라도 만찬가지이다. 그것이 타기관에 비해 특별히 활동력이 왕성한 경우에는, 그것은 생체 전반에 걸쳐 아마도 큰 부담이 되어, 젊어진다는 것이 노쇠를 촉진시키는 결과가 된다.

따라서 한 기관의 이식으로 그 기관만의 젊어짐을 얻었다 해도 신체 전체의 젊어짐에는 도달하지 못하며, 오히려 역효과를 초래할 위험성이 커진다.

◆ 젊어진다는 의미

사람이 젊어지고 싶은 것은 도대체 무엇 때문일까. 설마 10대나 20대의 젊은이가 젊어지고 싶다고는 생각하지 않을 것이다. 젊어지고 싶은 욕망은 이미 육체적으로나 정신적으로도 황혼을 자각하는 사람들의 희망이다. 그것은 결국 오래 살아서 젊은 사람들처럼 인생을 즐기고 싶다는 욕망이 있기 때문이다.

그렇다면 빠른 속도의 우주선을 타고 외모를 젊게 보이든지, 신체의 기관을 이식하여 오히려 노화를 앞당기는 모험을 하지 않고도 건강을 유지하여 장생하며 마음이 평정하여 즐거운 나날을 보내려고 노력해 보는 편이 좋지 않을까.

생명체의 생리적 시간의 장단(長短)은 그 환경 여하에 따라서 정해진다고 한다. 우리는 살기 좋은 생활 환경 속에서는 하루 하루 즐겁게 살아갈 수 있으나, 나쁜 공기나 불결한 세계 속에서는 사는 재미도 잃어버리고 건강도 저해된다. 동시에 체내의 여러 기관이나 세포도, 맑지 못한 혈액이나 생기가 부족한 내분비액 속에서는 충분한 생명 활동을 할 수 없고 기능도 쇠퇴한다. 그것들은 혈액이나 체액 속에서 생활하고 있기 때문이다.

세포나 조직은 생명 활동을 위하여 끊임없이 불필요한 노폐물을 배출하고 있는데, 혈액이나 체액이 재빨리 그것을 청소하고 항상 세포나 조직의 살기 좋은 환경을 만들어주지 않으면, 세포들은 오래 생명 활동을 계속할 수가 없다.

그 환경은 〈기〉가 만들어준다. 체내 기운이 충실하고 말단까지 원활하게 순환됨으로써, 체내 환경은 깨끗하게 유지되며, 그런 환경에서만 세포와 조직이 건전한 생명 활동을 계속할 수 있는 것이다. 그렇게 되면 개체 전반의 생명 활동이 왕성해지며,

비로소 즐겁게 장생할 수가 있다. 결국 우리가 바라는 젊어짐이란 물리적 시간의 역행이 아닌 생리적 시간의 길이를 오래 유지하려는 것이다.

생리적 시간의 장단은 내적 환경의 정비에 따라 결정되며, 내적 환경의 정비는 〈기〉의 순환의 우열과 심리적 시간의 질에 따라 좌우된다.

선도에서의 〈젊어짐〉이란 단지 백발이 검어졌다든가 정력이 강해졌다는 등 외면적인 것이 아니고, 영구히 쇠퇴하지 않는 생명의 완전한 발현을 달성하는 것이다.

2. 젊어지는 방법

◆ 두좌법(頭座法)

역학(易學)에 〈지천태(地天泰)〉라는 괘(卦)가 있다.

이 괘는 하늘(天)을 의미하는 건(乾)이 아래로 되어 있고, 땅(地)을 의미하는 곤(坤)이 위에 가 있다. 본래 천은 양으로 위에 있으며, 지는 음으로 아래에 있는 것이 자연스런 형태인데, 이 지천태는 천지가 거꾸로 되어 있는 것이다. 그런데도 이 괘는

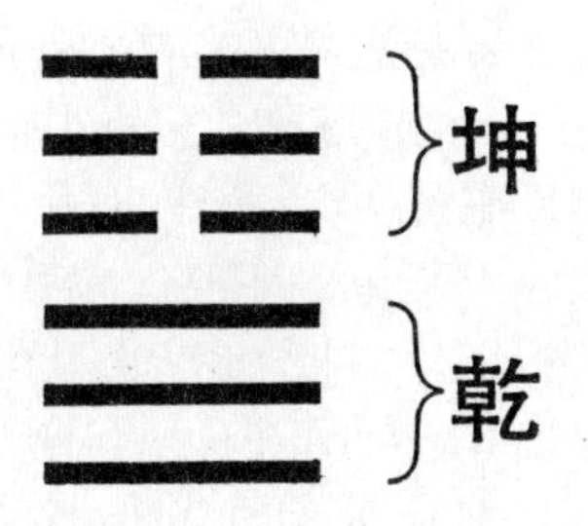

천지가 화합하여 만물을 낳게 하는 모양이며, 안정 번영을 도모하는 태평의 도를 나타나는 이상적 형태라고 해석한다.

그 이유는 다음과 같다.

천의 〈기〉는 양으로 불(火)에 비유되어 위로 올라가는 성질을 지니고 있다. 반대로 지의 〈기〉는 물(水)에 비유되어 내려가는 성질을 가지고 있다. 따라서 천이 위에 있으면, 천의 〈기〉는 더욱더 위로 상승하고, 지가 아래에 있으면 지의 〈기〉는 하강을 따르기 때문에, 천지의 두 〈기〉는 점차 떨어져 가기 마련이다. 만물은 천지의 화합에 의하여 생겨나서 자라며, 인간 관계에서도 군신(君臣), 상하(上下), 부부(夫婦) 등의 화합으로 비로소 사회가 태평 원만히 운영되고 번영이 유지되는 것이므로, 천(양)과 지(음)가 떨어져 버리려는 것은 태평스런 상(象)이 아니다.

그런데 이 괘에서는 천이 아래에, 지가 위에 있기 때문에, 천의 〈기〉가 상승하고 지의 기가 하강하는 것으로, 양과 음이 완전히 일치하여 만물을 낳게 되고, 매사를 순조롭게 운영할 대길(大吉)의 상이라고 한다.

두좌의 형은, 머리와 발의 위치가 거꾸로 되어 항상 위에 있는 머리가 아래에 오고, 아래에 있는 발이 위가 된다. 인체에서는 머리가 양이며 다리 부분이 음이기 때문에 두좌의 형은 마치 지천태와 같은 형태가 된다. 양의 기(心氣)는 불의 성질을 가지고 상승하여 머리 부분에 모이고, 음의 기(身氣)는 물의 성질이기 때문에 하강하여 발 부분에 침체한다. 그러므로 보통 위치에서는, 두열족한(頭熱足寒)이라는 경향이 되기 쉬우나, 머리와 발의 위치가 역전하는 두좌위(頭座位)에서는 상승하는 심기와 하강하는 신기가 몸 속에서 잘 합쳐져 음양이 조화되고 두한족열

(頭寒足熱)의 상태가 된다.

인체에는 약 4.5리터의 혈액이 순환하고 있다. 그 중 복부로 들어간 혈액은 배의 압력에 의하여 심장에 되돌아가지만, 혈액 전부를 심장으로 되돌려 보내려면 상당한 압력이 필요하다. 그런데 특히 중년 이상이 된 많은 사람들은 배의 압력이 약해져서 혈액 전량이 되돌아가지 못하고 약 절반 가량이 복부에 정체되기 때문에 온 몸에 피가 부족하여 빈혈 상태로 되고, 특히 두부기관에 충분한 산소가 공급되지 못한다. 따라서 말단의 혈액순환이 나빠지며 혈압이 상승하여 고혈압의 증상을 만들게 된다.

그러나 두좌의 방법으로 체위를 역전시키면, 복부에 정체되었던 혈액이 물리 법칙에 따라 하강하기 때문에 심장으로 보내는 압력이 필요 없고, 온 몸의 혈액순환이 좋아진다. 특히 산소를 다량 필요로 하는 두부 기관에 충분한 혈액이 공급되어, 온 몸의 기능이 활발해져서 소위 젊음을 유지하게 된다.

두좌의 실천법을 요점만 추려 설명하면 다음과 같다.

① 두 손을 끼고 후두부(後頭部)를 잡는 듯이 하여 머리와 양 팔꿈치가 삼각형이 되도록 한다.

② 거꾸로 설 때 발을 힘차게 걷어올리듯이 하며, 허리·다리는 서서히 들어올리는 것처럼 할 것.

③ 또 다리를 내려 본래 자세로 돌아올 때도 천천히 발을 내리고, 잠시 동안 움츠리는 자세를 취하여 피가 정상으로 되돌아왔을 때 조용히 머리를 든다.

④ 혼자 설 수 없으면 벽을 의지해서 하는데, 누군가가 다리를 잡아주도록 하여 넘어지는 것을 방지한다. 효과는 같다.

⑤ 거꾸로 서는 시간은 2～3분으로 시작하여, 익숙해지면 차

⑳
㉑
㉒
㉓

차 시간을 늘린다. 5~6분씩 1일 2~3회 하는 것이 적당하다.

⑥ 이 자세는 고혈압 예방에 좋으나, 이미 고혈압인 사람은 딴 방법으로 혈압을 내린 다음 실시한다.

◆ 항문긴축법(肛門緊縮法)

젊음을 유지하려면 우주 원기를 복기로 체내에 집어넣어, 이것을 체내에 채워 두어야 한다. 이것을 〈체내 원기(體內元氣)〉 또는 〈정(精)〉이라 한다. 체내 원기가 감소되면 신체 각 기관의 활동이 떨어지고 생명 활동이 둔해진다. 이것을 노쇠라 한다.

체내 원기는 생명 활동에 의하여 시시각각 소비 감소하므로, 항상 그것을 공급 비축하는 노력을 해야 하며 동시에 쓸데없는 낭비를 피해야 한다. 앞에서 설명한 대로 선도에서는 〈언소(言少)〉, 〈식소(食少)〉, 〈사소(思少)〉를 삼소법(三少法)이라 하여 행법의 하나로 체내 원기의 낭비를 방지하는 것이다. 식사는 영양 섭취라는 의미에서 인간의 생명 유지는 물론 절대 필요한 것이지만, 과식은 역으로 위장이나 그 밖의 기관에 과중한 부담이 되어 체내 원기를 떨어뜨리는 원인이 되기 때문에 식사량은 최소한도로 필요한 양에 국한해야 한다. 쓸데없이 과식하여 소화에 지치고 나면, 두뇌뿐 아니라 체내 각 기관의 활동을 떨어뜨리는 커다란 원인이 된다. 이 중에서도 체내 원기가 제일 달아나기 쉬운 곳이 〈입〉이다.

다변은 지껄인다고 하는 생명 활동으로 체내 원기를 소비함과 동시에, 입으로 숨을 토하는 동작과 함께 체내 원기를 토해 버리는 결과가 된다. 그러므로 쓸데없이 함부로 말할 것이 아니라 되도록 입을 다물 필요가 있다. 끊임없이 입을 벌리고 있는 사람은 반드시 건강이 좋지 못하며, 또한 머리 회전도 둔하고 신체에 활력이 차 있지 못하다. 그것은 입이라고 하는 큰 구멍으로 체내 원기가 자꾸만 달아나 버리기 때문이다.

인체에 있어서 입에 필적하는 구멍은 항문이다. 입(목구멍)이 윗문이라면, 항문은 아랫문이다. 이 상하의 큰 문이 열려져 있으면, 따로 힘든 노동을 하지 않아도 체내 원기는 그 곳에서 달아나 버리고 몸이 쇠약해지는 원인이 된다. 따라서 이 두 문은 필요한 때 이외는 꼭 닫아두어야 한다.

복기 때 혀를 말아올려 목구멍을 막고, 항문을 꼭 조이는 것은 이런 이유 때문이다. 젖먹이의 항문은 관장기로 집어넣기가 힘들 정도로 오므려져 있다. 급속한 성장을 위하여 체내 원기의 축적을 가장 필요로 하는 시기이기 때문이다.

그것이 나이와 더불어 힘이 없어지고, 50～60세가 되면 멍청히 팬티를 더럽힐 정도로 힘이 없어진다. 그리고 늙어 빠지면 항시 개방된다. 그 때는 이미 늦어버리고, 체내 원기가 날아가 버려 마침내 고갈된다. 체내 원기의 고갈을 죽음이라 한다.

그러므로 되도록이면 항문의 힘을 좋게 하는 것이 젊음을 유지하는 비결의 하나이다. 항문긴축법으로 누구나 할 수 있고 효과가 큰 몇 가지를 소개한다.

① 위를 보고 누워 두 다리를 조금 벌리고 숨을 쉬면서 항문의 괄약균(括約筋)을 이용하여 항문의 근육을 안쪽으로 수축시킨다. 이것을 몇 번이고 되풀이한다.

② 양 다리를 벌리고 일어서서 허리를 낮추며 무릎을 약간 구부린다. 두 손은 양쪽 넓적다리 위를 짚을 수 있게 놓는다.

〈그림 24〉

코로 세차게 숨을 토하면서 하복부가 등뒤에 맞닿을 정도로 움츠러들었을 때, 항문의 근육에 힘을 주어 조인다. 다음에는 코로 자연스럽게 천천히 숨을 들이마시며 항문에서 힘을 뺀다. 이 동작을 되풀이한다. (그림 24)

③ 두좌로 할 수 있는 사람은 그 자세를 취하여, 양 다리를 좌우로 벌리고 숨을 들이마시면서 양 다리를 안으로 모으는 것과 동시에 항문의 근육을 조인다. 이 조작을 반복한다.

④ 걷는 것은 항문 근육에 탄력성을 만들어주므로 보행은 항문 긴축에 효과가 있다. 걷는다 해도 건들건들 걷는 것이 아니고, 넓적다리를 들어올려 군대 행진처럼 걷거나 또는 계단을 두 계단씩 뛰어서 올라가는 식으로 걷지 않으면 효과

가 없다.

⑤ 엄지발가락과 둘째발가락을 빠르게 비비는 운동도 효과가 있다. 이 운동은 누워서나 의자에 걸터앉아서도 할 수 있으므로, 발이 쉴 때는 수백 수천번씩 하도록 힘쓴다.

3. 젊어지는 비법 —— 팔단금법(八段錦法)

〈팔단금법〉은 일명 〈발단근법(拔斷筋法)〉이라고도 하며 예부터 전해 오는 각종 도인법, 복기법 중에서 특히 젊어지는 효과가 큰 기법을 선정하여 그것을 8개의 부분으로 나눈 일련의 수행법이다. 병들거나 노쇠하여 일어설 수 없는 사람은 자리 위에서 할 수 있으며, 1개월 후부터는 효과가 나타나고, 3개월 후에는 건강하게 되고, 반년 후에는 〈늙은이〉에서 〈젊은이〉로 돌아온다. 만일 청년이 이것을 익히면, 몸이 가볍고 보행이 마치 하늘을 나는 것처럼 된다 라고 하는 효능서(效能書)가 붙어 있는 젊어지는 비법이다.

〈팔단금법〉에는 두 종류가 있는데, 그 하나는 상선(相仙)이라고 하는 진희이(陳希夷)가 펴낸 중국계의 것이고, 다른 하나는 삼봉진인(三耒眞人)이 펴낸 남방계(南方系)의 것이다. 중복되는 부분도 있으나, 일단 두 가지 모두 설명하기로 한다.

◆ 진희이의 팔단금법

제1단

남자는 〈반좌(盤座)〉, 여자는 〈단좌(端座)〉의 자세(이 자세는 제6단까지 같음)를 취하고, 두 눈을 가볍게 감고 마음을 가라앉힌다.

〈그림 25〉

〈그림 26〉

마음이 가라앉으면, 오른손의 제 1 ~4 손가락 끝을 가지런히 맞추어 볼 위에서 잇몸을 골고루 36회 두드린다. (그림 25)

이 〈고치(叩齒)〉라는 방법은 치아의 강화 목적 이외에 체내 의식을 한 곳에 집중시킨다는 의미도 있어, 여러 행법을 행하기 전에 반드시 하기로 되어 있다.

〈고치〉가 끝나면 다음에는 두 손을 끼고 뒷머리를 껴앉는 식의 자세로 뒷머리의 근육을 누르며 비빈다. (그림 26) 이것을 9회 호흡하는 동안 계속하는데, 9 라는 수 때문에 의식이 호흡에 집중되는 경우가 있으나 회수에 집착하지 말고 극히 자연스럽게 하도록 한다.

다음은 양손을 귀에 대고, 약손가락으로 귀를 뒤에서 앞으로 꺾어 귓구멍을 막도록 한 다음 가운데손가락을 귀 뒷부분에 대고 둘째손가락을 가운데손가락 위에 얹어놓는다. (그림 27) 계속하여 둘째손가락을 가운데손가락 위에서 미끄러뜨리며 귀 뒷뼈를 강하게 때린다. 이 소리는 뇌 속에 경쾌한 여운을 주면서 찡하고 울리게 되는데 이것을 〈천고(天鼓) 치기〉라고 한다. 이것은 좌우 동시에 24회 때린다.

이상은 제 1단계이며, 생리적 효과로는 우선 치아의 건강, 그리고 뒤통수를 주므르는 것으로 동맥경화에 의한 뇌일혈의 예방, 청력감퇴 예방, 송과선(松果腺) 자극에 의한 호르몬 조절 등을 들 수 있으며, 모두 불로와 회춘의 성과를 얻는 유력한 방법이다.

〈그림 27〉

제 2 단

양손을 무릎 위에 얹으며 엄지손가락은 가운데에 넣고 주먹을

〈그림 28〉

쥔다. 그리고 턱을 앞으로 내미는 듯 얼굴을 들고, 머리를 왼쪽으로 돌리고 눈으로 왼쪽 어깨를 본다. 다음에는 재빨리 머리를 우측으로 돌리며 눈으로 오른쪽 어깨를 본다. (그림 28) 이런 식으로 머리를 좌우로 연속 24회 회전시킨다. 이것은 눈의 건강과 더불어 목에 있는 갑상선(甲狀腺)을 강화시킨다. 갑상선의 강화는 젊음을 되찾는 데 유력한 방법이다.

제 3 단

혀를 입 천정에 대고 있으면 입 속에 타액이 나온다. 이것을 입 속에 모아 응얼응얼 소리내어 양치질하기를 36회 하고 나면 타액은 입 속 가득히 된다. 이것을 세 번으로 나누어 삼킨다. 그리하여 목에서 식도를 통하여 위로 들어가는 것을 보는 듯이 생각하며, 다시 그것을 하강시켜 관념으로 발에까지 유도한다. 발에 도달하면 이번에는 역으로 배, 가슴, 어깨로 상승시켜 온 몸으로 돌게 한다.

타액에는 파로틴이라는 젊어지는 호르몬이 들어 있어, 이것을 온 몸으로 돌게 하면 체내의 여러 기관이 젊어지는 효과가 있다.

파로틴과 같은 구조식을 가진 화학약품이 젊어지는 특효약으로 시판되고 있는데, 사람의 몸에는 합성제와는 비교도 안 될 효과를 가진 자연 파로틴이 제조되고 있으니, 돈 들여 약을 구할 필요가 없다.

제 4 단

항문과 목구멍을 막아 〈기〉가 빠지지 않게 해놓고, 두 손바닥을 강하게 마찰하여 열이 나게 한 다음, 뜨거워진 두 손바닥을 뒤로 돌려 등허리 밑을 36회 마찰한다. (그림 29)

〈그림 29〉

이것이 끝나면 즉시 입 속에 타액을 모아 이것을 삼켜서 하강시킨다. 혀로 입 속 위아래를 눌러 타액을 나오게 하여 몇 번이고 삼킨다. 회수는 많을수록 좋으며, 마신 타액이 배꼽 근방에서 더워져 둥근 테를 그리며 온 몸에 퍼져나가는 것을 눈으로 보듯이 강하게 상상한다.

이 단계에서는 양 손바닥으로 부신부(副腎部)를 마찰하여 부신을 강화시키며, 부신 호르몬을 온 몸에 퍼뜨리는 것으로 젊어지는 효과를 얻는 것이 목적이다.

제 5 단

양 어깨를 실감는 타래처럼 앞뒤로 둥글둥글 36회 돌린다. 왼쪽 어깨부터 시작하여 끝나면 오른쪽 어깨를 같은 요령으로 돌린다.

이것은 어깨의 응어리를 풀며 체내 깊숙한 곳으로 들어가는 여러 가지 병을 흐트러 놓는다. 속된 말로 "병고맹(病膏盲)에 들어간다"는 말이 있는데, 어깨에는 고맹혈이 있어 여기에 병이 들어가면 절대로 고치지 못한다는 뜻으로 쓰인다. 이것을 미연에 방지하는 것이 제 5 단의 목적이다.

제 6 단

앞의 제 5 단과 같은 것을 양 어깨 동시에 하는 방법이다. 머리를 위로 올리듯이 하며, 좌우 어깨를 서로 다르게 둥글둥글 돌린다. 얼굴은 어깨를 돌리는 데 따라 좌우로 흘들며, 움직이는 데 저항하여 힘을 주지 않기 위해 자연스럽게 흔들리도록 내버려 두면 된다. 역시 36회 한다.

이것은 활차로 물을 길어올리는 것처럼, 복부에 있는 체내 원기를 상승시켜 머리에 〈기〉를 돌리는 것을 목적으로 하고 있으며, 동작과 더불어 관념을 사용하여 체내 원기가 어깨 회전에 따라 상승하는 것을 강하게 의식하면서 행한다.

제 7 단

여기서 구부리고 있던 다리를 앞으로 가지런히 펴고, 두 손을 끼고 손바닥은 위로 향하여 높이 머리 위로 뻐친다. 양손을 위로 뻐칠 때 양손으로 공중에 매달리는 기분으로 허리의 윗부분을 단숨에 편다. (그림 30)

다음 아래를 향하도록 손바닥을 머리에 내리고 머리 위를 강하게 누른다. (그림 31) 그 다음 다시 손바닥을 뒤집어 위로 높이 올리고, 이것을 9회 되풀이한다.

이것은 앞의 단에서 아랫배의 〈정〉을 펴올려 다시 머리에 상승시켜 머리에 안정시키는 목적을 형태로 나타내는 것이기 때문에,

〈그림 30〉 〈그림 31〉

당연히 그런 기분을 가지고 있다.

제 8 단

양 다리를 앞으로 뻗친 채 상반신을 앞으로 기울이고, 양손은 두 발을 따라 발 끝까지 뻗친다. (그림 32) 이 동작을 12회 하고 나서, 〈반좌〉 또는 〈단좌〉의 자세로 되돌아와, 제3단과 같은 요령으로 타액을 삼켜내리고 타액에 포함되어 있는 정(젊어지는 호르몬)을 온 몸에 흘러 들게 한다. 타액은 1회에 3등분하여 세 번에 삼키고, 이것을 세 번 되풀이한다. 따라서 모두 9회 삼켜 버리는 것이다. 도중에 관념을 돕기 위하여 제 6 단의 양 어깨 동작을 하며, 타액에 들어 있는 내원기가 몸의 구석구석, 모발 끝까지 침투해 가는 상태를 마음으로 느낀다.

〈그림 32〉

◆ 삼봉진인(三耒眞人)의 팔단금법

〈8단금법〉의 제 2 법은 권법(拳法)의 오의(奧儀)를 깊이 연구한 상봉진인이 편찬한 것으로, 제 1 법과 중복되는 것도 있으나, 간단하고도 동작이 많으며 양행(陽行)이 주체로 되어 있다.

제 1 단

마음을 평정(平靜)하여 책상다리로 앉거나 또는 동쪽을 향하여 곧바로 서서 행한다. 우선 〈고치(叩齒)〉 36회부터 시작한다. 〈고치〉의 방법은 제 1 법과 같다. 〈고치〉가 끝나면 혀를 입 천정으로 올리고, 타액이 입속 가득히 찰 때까지 기다려 이것을 삼킨다. 타액은 많이 내려보낼수록 효과가 더 있다.

제 2 단

두 손바닥을 비벼 열이 나게 한 다음, 그 손바닥으로 얼굴을 가리고 턱에서부터 머리털이 자란 곳까지 마찰한다. 얼굴이 더워질 때까지 비빈다.

다음 양손으로 좌우의 귀를 감싸고 손끝으로 천고(天鼓)를 친다. 〈천고〉 치기는 제 1 법 제 1 단 후반과 같은 요령으로 행한다. 이것을 24회 하는데, 귀 뒷뼈를 울리는 소리가 클수록 좋다.

제 3 단

양 어깨를 둥글둥글 7회 돌린다. 이것도 제1법의 제 6 단과 같은 요령이다. 다음 손가락을 마주 끼고, 손바닥을 위로 하여 높이 올리며, 양 무릎을 충분히 뻐친다. 그와 동시에 코로 외기를 호흡하여 그것을 뇌에 집어넣는다. 이 때 동작의 도움을 얻어 관념으로 유도시킨다.

이어서 입으로 숨을 토하면서, 양손의 힘을 빼고 다리 옆으로 내려놓는다. 이 동작을 5회 되풀이 한다.

제 4 단

왼발을 일보 옆으로 내딛고 무릎을 구부리며 엉덩이를 낮추어 중심을 아래에 두어 마치 말탄 자세를 취한다.

〈그림 33〉

다음에는 왼손을 곧바로 옆으로 내밀고, 엄지손가락을 가운데에 두고 주먹을 쥐며, 둘째손가락을 세운다. 오른손은 활을 잡아당기는 형태로 하며, 두 눈은 왼손의 세운 손 끝을 주시한다. (그림 33) 이상을 좌우 교대로 3회 행한다.

이 〈기마형(騎馬型)〉은 권법의 형으로서 중심을 낮추며 〈기〉를 하부에 집중시키는 좋은 방법이며, 또 활을 당기는 자세는 흉부를 확장시켜 이 부분의 〈기〉 순환을 원활히 하여 기분을 상쾌하게 해 준다.

제 5 단

왼손으로 국부(고환)를 싸잡듯이 쥐고 오른손으로는 하복부를 마찰한다.

고환이 차져서 아래로 처지면 건강이 쇠퇴해지기 때문에 손으로 국부를 싸잡는 것이다.

하복부를 마찰하는 것은 위의 소화작용을 도와 연동운동(蠕動運動)을 촉진하기 위함이다. 따라서 마찰은 장의 움직임과 같은 방향인 우로부터 좌로 둥글게 마찰한다. 오른손으로 36회 마찰하고 나면, 손은 바꾸어 왼손으로 역시 36회 행한다.

제 6 단

양 손바닥을 잘 비벼 열을 내고, 그 두 손바닥을 등으로 돌려 신장부를 마찰한다. 36회 행한다.

이것은 제 1 법의 제 4 단 전반과 같은 방법이며, 부신을 강화시키고 부신 호르몬의 분비를 왕성하게 한다.

제 7 단

두 손끝으로 척추 최하단의 미골(尾骨)을 열이 날 때까지 마찰한다. (그림 34)

미골은 미려(尾閭)라고 하며, 〈기〉가 유통하는 중요한 관문으로 되어 있다. 〈기(精)〉가 통하는 두 개의 커다란 수관(髓管)을 독맥(督脈) 또는 임맥(任脈)이라 하며, 독맥은 위턱에서 코, 머리를 경유 척추를 따라 내려가서 미골에 도달하며, 임맥은 아래턱에서 기관(氣管)을 따라 방광 아래까지 도달하는 것인데, 이 〈미려〉라고 하는 곳이 관문으로 되어 있어, 이 곳이 개통되지 않으면 〈기〉의 온 몸 유통이 월활을 기할 수 없다.

선도의 행은 〈기〉의 순환을 목적으로 하고 있으므로 미려의 개

〈그림 34〉

통에 가장 관심을 기울이지만, 이 미골 마찰은 그 준비 행동으로 중요한 뜻을 가지고 있다.

더우기 미골의 자극, 단련은 두뇌력 및 초능력 개발에도 중요한 관계를 가지고 있으며, 이것은 나중에 다시 설명하겠다.

제 8 단

이 수행법은 서서 행한다.

우선 왼발을 올리고 왼손으로 발목을 잡으며 발바닥을 위로 향하게 한 다음, 오른손바닥으로 왼발 발바닥을 마찰한다.(그림 35) 이것을 36회 행하고 나면 발을 바꾸어 왼손으로 오른발을 같은 방식으로 36회 마찰한다.

〈그림 35〉

〈그림 36〉

다음에는 왼발로 서서 오른발 발바닥으로 왼쪽 넓적다리를 씻는 것처럼 비빈다. (그림 36) 7회 비비고 나면, 발을 바꾸어 오르쪽 다리를 7회 비빈다.

발바닥은 족심(足心)이 있는 용천(湧泉)이라 하여 인체의 요소(要素)로 되어 있으며, 건강과 중요한 관계를 가지고 있다. 노화는 발에서부터라고 하는 말도 있는데, 이 부분의 기혈(氣血) 유통이 순조롭지 못하면 건강이 쇠퇴해져 온 몸의 노화를 초래한다. 그러므로 족심은 항상 지압이나 마찰로써 기혈의 유통이 잘 되게 할 필요가 있다. 이 방법은 발의 냉증을 고쳐주며 피로회복을 가속시켜 준다.

〈팔단금법으로 백발이 검어진다〉 ——M씨의 보고

내가 M씨를 만났을 때, 그는 머리칼이 완전히 백발이었으며, 〈도인법〉을 그다지 탐탁하게 생각지 않는 것 같았다.

그러나 그 후 매일 〈선도〉를 정성껏 했으며, 특히 〈팔단금법〉에 각별한 열의를 다한 것 같았다. 그러는 동안 만날 때마다 몸의 유연성이 회복되어 심장도 매우 경쾌해졌다고 했다. 그런데 대서특필할 것은 머리칼 전체의 90퍼센트가 검어졌다는 사실이다. 처음에는 염색한 것으로 생각하고 있던 우리는 그의 열띤 설명에 〈선도〉의 위대함을 다시금 느끼고 감탄하지 않을 수 없었다.

4. 타액(唾液)의 효용

타액은 정액이나 호르몬과 같이 정(精)이 액화한 것이다. 그래서 〈선도〉에서는 타액을 옥액(玉液), 영액(靈液), 신수(神水), 옥장(玉漿), 진액(津液) 등으로 부르며 귀중하게 여기고 있다.

옥액을 입에 가득히 하여 세 번 삼키면 장수를 누릴 수 있다든가, 영액으로 입안을 가시고 마시면 5장(臟)을 풍족하게 해 주며 뇌를 보호해 준다는 등 타액을 해명한 문구는 문헌의 여러 곳에서 찾아볼 수 있다.

선인이 신체를 돋우는 데 딱딱한 것을 먹지 않고 〈기〉를 마시는 것도 역시 〈복기〉로 호흡기에 넣은 〈기〉를 목에서 타액과 함께 소화기관에 보내는 기술에 의해서 실천되는 것인데, 이것은 외기를 타액과 더불어 마시는 방법이다. 이것을 실천할 수 있으면 정체(精體)를 조성할 수가 있으며, 불로장생이 달성된다고 한다.

이처럼 타액을 마시는 방법을 〈연진법(嚥津法)〉이라 하며, 늙지 않고 젊어지는 비결로서 이미 소개한 〈8단금법〉을 위시하여 각종 불로법에는 반드시 이 〈연진법〉이 들어 있다. 타액은 남에게서 공급받는 것이 아니고 체내에서 생산되는 것이며, 뱉아 버리지 않는 한 체내에 보존되어 있으므로 일부러 입 속에 모아서 마실 필요는 없다고 생각하는 사람이 있을지 모른다. 하지만 어째서 타액을 마시는 것이 불로법으로서 유효한가 하는 점에 대해 간단히 설명하겠다.

타액에서 파로틴이란 젊어지는 약을 추출해낸 과학자는, 인간이 노화하는 것은 타액선 호르몬(파로틴)의 결핍이 원인이며, 훌륭한 학술 연구를 기다릴 필요도 없이 유아와 노인을 비교 관찰해 보면 곧 알게 되는 것처럼, 나이와 더불어 타액의 분비량도 감소되어 간다는 것이다. 또 정신적 충격을 받을 경우 입 속이 칼칼하게 마르는 것은 누구나 경험한 바 있을 것이다.

이와 같은 사실은 타액의 분비가 정신적으로나 육체적으로 젊음과 직접적인 관계가 있음을 말해 주고 있다. 또 타액은 노력으로 분비를 촉진시키지 않으면 나이와 더불어 생산량의 감소를 나타낸다. 타액의 분비는 인후부(咽喉部)에 분포하는 이하선(耳下腺), 설하선(舌下腺), 악하선(顎下腺) 등을 활동시키는 것에 의하여 분비가 촉진된다. 그러므로 이 부분을 항상 자극해서 입 속에 다량의 타액이 솟아나오게 하여 이것을 마시는 것이 젊음을 유지하기 위한 필요한 일이 된다. 이것은 많을수록 좋으며, 1일 1.8리터를 마시면 날마다 젊어간다고까지 말한다.

타액은 또한 외용(外用)으로도 사용된다.

매일 아침 소금으로 이를 닦고, 타액과 소금의 혼합물을 세면기에 받아 이것으로 눈, 코, 귀를 씻는 방법은 앞에서 설명했지만, 그 밖에 타액을 손가락에 묻혀 눈을 비비면 눈을 강하게 한다. 이것은 고양이가 하고 있는 세면법이다. 또 타액을 얼굴에 바르면, 잔주름이나 얼룩을 제거시켜 안면의 윤택을 좋게 한다. 남자는 면도 후, 여자는 화장 전에 쓰면, 합성 화장품이나 크림과는 비교도 안 될 만큼 효과가 있다.

5. 완곤도인법(緩困導引法)

생명 활동은 리듬이 신경의 움직임, 호흡, 맥박, 내장의 운동 등 모든 기구가 조화를 이루며 안정된 완급과 강약의 리듬을 유지하면서 움직이고 있으면, 신체도 마음도 안정되고 언제까지나 젊은 생명 활동을 계속할 수 있다.

그런데 현대 생활에서는 육체적으로나 정신적으로 긴장의 연속을 강요당하고 있다. 이것은 마치 24시간 총탄이 난무하는 전쟁터 속에서 살고 있는 것과 다름없다.

그런 환경 속에서 오래 살다 보면, 긴장에 젖어버려 심신의 부담을 의식하지 못한다 할지라도, 시골에서 대도시에 처음 온 사람이 긴장의 연속으로 하루만에 완전히 지쳐 버리는 것처럼, 비록 의식하지 못하고 생활하고 있어도 육체나 정신의 피로는 생명 활동의 균형을 무너뜨리고 있는 것이다.

노이로제, 자율신경실조증을 비롯하여 궤양, 심장질환, 천식, 고혈압 등의 병은 생체의 리듬이 무너진 결과 일어나는 병이다.

긴장 뒤에는 이완이 되어야 한다. 긴장과 이완이 알맞게 교대되어야 긴장이 피로의 누적으로 되지 않으며, 항상 생명 활동이 활기를 띠고 영속된다. 〈완곤도인법〉은 긴장과 이완을 리드미컬

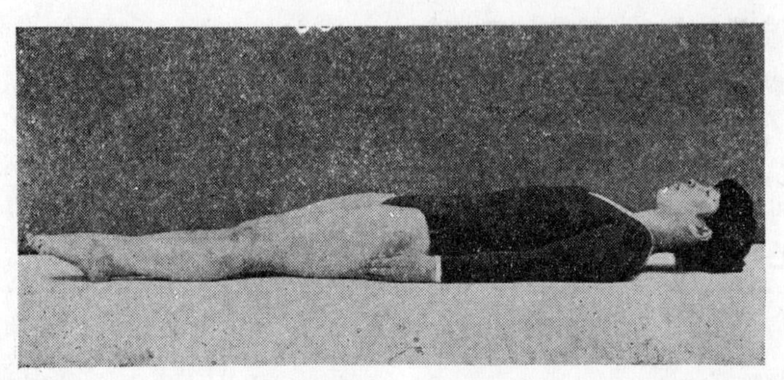

〈그림 37〉

하게 반복하는 것으로, 리듬이 무너진 생체의 밸런스를 바로잡는 것을 목적으로 하는 수행법이다. 그 기법은 다음과 같다.

① 느긋하게 편히 드러누워, 먼저 하복부를 수축하면서 입으로 숨을 충분히 내쉰다. (그림 37)

② 코로 조용히 숨쉬며, 하복부를 부르게 하고, 하폐(下肺), 중폐, 상폐의 순으로 천천히 숨을 들여보내며, 그 속도에 맞추어 천천히 양손을 머리 위로 편다. (그림 38)

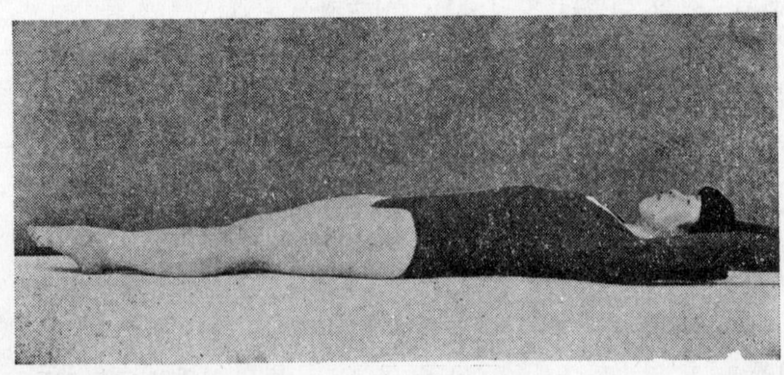

〈그림 38〉

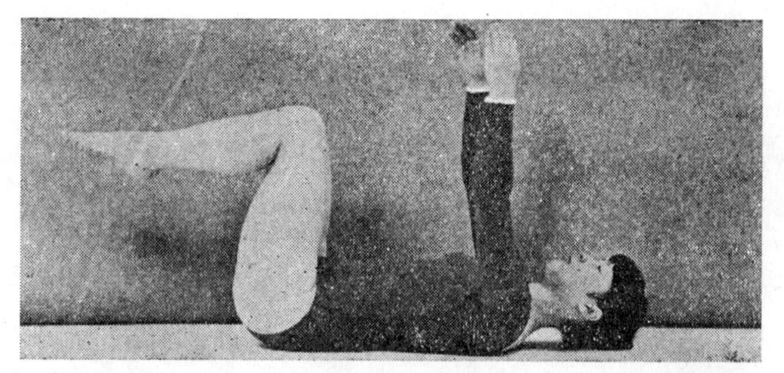

〈그림 39〉

〈그림 40〉

〈그림 41〉

③ 세차게 입으로 토하면서 두 무릎을 구부리고, 두 손을 가슴에 갖다 댄다. 이 동작을 신속하게 진행시킨다.(그림 39~41).
④ 다시 코로 숨을 천천히 들이마시며, ①처럼 다리를 편다. 이 동작은 천천히 행한다.
⑤ 입으로 숨을 약간 세게 토하면서 양손을 양 겨드랑이에 놓는다.
⑥ 〈자연호흡〉을 조용히 하면서 온 몸에서 힘을 빼고 이완시킨다.
⑦ ②~⑤까지를 1회로 하여 3~5회 되풀이한다. 그러나 주의할 것은 완급의 리듬과 긴장 이완의 배합을 알맞게 안배하여 리드미컬하게 해야 하며, ⑥에서 완전 이완에 들어가도록 한다.

이상과 같이 〈완곤도인법〉은 누워서 하는 것이 원칙이지만, 약식으로 서서 할 때는 다음과 같이 한다.

① 양 다리를 알맞게 벌리고 먼저 입으로 숨을 내쉬며 아랫배를 움츠린다.
② 코로 조용히 숨을 쉬며 아랫배를 늦추고, 하폐, 중폐, 상폐의 순으로 천천히 숨을 들여보내며, 두 손을 앞에서 머리 위로 높게 올린다. 이 동작은 되도록 천천히 행한다.
③ 입으로 세게 숨을 내뱉으며, 상반신을 앞으로 구부리고, 두 손끝이 지면에 닿을 정도로 행한다. 이 동작은 신속하게 한다. (그림 42)
④ 상체를 천천히 제자리에 가져오면서 코로 조용히 숨쉬며, 동시에 양손을 머리 위로 올리면서 다 펴졌을 때 단숨에 빼

〈그림 42〉

친다. ②처럼 천천히 행한다.

⑤ 입으로 숨을 토하면서, 상체는 그대로 두고 팔만 내린다.

⑥ 〈자연호흡〉을 하면서 전신을 이완시킨다.

제 5 장 방중술(房中術)

1. 생명의 기쁨

인간의 욕망은 한계가 없으나, 수많은 욕망 중에서 가장 강한 욕망이라면 〈식(食)〉과 〈성(性)〉의 욕망일 것이다. 식은 개체 유지를 위하여 절대 필요한 욕망이며, 성은 종족 보존을 위해 빼놓을 수 없는 욕망이다.

그러나 인간이 식량을 마련하는 것은, 그저 단순히 개체 유지를 위하여, 즉 살아가기 위한 것일까. 생명 유지가 목적이라면, 산에나 들에는 신체를 키워가는 데 부족함이 없는 식량이 얼마든지 있다. 그런데 인간은 나쁜 것은 바라지 않고 맛 있는 식량을 구하려고 하며, 이것은 인간이 단지 개체 유지가 목적이 아니고 먹는다는 것에서 즐거움을 맛보고 싶기 때문이다. 욕망이라는 것은 모두가 즐거움을 얻으려는 심리이다. 그러므로 욕망의 만족은 즐거움이 되는 것이다.

인간 사회의 추악한 싸움은 대부분 식량이 원인으로 되어 있지만, 보다 근본적으로 말하면 즐거움을 얻으려는 욕망에서 발단한다고 말할 수 있다. 먹는 것이 달성되면 성의 욕망을 추구한다. 성의 욕망도 먹는 욕망처럼 종족 보존을 위한다기보다 쾌락을 얻으려는 욕망이다. 특히 성욕의 만족은 먹는 것이나 그 밖의 욕망과 비교도 안 될 정도의 쾌미감이 따른다.

꿀벌의 수컷은 단 한번의 성교로 일생을 마친다. 또 사마귀의 암컷은 성교 후 수컷을 잡아먹는다고 한다. 인간이 이것을 보고 웃을 수만은 없다. 한 여자를 놓고 상대를 살상하거나 배 위에서 왕생(往生)을 얻는(腹上死) 예가 세상에는 흔히 있는 일이다. 그렇다고 해서 금욕을 장려하는 데 찬성할 수는 없다.

천지음양(天地陰陽)의 두 〈기〉가 교차하는 것으로, 4계와 주야의 변화가 있으며, 만물이 생성 발전하는 것이다. 그것이 〈도(宇宙原理)〉이다. 인간도 〈도〉에 따름으로써 생을 영위하며, 자손의 번영, 인류 사회의 발전을 이룩하는 것이다. 만일 자연의 이 원리에 반하여 음양(男女)의 교합을 중지한다면, 〈기〉의 순환은 두절되고, 생명 에너지가 고갈되어 오래 생을 즐길 수가 없다. 성욕의 만족은 완전한 생명의 발현이며, 거기에는 참된 생명의 즐거움이 있는 것이다. 그것은 생명을 발전시키며 인간을 완성시키는 것이다.

2. 남녀 교합의 변천

산다는 것과 즐긴다는 것은 서로 모순되고 방해하려고 하는 상태로써 산다는 것이 참된 즐거움이 되는 것은 아니다.

원래 살고 즐긴다는 것은 별개의 세계에 속하는 것이 아니며, 산다는 자체가 즐거운 삶일 때 비로소 오래 살며 생을 오래도록 즐기는 것이다. 우주의 삼라만상은 모두가 〈도〉의 표현이다. 생명이 있는 것은 물론, 비록 무생물이라고 하는 물질이나 현상에서도 〈도〉의 원리에 따라 시시각각으로 변화 유전(流轉)하며, 그 변화 속에서 향상 발전해 가는 것이다. 이런 의미에서 말하면, 〈도〉 그 자체가 하나의 생명이라고 말할 수 있다. 개개의 생명을 총괄한 대생명이라고 할 수 있다.

이 우주 대생명에서 파생된 것이 우리의 생명이다. 보다 더 적절하게 표현하면, 우리의 생명 중에는 우주 대생명이 머물러 있는 것이다.

〈도〉에는 인격적인 의미가 없으나, 생명의 본질로서 그것이 완전하게 발현되기를 원하고 있다. 만물을 탄생시키고 기르며 발전 향상시키는 것은 우주 대생명의 활동이다. 때문에 생명이 완전 발현되는 곳에 기쁨이 있는 것이다. 생명의 발현체인 우리의 육체가 부상을 입으면, 즉시 자연치유력이 발동되어 완전한 본래의 모습으로 수복하려고 한다. 우리는 건강할 때 기쁨을 느끼고, 결함이 생길 때 고통을 느낀다. 그것은 생명 자신의 기쁨이며 고통이기 때문이다.

즐겁게 산다는 것은 생명이 완전히 발현된다는 것이다. 즐거움은 욕망을 만족시키는 것이라고 앞에서 말했지만, 욕망도 생명 활동의 하나이며, 욕망의 실현은 생명의 발현에 지나지 않는 것이다.

중국에는 고대로부터 음양 사상이 있었다. 물질적인 사고 경향을 가진 고대의 한민족(漢民族)은 음양의 철리(哲理)를 인간 생활에 도입시켰다. 유교에서는 그것을 기초로 하여 역(易)을 만들고, 길흉화복(吉凶禍福)을 내다보는 데 이용했다. 그리하여 〈선도〉에서는 그것을 남녀 교합에 맞추었다. 천지음양의 교합 조화에 의하여 만물이 생성 발전하는 것은, 마치 남녀가 성교를 통하여 애를 낳고 손자가 번영하는 것과 같은 원리이며, 그리하여 남녀 두 개의 생명이 접촉할 때 기쁨과 희열의 쾌미감이 따르는 것도, 그것이 우주 대생명의 기쁨이기 때문이라는 것을 깨달은 것이다.

그러나 시대가 지나감에 따라, 사람들은 남녀 교합이 생명의 희열이 아닌 감각의 쾌락으로 추구하게 되어, 성교가 유희처럼 되고, 음란시하게 되었으며, 나중에는 생명의 기쁨이어야 할 남녀 교합이 도리어 고통을 수반하게 되고, 개인의 삶을 손상시킬 뿐만 아니라 사회에 해독을 끼치는 경우마저 생기게 된 것이다.

3. 방중술의 기초

남녀 교합은 인생 최대의 쾌락이다. 그러나 인간의 성교가 고통이나 폐해를 수반해서는 결코 참된 쾌락이라고 할 수 없다. 만일 남녀 교합이 천지음양 교합의 인간적인 모습이라 한다면, 그것은 당연히 생명의 환희이며, 생명의 환희에 고통이 따르게 할 수는 없는 것이다.

그것이 병이나 싸움의 원인으로 된다고 하는 것은, 성교의 방법이 잘못 되어 있다고 할 수 있다. 우선 병이나 단명(短命)의 원인으로 생각되는 것은, 지나친 교합 때문이라는 것이다. 그러나 왜 지나친 교합이 병이나 생명을 단축시키는 원인이 되는 것일까. 그것을 추구해 보면, 생을 손상시키는 것은 과도한 성교행위 그 자체가 아니라 성교시 〈정(精)〉을 지나치게 많이 소모한다는 결론에 도달한다.

그럴진대 성교시 축적된 생명 에너지(精)를 소모하지 않는 방법을 강구하면, 성행위는 신체의 해가 되지 않는 것이 된다. 게

다가 올바른 남녀 교합이 생명의 환희라면, 올바른 성교는 오히려 장생을 조장하는 수단이 될 것이다. 왜냐 하면 사는 것이 즐거움인 생활 방식은 반드시 생명의 완전 발현이며, 생명은 불멸이기 때문이다.

또 왜 남녀 교합은 싸움의 원인이 되는 것일까.

그것은 하나의 여자를 다수의 남자가 독차지하려 하든가, 한 남자를 여러 여자가 빼앗으려는 데서 일어난다. 그러나 이것도 근원적으로 추구해 보면, 용모의 아름다움이나 육체적 힘이 강한 것을 대상으로 하는 것이 아니라, 성교에서의 쾌미감이 목적이며, 결국은 생식기관이 뛰어난 사람을 빼앗으려는 것이 그 원인이다.

그렇다면 서로 자기의 도구를 단련시켜, 일정한 사람과의 교합이 다른 누구보다도 자기에게 쾌락감을 주도록 조화를 얻을 수 있다면, 여기 저기 눈을 돌릴 필요 없이 싸움은 일어나지 않을 것이다. 그 외에도 여러 가지 경우가 있으나 요는,

"하늘과 땅이 엄연히 존재하며, 무한한 생성(生成)을 반복하며, 영원히 종말을 고하지 않는 것은 올바른 교합에 순응해 가고 있기 때문이다. 인간이 남녀 교합에 의하여 정력을 소모시키고 죽음을 재촉하는 것은 올바른 성교법을 모르기 때문이다. 정확한 음양화합의 〈도〉를 터득하고 남녀가 교합하면, 언제까지나 젊음을 잃지 않고, 영원히 삶을 얻는 것이 결코 불가능한 일은 아니다."

고 하는 견지에서, 여러 가지 경우에 대응하여, 참된 생명의 기쁨, 생의 즐거움을 얻기 위한 수단으로서의 성교법을 탐구한 것이 방중술이라 불리어지는 기법이다.

그런데 사물에는 자칫하면 지나치기 쉽고, 특히 남존여비의 풍습이 많았던 중국에서는, 남자의 즐거움이나 장생의 특수한 기법으로 방중술을 이용하려는 경향이 생겼다. 때문에 방중술을 그릇된 남자의 이기적인 정력증강법 또는 쾌락을 대상으로 한 규방의 유희로 삼는 그릇된 그룹이 생겨, 식자들의 빈축을 사는 결과가 되었다.

그러나 참된 방중술의 목적은 앞에서의 말대로, 천지음양의 조화와 교합을 상징하며, 생명의 기쁨, 사는 즐거움을 얻기 위한 정직한 연구의 결과이다. 우리는 고대로부터 전해져 오는 중국 방중술의 여러 가지 기법 중에서 참된 방중술을 골라내야 할 것이다.

◆ 성기의 정화(淨化)

참된 방중술의 목적은, 음양의 조화에 의하여 생명의 즐거움을 얻어 사는 즐거움을 만끽함과 동시에 건전한 자손을 얻어 인류의 번영, 사회의 평화를 이룩하려는 데 있다. 그것은 개인의 으뜸 가는 기쁨인 동시에, 종족 번영의 성업(聖業)이라고 말할 수 있다.

인간인 이상, 성인 군자나 국왕 재상이나 모두 여자의 성기에서 태어난 것은 말할 필요가 없다. 순진하고 고결한 것이 깨끗하지 못하고 더러운 데서 태어날 리가 없는 것이다. 수도꼭지가 더러워져 있으면 깨끗한 물을 얻을 수가 없다.

집단 사회를 구성하는 것은 하나하나의 인간이다. 그 사회의 구성 요소가 청순하고 건전한가 아닌가는 사회의 건전 불건전을 결정하는 요인이다. 한 가정, 한 국가, 사회 인류의 건전한 발전과 평화 유지는, 근본적으로는 그 구성 요소인 하나하나의 인간을 출산시키는 여성 성기의 깨끗함과 불결에 달려 있다고 해도 과언이 아니다.

실로 여성의 성기야말로 귀중한 보물을 출생시키는 반면, 죄악이나 더러운 것을 낳을 수 있는 가능성을 가지고 있다.

방중술이 개인의 기쁨과 더불어 인류 사회의 발전을 가져오는 성업이라는 견지에서 본다면, 당연히 방중술의 첫걸음은 여성 성기의 정화에서 시작해야 할 것이다. 물론 꽃밭을 어지럽히는 데에도 책임의 일단은 있다. 그러나 한 사람 한 사람의 여성이 자기 책임을 자각하고, 굳세게 화단을 지키는 마음 가짐을 견지한다면, 그만큼 현대 사회의 부패오염은 대부분이 줄어들 것이다. 성기의 정화는 당연히 성기의 강화에 직결된다. 맑고 깨끗한 것은 강한 것이다.

성기의 정화에는 매일 아침 국부를 씻는 〈관수법(灌水法)〉이라는 방법이 있다. 사람은 매일 아침 얼굴을 씻는 것을 중하게 여기면서, 더러워지기 쉬운 부분을 씻는 것에는 태만한 것은 어떤 이유일까.

목욕탕이 있는 가정이라면, 고무 호스 등을 이용해서 손쉽게 씻을 수가 있다. 만일 설비가 없으면, 수건을 물에 적시어 가볍게 짜서 국부를 닦는 것만으로도, 그날 하루를 경쾌한 기분으로 지낼 수 있으며, 또 밤일을 즐겁게 할 수 있을 것이다.

이것은 남녀 공통된 일이다. 특히 남성은 성기 강화를 위해, 그리고 여성은 사회의 정화, 인류의 발전을 위해 필히 권장하고 싶은 것이다.

◆ 성기의 강화

남녀 교합의 묘리는, 음양이 잘 조화되어 비로소 하늘에서 들려오는 묘음을 연주할 수 있는데, 명곡을 연주하려면 어쨌든 좋은 악기가 필요한 것과 마찬가지로, 최고의 쾌미감을 얻으려면 남녀 모두 좋은 악기를 가져야 한다. 그러나 이 명기(名器)라는 것은 대소·장단·광협 등의 외부적인 모양이 아니다. 성기는 방에 놓아두는 장식품이 아니므로 그 형체나 색깔은 중요시할 필요가 없다. 자칫 인간은 외형에 신경을 써서, 크고 긴 것을 자랑하며, 짧고 작은 것을 부끄러워하는 경향이 있다. "산은 높이로써 우러러보는 것이 아니다"는 말과 같이, 거대한 물건이 반드시 명기라고는 할 수 없다.

명기가 명기다운 가치는 한결같이 그 성능에 있다. 선도(仙道)를 열심이 하는 실천자 중에는, 50세를 넘은 후에도 남근이 3센티 이상 길어지고, 그리고 굵고 왕성하게 되었다고 하는 사람이 있는데, 그것은 생명의 발현을 저해하고 있던 것을 제외시킨 결과이다. 선도 수련의 목적은 거대화시키는 것이 아니다. 어디까지나 성능의 강화이다.

성기의 강화법에는 다음과 같은 방법이 있다.

① 남자의 경우, 남근을 양손으로 꼭 쥐고 숨을 토하면서 강하게 앞으로 잡아당긴다. 다음에는 숨을 내쉬면서 손의 힘을 푼다. 이것을 여러번 또는 수십번 되풀이한다.

② 고환을 한 손으로 싸잡는 것처럼 쥐고 손에 힘을 주어 꽉 잡았다가 다시 풀어주는 것을 되풀이 한다.

③ 남근 주위의 뼈를 지압한다.

④ 여자의 경우, 질 주위의 뼈를 지압한다.

⑤ 남녀 모두 양 손바닥을 비벼서 손에 열을 일으켜 그것을 성기 위에 갖다 댄다.

⑥ 남녀 모두 양쪽 발바닥을 앞으로 합쳐서 앉는다. 되도록이면 가랑이를 벌려 양 무릎을 바닥에 대도록 노력한다. 이 좌세로 다리 안쪽을 주먹으로 두드린다.

〈성기가 커진다〉

——Q씨의 체험

나는 나면서부터 병약했기 때문에 농가에 태어났으나 농사를 짓지 못하고 사범학교를 나와 교원이 되었다. 그런데 중요한 곳이 불완전하게 작고 짧아서 조루라고 하는 정말 한심스런 꼴이었다. 그 때문에 아내의 불만을 사고 배반당하여 우울한 나날을 보내게 되었다. 약물, 지압, 침술 등 여러 가지 노력에도 불구하고 아무런 효력도 없었다. 절망 끝에 내장의 여기 저기에 고장마저 생겨 학교도 사표를 내지 않으면 안 되게 되었다.

그 때 어떤 기회에 선도를 알게 되어 열심이 해본 결과 건강도 뚜렷하게 회복되고, 그에 따라 그것이 예전에는 최대 3치였던 것이 5치 이상으로 되었고, 매일 새벽 딱딱해질 때면 부피가 전보다 몇 배나 커졌다. 또 지금까지 1분도 못 되어 항복하던 조루가 이제는 마음대로 시간을 끌 수 있게 되어 우울증이 모두 사라지게 되었다.

◆ 성교에 의한 강화법

인간의 근육은, 방법이 틀리지 않는 한 쓰면 쓸수록 강해진다. 반대로 오랫동안 쓰지 않고 내버려 두면 퇴화하여 쓸모없이 된다. 성기도 예외가 아니며, 성교에 의해서 강해진다. 그러므로 성교의 최수가 많을수록 그것은 강해진다. 그러나 그것은 올바른 방중술을 터득한 뒤의 일이며, 욕정에 빠져서 〈정(精)〉을 낭비하는 일이 있으면, 성기를 강화한다는 것이 전신의 쇠약을 초래하여 병을 얻거나 일찍 죽는 원인이 되며, 아무것도 안 되는 결과가 된다. 성교에 의한 성기의 강화는 어디까지나 올바른 성교법에 따라 해야 된다.

◆ 성력의 강화

아무리 훌륭한 성기를 소유하고 있어도 긴요한 성욕이 약해서야 아무런 가치도 없다. 품질 좋은 타이어도 공기가 차 있지 않으면 쓸모없은 것과 같다. 성기의 강화는 성욕의 강화로써 비로소 뜻을 가지게 된다.

성력의 강화는 〈정〉을 충실하게 하는 것으로 달성된다. 〈정〉의 충실은 온 몸의 생명 활동을 왕성하게 한다. 온 몸의 강장(强壯)이 즉 성력의 강장이다. 아무것도 모르는 어린이의 성기가 힘차게 발기하는 것은 〈정〉이 충실해 있는 증거이다. 〈정〉의 충실을 무시하고 국부만의 강화만 꾀하려고 약물이나 말초적 기술에 의존한다면 비록 일시적인 효과가 있다 해도 〈정〉을 고갈시키고 온몸의 기능을 감퇴시키는 원인이 되어, 그 결과 성력은 점점 더 쇠퇴되는 역효과를 가져오게 된다.

성력을 증강시키기 위해서는, 우선 〈정〉의 충실을 꾀하는 것이 선결 문제이다. 그리고 나서 성력의 강화에 유효한 수단을 강구하는 것이 필요하다. 성력 강화의 유효한 수단으로써 다음과 같은 방법이 있다.

최쇄연기법(峻晒鍊氣法)

햇볕이 좋은 곳에서 사람의 눈이 띄지 않는 장소를 택해 하반신을 벗고 두좌(頭座)한다.

이 때의 두좌는 다리를 위로 뻐치지 않고, 넓적다리를 구부려 아랫배에 대고, 다리는 무릎에서 구부린다. 요는 국부를 햇볕에 쏘이려 하는 것이다. 이 자세로써 숨을 항문으로 들이마시는 기분으로, 외기를 전립선(前立腺), 고환, 남근, 여자는 산도(產道), 난소에 순환시킨다. 그리하여 우주 원기에 의하여 이들 생식기관이 왕성하게 강화되어 가는 것을 강하게 상상한다.

최궁복기법(鮻宮服氣法)

복기법에 의하여 코를 통해서 외기를 관념에 따라 생식기관에 도입시켜 그 곳을 강하게 공략한다.

이 방법을 좀더 자세히 설명하면, 〈반좌(盤座)〉의 자세로 앉아 우선 코로 외기를 조용히 빨아들여 충분히 마신 다음, 그것을 멈추고, 들이마신 원기를 관념의 힘으로 척추를 통하여 미골(尾骨)에 도달시킨다. 그것을 앞쪽의 생식기관에 도입시켜, 그 곳을 강화시키는 것으로 강하게 상상하면서, 일단 상부 또는 미골로 옮겨 숨을 입으로 조용히 오래 토해내면서, 또다시 생식기관에 불어넣는 식으로 행한다.

도인(導引)에 의한 강화법

성력의 감퇴는 〈기〉가 성기에 충분히 순환되지 않기 때문에 일어난다.

보통 노화 현상은 다리, 허리, 하복부의 경직에서 일어나는 것처럼 성력의 쇠퇴도 이 부분의 유연성이 상실됨과 동시에 발생한다. 따라서 도인법으로 학복부 이하를 특히 주의해서 유연하게 유지하며, 기혈(氣血)의 원활한 순화를 꾀하도록 해야 한다.

발가락을 비비는 것으로 말단의 모세관 역할이 쇠하여지지 않게 한다. 특히 새끼손가락은 성기와 직접적인 관계가 있기 때문에, 〈회전운동(轉指法)〉으로 강화시킨다. 또 허리는 〈조진수법(早震修法)〉이나 각종 〈재법(齋法)〉으로 유연하게 하며, 하복부는 〈안복법(按腹法)〉으로 탄력성을 기르고 혈액의 막힘을 방지함과 동시에, 배의 압력을 강화시켜 심장으로의 혈액 반송을 원활히 한다.

◆ 성적 불능(性的不能)을 고침

성력은 〈정〉의 충실을 전제로 하는데, 〈정〉을 어느 정도 채우고 충분히 능력을 유지하고도 막상 쓰게 될 때 성기가 위축되거나 쾌락을 충분히 얻지 못하는 경우가 있다.

원래 남녀의 교합은 자연의 섭리이며, 생명력이 고갈되지 않는 한 누구에게나 갖추어진 생명 활동이다. 성적 불능이란, 원래 능력을 가지고 있으면서도 그것의 발동을 방해하는 것에 의하여 일어나는 현상이다. 능력이 있으면서 능력의 발휘를 방해받는다는 것은 의식 작용이다. 의식이 생명의 완전 발현을 방해하는 것은 인간의 모든 활동 분야에서 일어나는 것으로, 이것은 나중에 설명하겠지만, 성행위의 경우에도 이것이 큰 장애가 된다.

예를 들면 야구의 투수가 큰 기록을 세우려 하든가, 타자를 삼진으로 잡아버리려고 의식하면, 가지고 있는 힘이 위축된다. 또 서투른 강연자가 멋지게 연설하려고 한다든가, 청중을 감격시키려는 의식이 지나치면, 가지고 있는 능력이 발휘되지 못한다. 이것은 과잉 의식 때문에 근육이 긴장되어, 자연의 활동이 굳어지기 때문이다.

이와 같은 상황이 성행위의 경우에도 일어난다. 성행위에 있어서 성교를 멋지게 하려고 한다든가, 상대에게 만족을 주어야 겠다는 생각이 앞서면, 오히려 생각과 반대되는 결과로 끝나기 쉽다. 한번 이런 결과가 나타나면, 다음번에는 불안과 초조감이 생겨나 더욱더 의식의 과잉, 근육의 긴장이 심해져서, 드디어 자기는 쓸모없다고 생각해 버리고 마는 결과가 된다. 능력이 있으면서 스스로 불능자로 만들어버리는 것이다.

이런 사람들은 지적 활동이 강한 사람, 즉 지식 계층에 많은데, 자포자기로 되어 술을 들이키면 잘 되어진다는 예도 흔히 있다. 그것은 술이 의식을 마비시켜 과잉 의식이 제거되기 때문이다.

같은 의식 작용으로서 공포나 불안 의식도 성력을 억제한다. 병을 두려워하거나 사람에 들키는 것을 두려워하거나 또는 죄의식 등은 모두 성력을 감퇴시키는 커다란 원인이 된다. 그것은 어김없이 일양일음(一陽一陰)이라는 자연 원리에 거슬리는 경우에 흔히 일어나지만, 그것은 음양조화의 기본을 바로잡는 것으로써 씻어버릴 수 있다. 다만 죄의식 중에는 과거의 실패에 대한 반성이 잠재의식으로 되어 자기 처벌로 움직이는 경우도 있으며, 이런 경우에는 좀처럼 간단하게 치유할 수가 없다. 그러나 다음에 설명할 내관(內觀)이나 그 밖의 행법으로 제거할 수 있다.

◆ 일양일음(一陽一陰)

성교는 남녀의 공동 사업이기 때문에, 남양과 여음이 완전한 조화를 유지하는 것으로만 열락(悅樂)의 도취경에 도달할 수 있다. 상대를 정복하거나 무시하고 일방적인 쾌락을 얻으려는 독선 또는 이기적인 방법으로는 참된 쾌락은 얻을 수 없다.

음양의 조화는 1양1음을 원칙으로 하는데, 만일 양이 음보다 강한 경우에는 음양의 완전한 조화가 이루어지지 않으므로, 강한 일양다음(一陽多陰)의 형식을 취하게 된다. 즉 남자가 2호, 3호를 만들게 된다. 도덕 관념이 강한 사람은 그와 같은 형식을 취하지 않는다 해도, 뭔가 그것을 대신하는 방법에 의해서 불만을 만족시키게 된다.

음이 양을 능가하는 경우도 같은 양상이 되는데, 열세인 사람이 반드시 그대로 머리를 숙이고만 있지는 않으므로, 여하간 가정의 평화는 유지되지 않는다.

원래 알지 못하던 남녀가 결혼했을 때, 그것이 연애이건 중매건 간에, 처음부터 완전히 성기의 화합이 이루어진다는 것은 거의 있을 수 없는 일이다. 새로 산 구두는 좀처럼 발을 편하게 하지 못하지만, 신어감에 따라 점점 편하게 된다. 무생물인 도구마저도 이런 식으로 화합되어 가는데, 쌍방이 생명을 가지고 있는 이상 서로 화합을 위해 노력하면 반드시 조화를 이룰 것이다. 특히 여성의 성기는 천부적 배려로 극히 탄력성이 풍부하며, 상대의 형상에 따라 적절한 변용(變容)을 자연스럽게 하도록 되어 있다. 이런 의미로 볼 때, 여자는 시간이 지날수록 좋은 것이며, 속된 말로 여자와 돗자리는 새로울수록 좋다는 말은 실로 피상적인 말이라 할 수 있다.

기술자는 도구를 아낀다는 말이 있다. 만년필이나 면도기도 오래 쓴 것은 버릇을 알아 정말 쓰기 좋으나, 남에게서 빌려온 것은 뜻대로 움직여 주지 않는다. 훌륭한 운전수는 자기 차를 남에게 빌려주기를 싫어한다.

무정한 도구도 그런 것이다. 하물며 사람 사이가 오랜 세월 동안 알지 못하는 사이에 서로의 노력으로 자연의 조화를 이루는 것은 말하지 않아도 알 수 있을 것이다. 이것이 1양1음의 묘리로서 1부 1처를 도덕적으로 강조할 것이 아니라, 자연의 원리로서 받아들여야 할 것이다.

4. 방중술의 실제

◆ 구천일심(九淺一深)의 법

방중술은 단지 감각적인 쾌락을 추구하기 위한 유희가 아니다. 그것은 완전한 음양 화합을 위한 기법이며, 완전한 음양 화합이 달성되어질 때 비로소 참된 쾌락이 얻어진다. 참된 쾌락은 생명의 환희이며, 생명의 즐거움은 생의 조장, 즉 오래 사는 것을 의미한다.

남녀 교합이 인생 최대의 쾌락이 되려면, 그것은 생명의 완전 발현이어야 한다. 단지 감각적 쾌락만을 목적으로 한다면, 그것은 결코 생명의 환희가 되지 않으며, 〈정〉을 낭비하고 심신을 손상시키는 결과로 끝나는 것이다.

원래 남녀가 절정감에 도달하는 시간은 서로 상이하며, 여성은 남자에 비하여 5배 이상의 시간을 요하는데, 그것을 무시하고 남성이 욕망에 끌리어 멋대로 행동하면, 여자는 당연히 만족을 얻을 수 없으며, 음양의 조화는 이룰 수 없게 되는 것이다. 또 무리하게 여성을 리드하려고 하면, 과로에 빠져 심신을 소모하게 된다. 소위 복상사(腹上死)는 이런 결과에서 일어난다.

남녀 교합에는 보다 절도를 지키며, 호흡을 살피어 절정감을 합치하도록 노력하는 것이 필요하다. 즉 교합에 임하여 우선 기분을 가라앉히고(安定), 마음을 편하게 먹고(安心), 그리고 평화스러운 기분(和氣)이 된 후 서서히 자리에 들어야 한다. 이것은 전투에 임하는 장군의 마음 가짐과 같다. 그렇게 하면 마음을 착 가라앉힐 수가 있다.

드디어 행동이 개시되면 되도록 얕게 삽입하여, 천천히 움직이면서 서서히 여자의 쾌감을 높여 가도록 한다. 그러기 위해서서 〈9천1심의 법〉이 필요하다.

〈9천1심의 법〉이란 얕게 삽입하는 것을 9번 되풀이하고, 그 후 한번 깊게 삽입하는 방법이다. 음양이 화합하는 곳은 소음순 근방이며, 너무 깊이 속에까지 삽입하는 것은 역효과를 가져온다. 더우기 무리하여 과로에 빠지게 되면, 옥경(玉莖)의 지속 시간을 단축시키고 음기(陰器)에 손상을 입힐 우려가 있다.

그러는 동안 호흡은 복기법에 따라 행한다. 즉 코로 숨을 조용히 들이쉬고, 하복부를 불리고, 숨을 멈추고 삽입시키며, 뺄 때 숨을 내쉬면서 아랫배를 움츠린다. 옥경은 딱딱한 대로 빼내며 어느 정도 유연할 때 삽입한다. 이것을 〈약입강출(弱入强出)의 법〉이라 하여, 성기를 강하게 하고 지속 시간을 오래 끌어가는 비결이다.

여성도 냉정히 양기의 상태를 관찰하여, 양의 상태가 아직 충분하지 않을 때는 기분을 억제하여 가라앉히고, 양의 정기가 왕성하게 되어 오는 것을 기다린다. 결코 성급하게 허리를 흔들거나, 몸을 꼬아서는 안 된다. 올바른 성교법이란 남녀 모두 절도를 지키며 교합하는 것이다. 즉 마음을 가라앉히고, 부드러운 기분으로 일에 임하며, 서로 상대의 상태를 생각하여 천천히 동작한다. 욕정에 이끌리는 난폭한 행동은 삼가야 한다.

절도를 가지고 일에 임하면, 장시간 끌어도 피곤하지 않으며, 언제까지나 기운차게 되며, 도중에 맥없이 중단함이 없이, 음양

화합의 절묘한 경지에 도취할 수 있다. 그것이 즐기며 오래 살 수 있는 유일한 방법이다.

◆ 사정(射精) 방지법

과음(過淫)은 몸에 해롭다고 하는데, 지나치다는 것은 성교의 회수가 많은 것을 말하는 것이 아니다. 성교는 올바른 방법으로 하는 한, 생명의 기쁨이고 또한 생을 양성하는 최선의 방법이므로, 회수는 많을수록 좋다고 할 것이다. 지나쳐서 피해를 가져오는 것은, 올바른 성교법으로 하지 않고, 또한 사정으로 인한 체내 〈정기〉의 낭비를 가져오기 때문이다.

정액(精液)은 체내 원기가 액화된 것이므로 이것을 함부로 배설하면, 체내의 〈정〉을 잃고 노쇠를 재촉하는 것은 당연한 일이다. 따라서 성교시 정액의 낭비를 되도록 피해야 한다. 그것이 가능하면 성교의 회수는 많이 초과되지 않는다.

접하되 배설하지 않는다는 것은 정액의 낭비를 조심하라는 말이다. 그러나 성교 때마다 절대로 정액을 내보내서는 안 된다는 것은 아니다. 성교는 종족 보존을 위한 자연 행위이며, 자손 번영은 사정(射精)에 의해서 얻을 수 있는 것이기 때문에, 적당한 사정은 필요하며 또 해롭지도 않다. 다만 과도한 사정, 즉 정액의 낭비를 경계하라는 뜻이다.

사정 방지에는 다음과 같은 방법이 있다.

① 남자는 이 순간만은 상대를 따뜻한 피가 통하는 사람의 대상으로 보지 말고, 차갑고 추악한 기왓 조각으로 생각한다. 이 때 여성은 모욕적이라고 생각되겠지만, 애정과는 별도로 상관 없는 것이므로 협력해 주면 되는 것이다. 이처럼 생각

하면, 일시적으로 흥분도 냉각되고, 참을 수 없는 상태를 억제하여 사정을 미연에 방지할 수 있다.

② 바야흐로 사정이 되려고 하면, 급히 왼손 둘째손가락과 가운데손가락으로 성기와 항문 사이를 꾹 누르고, 숨을 크게 내쉬며 동시에 이를 악물고(숨을 안 죽이고) 참는다. 또 허리의 힘을 빼고, 전진후퇴의 속도를 늦춘다. 남녀 교합은 성스러운 작업이기 때문에 용맹스럽게 자제심을 잃지 말고 세심한 주의를 기울이며 성업 완수를 다할 것이다.

③ 극점에 가까와 오면, 재빨리 머리를 들어올리며 숨을 멈추고, 눈으로 상하 좌우를 돌아보며 하복부를 수축하고, 숨을 길고 크게 내쉰다. 크라이막스가 다가오면, 감각은 모두 그 곳에 집중되며, 자제력이 상실되므로 아차 하는 사이에 흡정귀(吸精鬼)의 희생이 된다. 이것을 방지하기 위해 머리를 들고 눈을 크게 떠서 주위를 돌아보는 것이다. 그럼으로써 그 곳에 집중된 감각을 흐트러뜨리고 사정을 방지한다. 또 하복부를 수축하는 것은 문을 닫아 〈정〉의 탈출을 방지하려는 것이며, 숨을 멈추는 것과 정액의 분출을 숨으로 막으려는 것이다.

④ 〈기〉가 빠져나가려고 하면, 배를 부르게 하고 크게 숨을 들이마신 다음 숨을 멈추고, 〈정〉에 마음을 집중시킨 뒤, 숨을 토하면서 배를 되도록 많이 수축시키면, 나가려던 〈정〉이 체내에 되돌아온다. 이것은 관념으로 〈정〉을 유도하는 방법으로 일종의 〈복기법〉이며, 다음에 설명할 〈환정보뇌(環精補腦)〉의 방법이기도 하다. 이것은 단지 사정을 막는 것이 아니고, 5장(臟)의 상태를 정비하여 주므로 여러 가지

병을 낫게 해 준다.

◆ 성교의 회수와 금기(禁忌)

〈정〉을 강화시켜서 오래 인생을 즐겨 나가려면, 성교시에 사정을 억제하여 〈정〉의 낭비를 피해야 한다. 그러나 성교시마다 항상 사정하면 안 된다는 것은 아니다.

천지음양의 화합에 의하여 우주만물이 생성 성장되는 것처럼, 남녀 교합은 종족 번영을 위한 성업이며, 이것은 사정을 안 하고는 이루어지지 않는다. 그러나 남녀 교합이 감각적인 쾌락의 추구를 위해 방종에 빠지고 〈정〉을 낭비하며 생명을 단축시켜서는 아무것도 안 되므로 적당히 억제해야 한다.

여기서 말하는 성교의 회수는 정확히 말해서 사정의 회수를 말하는 것이다. 과도한 정액을 억제하여 절도 있게 성교를 행하면, 성교 그 자체를 억제할 필요가 없다는 것이다. 성교는 인생에 있어서 최고의 쾌락이고, 그것으로 인생의 환희를 맛보며, 오래 사는 구실이 되기 때문에, 오히려 성교 그 자체의 회수는 많을수록 좋다고 할 수 있겠다.

극단적인 설인지는 모르겠지만, 1일에 두 번씩 교합하고 1년에 네 번 정도의 사정에 그칠 수 있다면, 그 사람은 안색도 번들번들해지고, 병에도 안 걸리며, 100세나 200세도 살 수 있다고 한다. 그러나 아직 방중술을 터득 못 하고 성교를 쾌락 본위로 하는 사람은, 성교의 회수를 제한하는 도리밖에 없다. 성교의 회수에 대해서는 여러 설이 있으나, 비교적 중용을 기한 설로서 다음과 같이 권해 본다.

20세의 사람은 4일에 1회, 30세는 8일에 1회, 40세는 16

일에 1회, 50세는 21일에 1회로 하고 60세 이상으로 정력이 좋은 사람은 한 달에 한 번, 그 밖의 사람은 막아버리고 배설하지 말라는 것이다.

그러나 사람의 체력에는 개인차가 있어, 두드러지게 정력이 우수한 사람이 무리하게 배설을 억제하면 오히려 해가 되는 수가 있으니, 자기의 체력에 따라 배설 회수를 가감할 필요가 있다. 다만 60세를 넘어서는, 비록 욕정의 과잉 욕망으로 고민되더라도, 역시 배설하지 않는 것이 좋다고 되어 있다.

등불이 꺼지기 직전에 갑자기 확 밝아지는 것과 같이, 〈정〉이 소진되기 전에 정력이 지나치게 성해져 욕정을 억제하기 힘들게 되는 경우가 있다. 그것을 자기가 정력이 센 것으로 착각하여 욕정이 가는 대로 행동하면, 꺼지려고 하는 등불에서 기름을 쏟아버리는 것과 같으며, 즉시 정근(精根)이 소진되고 마는 것이다.

다음의 경우에는 성교를 피하는 것이 옳다.

대한(大寒), 대서(大暑), 대우(大雨), 지진, 번개 등인 때——이것을 〈천기(天忌)〉라 한다.

술에 취했을 때, 폭음 과식한 뒤, 〈희로우비공포(喜怒憂悲恐怖)가 높아져 있을 때 이것을——〈인기(人忌)〉라 한다.

절이나 성역 또는 묘지 등의 장소——이것을 〈지기(地忌)〉라 한다.

또 병중이나 병후 아직 체력이 회복되지 않았을 때, 소변을 참고 있을 때, 월경 및 임신 중에도 금기로 되어 있다. 이것은 정신의 안정을 잃고 체력이 갖추어져 있지 않을 때이며, 음양이 조화를 이룰 수 없는 때이기 때문에 당연한 것이다.

◆ 용약법(用藥法)

성력 및 성기의 열세를 약물에 의하여 돋아주는 것은 하나의 방법이다.

그러나 약물의 효력을 과대 평가하여 이것에만 의존하는 것은, 오히려 자기의 능력을 멸살시키고 노화를 촉진시키며, 성력을 감퇴시키는 자살 행위란 것을 명심해야 한다.

예를 들어 호르몬제를 늘 사용하면, 내분비 기관은 호르몬 생산이 필요없게 되기 때문에 필연적으로 분비를 중지하고, 마침내 생산 능력마저 퇴화시킨다. 그와 동시에 합성약제는 많은 독물을 원료로 쓰기 때문에, 그 축적에 의하여 체내에 이상한 환경을 만들어 암, 그 밖의 원인이 된다.

약에 의하여 병이 낫거나, 성력이 강해지는 것은, 약 그 자체의 효과라기보다 오히려 암시(暗示)에 의한 심리적 효과 때문일 것이다. 그런 뜻에서 보면, 독물로 제조되는 합성약제보다는 자연의 초근목피(草根木皮)에서 만들어진 한약이 부작용이 없고 무난하다 하겠다.

옛 〈방중술〉에 이용된 약물을 참고를 위해 여러 문헌에서 뽑아 보았다.

발기를 강하게 하는 처방 육종용(肉蓯蓉)과 오미자를 같은 분량, 사상자(蛇牀子), 토사자(菟糸子), 지실(枳實)을 2배의 비율로 혼합한 분말로 하여, 1일 약 4그람씩 술을 이용하여 3회에 나누어 복용. 또는 육종용과 오미자, 토사자, 원지(遠志), 사상자를 같은 방법으로 만들어 복용한다. 녹각(鹿角)과 토사자, 사상자, 차전차(車前者), 원지, 오미자, 육종용 등의 혼합도 효과가 있다.

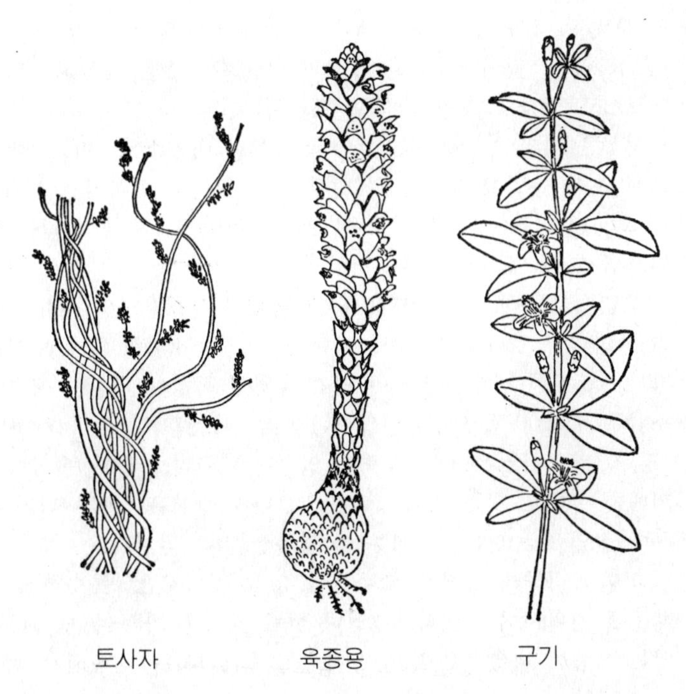

토사자　　육종용　　구기

음위(陰萎)를 고치는 처방 구기(枸杞), 창포(菖浦), 토사자의 분말을 같은 분량씩 섞어서, 약 4그람을 3회에 나누어 매일 복용.

음경을 최대로 하는 처방 촉초(蜀椒), 세신(細辛), 육종용의 분말을 같은 분량씩 혼합하여 헝겊주머니에 넣고 1일 3회 음경을 문지른다. 여기에 해초(海草)의 분말을 섞으면 더욱 효과가 있음.

옥문(玉門)을 작게 하는 처방 유황 2, 원지 1의 비율로 섞어 분말로 하여 헝겊주머니에 넣어 질내에 부착한다. 또 청목향(青木香) 1, 산수유(山茱萸) 2의 비율로 분말을 만들고, 타액으로 콩알만하게 빚어 질 속에 넣는다.

이상은 책의 한 예이지만, 어느 것이나 대동소이하며, 과학적으로 보아 특별한 효과가 있는 것이 아니다. 과학적인 입장에서는 오히려 다음과 같은 것이 전신적(全身的) 효과를 올리는 의미로 유효하다고 생각한다.

송엽주(松葉酒) 선인(仙人)과 솔잎과는 끊을래야 끊을 수 없는 인연이 있다. 솔잎뿐만 아니라, 송진, 소나무 열매도 이용가치가 있다. 특히 선인들이 먹는 유명한 복령(茯苓)은 베어낸 소나무 뿌리에 생기는 균핵(菌核)으로, 이것을 상식(常食)하면 〈정〉을 강화시켜 각종 신통력은 얻는다고 한다. 물론 솔잎이나 열매를 그대로 먹는 것이 좋지만, 그다지 맛좋은 것이 아니기 때문에 솔잎으로 만든 〈송엽주〉를 장복할 것을 권한다.

마늘 마늘의 효력을 모두 알고 있는 것이지만, 특수한 냄새 때문에 경원시되고 있다. 그러나 현재 효소를 가하여 냄새나지 않는 제품이 나왔으므로 널리 사용할 수 있다.

소맥의 싹 호더 박사에 의해 유명해진 식품으로, 젊어지는 비타민 E, B군을 다량 함유하며, 꿀을 섞어 제리 상태로 만들어 먹으면, 맛도 좋고 정력원으로서 귀중한 식품이 된다.

캄프리 코카사스 지방의 특산 약초로서 기적의 풀로 이용된다.

선인차(仙人茶) 귀중한 약초 수십종을 혼합분말로 만든 것으로, 조석으로 상용하면 함유 약초의 종합 효과에 의하여 온 몸의 〈정〉을 증강시키는 데 도움이 된다. 다만 이것은 선도하는 동호인에 한하여 나누어 주는 비매품으로, 일반 시장에서는 구할 수 없다.

그 밖에 인삼, 약모밀도 효과가 큰 약물로 귀하게 여기고 있다.

5. 방중술의 진수(眞髓)

우주의 만상은 천지음양의 교합과 조화에 의하여 생성되고 성장하며 변화 발전을 완수하고 있다. 그러나 천지음양은 끊임없는 교합에 의하여, 시시각각 모든 것을 낳고 기르면서 조금도 쇠퇴함이 없이, 엄연히 존재하고 더욱더 그 활동을 강화시키고 있다.

대우주를 본떠서 만들어진 인간도 남녀 화합에 의하여 자손을 낳고, 종족의 보존, 인류의 발전이라는 성업을 완수해 나간다. 생명의 기쁨이 있으며, 생의 기쁨이 있는 곳에서만 참된 인생의 즐거움이 있는 것이다. 그런데 남녀의 교합이 단지 관능의 쾌락 추구의 수단으로만 이용되면, 거꾸로 심신을 소모시키고 생명의 완전 발현을 저해하게 되므로, 생의 기쁨, 인생의 참된 즐거움을 맛볼 수가 없다. 그것은 남녀의 교합 방식이 자연에 거슬리고 있기 때문이다. 그러므로 올바른 남녀 교합의 방법, 즉 방중술이 필요하게 된다.

올바른 방중술은 이미 설명한 바와 같으나, 다시 요약하면 절도 있는 성교섭 및 〈정〉의 낭비를 방지하는 것이 주안점이다. 그러나 이것은, 성교가 관능적인 욕망 추구 때문에 방종으로 흘러 절도를 잃는 것에 의해 〈정〉의 쓸데없는 낭비를 방지하고자 하는 소극적인 것이다. 그런데 성의 운영이 참된 생명의 환희로 되려면, 쾌락이 〈정〉의 소모를 억제하는 것만이 아니고, 그것을 조장하고 증강시켜 수명 연장이라는 적극적인 행동이 되지 않으면 안 된다.

〈환정보뇌(還精補腦)〉라고 하는 것은 성교를 그와 같은 적극적인 목적을 달성하기 위한 수단으로 만들고자 하는 방법이다.

체위나 기교 또는 사정의 남발 방지는 환정보뇌를 수행하기 위한 한 방편에 지나지 않는다. 방중술의 참된 목적은 환정보뇌에 있다고 할 수 있다. 그 때문에 환정보뇌는 비전(祕傳) 중의 비전으로 생각해 왔다. 따라서 그 뜻하는 바와 기법은 많은 곡해와 잘못된 전달로 방중술이 음탕한 성의 유희로 오해되는 커다란 원인으로 된 것이다.

예를 들면 "음양의 교접으로 생을 돋우려면 많은 여자와 관계를 가지는 것이 좋다. 또한 여자의 〈정〉을 흡수하여 뇌에 환원시키면, 기력이 충실해지고, 노인이 젊어지며, 힘이 솟는다."라든가, "하룻밤에 많은 여자를 바꾸면 득이 되는 일이 많다. 그처럼 여자를 바꾸는 것에 의하여 장생을 얻을 수 있다."라고 하는 것이 그 한 예이다. 이것은 1양1음의 조화 원칙에 거슬리는 반자연적 행위이며, 그것이 역효과를 가져왔다는 것은 진시황이 실증하고 있다.

또 음경에서 액을 흡수하는 것은 훈련에 따라 가능하지만, 성교시에 그 기술을 이용하여 여성의 정액을 흡수하는 것이 환정보뇌라는 해석도 있다. 그러나 정기(精氣)를 빼앗기는 여성 쪽은 몹시 당혹할 것이며, 이것은 남자의 이기인 동시에, 비록 여자의 정액을 빼냈다 해도, 그것이 그대로 남자의 〈정〉을 강화시키지는 못한다.

◆ 환정보뇌(還精補腦)

환정보뇌가 어떤 것인가 하면, 옛날에는 의학이 발달되지 않아, 정액은 뇌에서 만들어져서 그것이 아래로 내려온다고 일부의 학자들은 생각했다. 그것을 사정으로 내버리면 뇌가 비게 되므로 성교 때 사정을 멈추어 이것을 뇌에 환원시킨다는 식으로 생각하고 있었으나, 이것은 현대의학으로 볼 때 웃음을 금할 수가 없는 것이며, 환정보뇌는 무의미하다는 것이다.

그러나 이것은 너무도 피상적인 비판이며, 환정보뇌의 뜻을 곡해하고 있는 증거이다.

선도의 안목(眼目)은 외부 원기를 〈복기〉로써 체내에 집어넣고, 체내 원기로 축적하여 체내로 순환시키며, 이것으로 각 기관의 기능을 활발하게 하여 언제까지나 젊음을 누리며 오래 사는 데 있는 것이다.

그러나 외기는 체내에 흡수되어 그대로 체내 원기가 되는 것이 아니라, 체내에서 체내 원기로 변환시켜야 비로소 생명 에너지가 되는 것이다. 이것은 식품의 경우도 마찬가지며, 그 식품이 내포하고 있는 단백질이나 지방이 그대로 피와 살이 안 되는 것과 같다.

그렇기 때문에 복기법에서는 축기(止息)를 중요시하며, 흡수시킨 우주 원기를 숨을 멈추고 있는 동안에 체내에서 내원기로 전환시키고자 하는 것이다. 그 전환된 것이 내원기, 즉 〈정〉이며, 현대어로 생명 에너지라는 것이다.

외기를 〈정〉으로 전환시키는 것은 최궁(峻宮)에서 이루어진다. 흡수한 외원기를 척추를 통하여 미골까지 떨어뜨리고, 그것을 미골 끝에 있는 두 개의 구멍을 통하여 앞쪽에 있는 최궁에

도입시켜, 여기에 축적되어 있는 내원기와 혼합하여 강력한
〈정〉을 만드는 것이다. 최궁이라 함은 남자는 전립선, 고환, 여
자는 난소를 중심으로 한 생식선이다.

그러나 외기를 〈정〉으로 전환시키는 목적은, 〈정〉을 체내에 순
환시켜 체내 각 기관을 증강시키며 육체라고 하는 생명 활동을
충분히 발동시키는 것이지, 최궁에만 담아 놓는 것이 목적이 아
니다. 따라서 최궁에서 만들어진 〈정〉은, 재빨리 7개의 정궁
(精宮 ; 내분비선)으로 순환시켜 신체의 구석구석까지 흘러들게
되는 것이다.

동시에 남아도는 〈정〉은 각 정궁과 기타에 비축하며, 육체 조
직의 강화 및 개선의 목적으로 대비시킨다. 이 같은 〈정〉이 육
체에 많이 축적되는 것에 의하여, 조잡한 물질로 구성되는 육체
조직 속에서 정묘한 신체를 만들어내는 것이다. 이것을 〈기〉로써
형체를 키운다(養形)고 한다.

〈정〉은 기해(氣海)라고 하는 곳에 비축되며, 그것이 액화되어
타액이나 내분비액 또는 정액으로 되어, 필요에 따라 체내에 내
분비되며 육체 기능의 원동력으로 되어진다.

정액은 성교시 정충을 온상(温床)으로 보내어 자손 번영이라
는 성업을 달성하는 중대한 사명을 가지고 있는데, 정액은 〈정〉
이 농축된 것이므로 함부로 외분비해 버리면 체내의 〈정〉을 감
소시켜 체력을 약하게 한다. 그러나 정액 그 자체는 체내를 순환
하지 않는 것이며, 그것을 순환시키려면 정액을 기화시키지 않
으면 안 된다. 만일 정액을 기화시켜 〈기〉를 체내에 순환시키지
않으면, 정액은 당연히 최궁에 머무르게 되며, 이것이 성기를 자
극하여 외분비를 촉진한다. 정액의 외분비는 성교, 자위행위 또

는 몽정 등으로 나타난다.

이 경우 성교시의 사정을 무리하게 억제하면, 고여 있는 정액이 부폐하여 신체에 해를 끼친다. 따라서 사정의 억제는 정액을 기화시켜 신체의 각 부분에 순환시키는 것을 전제로 한다. 그저 쓸데없이 고여 둔다든가, 여자의 것까지 빼앗고도 〈정〉이 순환되지 않으면 오히려 유해무익하다.

〈환정보뇌〉라는 것은 〈정〉을 뇌천(腦天)까지 순환시키는 것이다. 이것은 일종의 〈복기법〉이며 〈행기법〉이다.

◆ 남녀 연정술(煉鼎術)

일에 임할 때 우선 안정, 안심, 화합에 의하여 마음의 통일을 꾀하고, 절도 있게 진퇴하는 것은 이미 설명한 바이나, 음양은 서로 느낌을 합치시키는 것이 필요하며, 한쪽에 뜻이 있어도 상대편이 마음내키지 않으면 음양이 조화를 이루지 못한다. 음양이 조화되지 않으면 정기는 감응되지 않으며, 정기가 감응되지 않으면 최고의 희열감도 따르지 못하여, 〈환정보뇌〉의 결과를 맺을 수가 없다.

음양이 감응해도, 극점이 일치하지 않으면 역시 〈환정보뇌〉는 되지 않는다. 때문에 올바른 방중술이란 남녀가 서로 상대방의 정기가 충실히 되는가를 살피며, 동시에 절정에 도달하도록 노력해야 한다. 결코 멋대로의 행동으로 상대를 고려하지 않고 자기만의 욕정을 추구해서는 안 된다.

이렇게 해서 남녀가 동시에 완전한 절정에 도달하면, 사정을 미연에 중지하고 배를 수축시켜 〈정〉을 되돌려 보내는 것이다. 이 때 양의 〈정〉은 음의 〈정〉을 포용하고, 음의 〈정〉은 양의 〈정〉

을 감싸서 강하고 완전히 조화된 음양화합이 이루어지기 때문에, 남녀 모두 성기로부터 〈복기〉하여 체내에 순환시키는 것이다. 이처럼 〈환정보뇌〉는 어디까지나 남녀의 협력에 의해 비로소 이루어지며, 결코 남자 또는 여자가 이기적으로 상대의 〈정〉을 훔치려는 생각만으로는 절대로 이루어지지 않는다.

남녀가 복기 등의 방법으로 각각 축적한 음양의 강한 정기를 성기의 교합에 의하여 접촉 감응시키면, 플러스 마이너스의 전기가 접촉하여 불꽃을 튕기듯, 음양의 정기가 합체해서 뜨거운 정기를 발한다. 이것은 원자력보다 강한 생명 에너지이다. 그것을 때를 놓치지 않고 각자가 복기하여 체내에 순환시키는 것이다. 거기에 생명의 최고 환희가 있으며, 야릇한 쾌미감과 희열감을 맛봄과 동시에, 체내 원기는 급증하며 불로장수가 달성되는 것이다.

이것을 선도에서는 〈남녀연정술〉의 최고의 의의로 삼으며, 이 경지를 〈음양합덕(陰陽合德)〉이라 하여 인격 완성, 성선(成仙)의 기초로 하고 있다.

◆ 독신자를 위한 음양화합법

음양화합은 1음1양을 원칙으로 하는 것은 앞에서 설명한 바와 같다. 그러므로 남녀 연정의 도중에 있어서 불행하게도 상대편이 없을 때는 즉시 딴 솥을 걸어서 새로이 음양의 조화를 꾀해야 할 것이다.

그러나 특수 사정으로 그것이 안 될 경우가 있다. 그와 같은 경우에도 음양화합의 길이 있다. 그러나 이것은 상당한 경지에 이르지 못하면 이루어지지 않기 때문에, 일반에게는 가르치지 않기로 되어 있다.

하늘과 땅은 각각 양과 음의 두 〈기〉에 의하여 구성되어 있다. 하늘은 양의 〈기〉가 집합된 것이며, 땅은 음의 〈기〉로 만들어져 있다. 이 양음이 조화 교합하여 만물이 생성 발전하고 영원히 존재해 간다. 사람은 천지를 본떠서 만들어졌다. 천은 양이며, 양은 남성이다. 땅은 음이며, 이것을 인간화하면 여성이 된다. 천지 음양의 교합은, 즉 인간남녀의 교합으로 구현되어 있다.

만일 인간적인 욕망을 버리고 완전히 허(虛)가 되면, 인간도 〈도〉에 귀일하며, 천지와 일체가 될 수 있는 것이다. 그렇게 되면 천지의 음양과 남녀의 음양이 하나가 된다. 그 경지까지 도달하면 인간 사이의 육체적 제약이나 걱정꺼리를 뛰어넘어, 남성은 여자를 얻지 않아도, 또 여성은 남성을 구하지 않아도 순수한 음양의 〈기〉가 화합하는 생명의 기쁨을 찾아낼 수가 있을 것이다. 남자는 땅의 음과 섞이며, 여자는 하늘의 양과 교합하는 것에 의하여, 생명의 기쁨을 찾아낼 수 있을 것이다.

공기가 맑고 인적이 드문 초원 같은 곳이 가장 적합하다. 남성은 대지를 안고 엎드리는 자세로, 여자는 하늘을 보고 눕는다.

남자의 경우부터 설명하면, 우선 엎드려 누워, 한다리는 쭉 뻐치고 다른 다리는 직각이 되도록 무릎을 구부린다. 이런 자세로 하복부를 지면에 밀착시키지 않게 한다.

온 몸에서 힘을 빼고, 마음을 텅 비게 하며, 형해(形骸)에 대한 생각을 잊어버린다. 우선 입으로 숨을 크게 내쉬고, 다음 코로 조용히 숨을 들이마시는데, 이 때 코로 숨쉬는 데 신경쓰지 말고, 땅의 음기를 성기로부터 빨아들이는 것처럼 강하게 생각한다. 다 들이마신 후, 숨을 멈추고, 목과 항문을 닫고, 성기로 빨아들인 땅의 〈기〉를 우선 하단전(下丹田)으로 하복부에 넣고, 계속해서 중단전으로 흉부, 다음에는 상단전으로 머리로 유도시켜서 뇌천(腦天)까지 도달시킨다.

여성의 경우, 하늘을 보고 누워 두 다리를 벌리고, 발바닥이 앞에서 합쳐지도록 한다. 두 손은 굳게 주먹 쥐어 등뒤로 돌리고 손등을 위로 하여 돌출부가 미골(尾骨)의 양쪽에 와 닿도록 갖다 댄다. 만일 알맞는 장소가 없을 때는 두좌(頭座)의 자세를 취하면 이상적이다. 두좌를 취하면, 두 다리를 좌우로 벌린다.

숨을 가만히 쉴 때, 코로 쉬지 않고, 음부에서 하늘의 〈양기〉를 빨아들이는 것처럼 강하게 생각한다. 그 다음 빨아들인 〈양기〉를 하복부에서 가슴, 가슴에서 머리로 상승시켜 뇌천까지 도입한다. 이 방법을 되풀이하는 동안, 남자는 대지의 〈음기〉와 교합하며 여성은 하늘의 〈양기〉와 교합하여, 이성과 교합하는 것과 같은 쾌미감에 황홀해질 수가 있다. 동시에 〈정〉은 강화되고, 〈환정보뇌〉의 결과를 얻어내는 것이다. 이것은 천지와 일체가 되어, 음양교합의 묘리를 체득하는 고도의 행법이다. 손이나 기구를 사용하여 스스로 위로하는 것 같은 안이하고 저속한 행동과는 하늘과 땅의 차이이다. 그러니만큼 열등감을 버리고 심신 모두 무념의 상태로 행해야 한다.

제6장 마음의 재계(內觀)

1. 수의근(隨意筋)과 불수의근(不隨意筋)

오랜 세월 자연과 동떨어진 생활로 생겨난 육체의 뒤틀림을 교정하여, 〈기〉의 원활한 순환을 꾀하고, 생명의 완전 발현을 달성하려는 것이 〈재계〉라는 행법인 것은 이미 말한 대로이다.

〈재계〉의 행법은 여러 가지 조작을 구사하여, 자기 육체의 결함을 제거하고자 하는 기법인데, 요는 자기의 의지에 의하여 목적을 달성하려고 하는 것이다. 그런데 인간의 신체에는 자기 것이면서도 자기 뜻대로 안 되는 부분이 있다. 이것이 소위 〈불수의근〉이라고 하는 부분이다.

그것도 신체 외부에 있는 기관, 예를 들어 귀나 코는 비록 뜻대로 움직일 수는 없지만, 이것은 손 등을 사용하여 〈도인〉으로 강화시킬 수 있다. 그러나 내부에 있는 기관, 예를 들어 내장기관 등은 〈재법〉이나 〈복기법〉 등으로 교정하는 것이 어느 정도는 가능해도, 아무래도 손으로 조작할 수 있는 것은 아니다. 이 불수의 부분은 의지의 노력에도 불구하고, 의지에 반하는 행동을 취하는 경우도 당연히 있을 수 있다. 그렇다면 애써 〈재계〉로 육체의 건강에 마음을 기울여도, 충분한 효과를 거둘 수가 없다.

그렇다면 이들 부분을 의지의 지배하에 복종시키려면 도대체 어떻게 하면 되는가, 하는 문제가 일어난다. 여기서 그것을 해결하기 전에 깊이 생각하지 않으면 안 될 것은, 우리의 신체에는 의지로 좌우할 수 없는 불수의 부분이 있다는 것은 누구나 알고 있으나, 그렇다면 수의근은 모두 뜻대로 움직일 수 있는가 하는 것이다.

보통 누구든지 자기의 손발은 생각대로 움직일 수 있다고 생각한다. 그것은 사실이지만, 예를 들어 골절이나 긴 병 등으로 오랫동안 걷지 않고 있으면, 병이 나아서 걷고자 해도 발이 움직이지 않는다. 손이나 발 등 뼈에 붙어 있는 근육은 보통 뜻대로 되는 수의근인데, 그와 같은 수의근마저도 그런 경우에는 의지의 명령에 따르지 않는다는 것을 대개의 사람들은 경험하고 있는 사실이다.

일반적으로 수의근이라고 말하는 것은, 학문적으로는 추체로(錐體路)라고 하는 신경에 의하여 움직여지고 있는 부분이다. 의지의 명령은 추체로에 의해서 근육에 전달되는데, 실제로 근육을 움직이는 것은 추체외로(錐體外路)라고 하는 신경 작용이며, 이것은 의지의 명령에 좌우되지 않는 것이다.

온 몸의 어떤 수의근에도 뜻대로 되는 부분과 뜻대로 안 되는 부분이 있어, 의지의 명령은 수의부까지만 전달되는데, 그 이하는 의지로 움직일 수가 없다. 다만 평상시는 이들 신경과 근육의 관계가 너무 잘 조화되어 있어서, 누구든지 뜻대로 움직일 수 있다고 믿고 의심하지 않으나, 어떤 이유로 해서 그것의 조화가 흐트러지면 수의근이라도 뜻대로 안 되게 된다. 앞에서 말한 골절이나 긴 병이 그 실례이다.

요는 인체 중에서 완전히 뜻대로, 즉 의지의 명령만으로 움직이는 부분은 하나도 없다는 것이다.

2. 양신(養神)이란

인간의 신체 기능이 어느 하나도 그 사람의 의지대로 움직이지 않는다고 한다면, 그것은 누구의 명령에 의해서 움직이고 있는 것일까. 고대인은 이 사실에서, 인간의 체내에는 여러 신이 있어 이들 신들이 각기 자기가 담당하는 기관을 움직이고 있다고 생각했다.

일설에 의하면, 인간의 육체에는 3만 6천의 신이 있어서, 5장6부에서부터 귀, 코, 혀, 모발에 이르기까지 각 부분에 한 개의 신 또는 여러 신이 머물러 각기 담당하는 기관을 감시하며 외부의 적으로부터 지켜준다고 한다.

그러나 이 신들은 각자 마음대로 담당 기관을 움직이고 있는 것이 아니고, 각 기관 상호간의 연락(連絡)을 긴밀하게 유지하며, 또한 위로부터의 명령에 따라 행동하고 있다. 그것은 피라밋형으로 조직된 관청과 흡사한 것으로, 종적인 명령 계통 또는 횡적인 연락이 일사불란하게 지켜지고 있어서, 신체 기구는 사람의 의지와는 관계 없이 원활하게 운영되고 있는 것이다.

그것은 우리가 잠자고 있는 동안 알지 못하고 있어도 자연히 움직이고 있으며, 그것에 의하여 우리의 생명이 유지된다.

그런데 우리의 의지대로 되지 않기 때문에, 만일 신들이 그 작용을 중지하거나 체내에서 나가 버리고 마는 일이 있다 해도, 우리는 의지에 의해서 그것을 다시 끌어들이고 또다시 활동하도록 할 수는 없다. 그런 경우에는 인간이 얼마를 더 살고 싶다고 원해도 뜻에 반대되는 죽음을 맞이해야 한다.

그렇게 되면 애써 〈재계〉에 의하여 육체를 단련하거나 또는 약을 먹어서 장생을 꾀해도 모두 수포로 돌아가고 만다. 외부적인 조작은 겨우 몸 속에 사는 신들의 주거를 살기 좋은 곳으로 개선하는(이것은 물론 신들의 환심을 살려고 하는 데 필요한 일은 아니다) 정도이며, 신들을 우리의 뜻대로 언제까지나 체내에 머물게 하여 충실하게 사명을 다하도록 하는 강력한 방법은 아니다.

신들을 납득시켜 의지대로 움직이게 하려면, 육체의 재계(養形) 이외에 좀더 별도의 유효한 방법을 쓰지 않으면 안 된다. 이것을 〈양신(養神)〉이라 한다.

즉 불로불사를 달성하기 위한 양생법으로는, 형체를 기르는 〈양형〉의 방법과 신을 기르는 〈양신〉의 방법이 적절하게 병용되어지는 것이 필요하며, 그것이 양쪽 서로 맞아들어가야 비로소 〈생(生)〉을 돋우는 목적이 달성되는 것이다.

보통 〈양신〉이라고 하는 것은 마음을 기른다고 하는 것으로 되어 있으나, 그 본래의 의미는 지금의 설명처럼 체내에 사는 신들의 동의(同意)와 협력을 얻는 것이다.

마음이라는 말은 대단히 의미가 넓고 막연하지만, 일반적인 통례로서는 의지라는 뜻으로 사용되고 있다.

〈양신〉이라는 것은 의지의 뜻대로 안 되는 것을 의지대로 협력시키는 것이기 때문에, 대상은 마음(의지)에 있는 것이 아니라 신들이며, 따라서 마음을 기른다는 해석은 성립이 안 된다.

그러나 선도(仙道)에서는 신앙의 대상인 소위 신이라고 하는 존재는 인정하지 않기 때문에, 〈양신〉은 신앙이 아니다.

결국 넓은 의미의 마음의 일종으로, 〈혼(魂)〉이라는 말이 좀 더 가까울지 모르겠다. 또 현대식으로 말하면 잠재의식의 일부라고도 할 수 있겠다. 이것은 좀더 깊이 파헤쳐 설명하기로 하고, 여기서는 본래의 뜻, 즉 체내의 신들이라고 해 두기로 한다.

◆ 선도는 신앙이 아니다

〈양신〉의 행법은 선도행법체계 내에서 제2단계 안처(安處;制感) 부분에 속한다. 그 기법은 〈내관〉이다.

〈내관〉의 본래의 의미는 체내의 신들을 찾아내서 이들과 관계를 맺고 언제까지나 체내에 머물러 각 기관을 지켜주도록 부탁하고 납득받으려는 것이다. 그러나 이것은 신앙에 의하여 신들의 환심을 산다고 하는 의미는 아니다.

이미 설명한 대로 선도에서는 우주의 만물은 인격적인 하나의 신에 의하여 창조된 것이 아니고, 하나의 신 또는 여러 신에 의하여 운영 지배되고 있는 것도 아니다. 모든 것은 자연 발생하여 누구에게도 지배되지 않으며, 그 자체로서 완전 조화를 유지하여 질서를 지키고 움직이고 있다고 해석하고 있다.

다만 그것에는 스스로의 원리 법칙이 있어, 그 원리에 따라 움직이고 있음으로써 일사불란한 통일이 유지되고 있는 것이다. 만물은 〈기〉의 변화이며, 〈기〉는 여러 가지 형태로 변형되어 음양의 조화에 따라 물질이나 생명체로 현상계에 나타나고 있는 것이다. 인간도 물론 예외는 아니며, 〈기〉가 응집하여 생명이 되었고, 생명 에너지가 활동하여 육체 또는 정신이라는 생명 활동을 하고 있는 것이다.

체내의 신들도 〈기〉이며, 〈도(道)〉의 원리에 따라 체내의 각

기관을 관리하고 있는 것이며, 〈내관〉에 의하여 관계를 맺는 것은 그런 뜻의 신이고, 계시나 이익을 갖다 주는 신앙의 대상이 아니다.

선도의 옛 문헌에는, 신의 계보나 칭호 또는 복장, 주거, 역할 등 세밀하게 기술한 것이 다수 있지만, 그것은 상징적으로 표현한 것뿐이지, 진실로 인간적인 형태나 의지를 가지는 것은 아니다.

명상에 따라 신비한 인격상(人格像)을 보는 일은 있지만, 그것은 환각(幻覺)이지 결코 그와 같은 환각에 놀라거나 기뻐하며 현혹되어서는 안 된다.

〈내관(內觀)〉에서나 〈통각(統覺)〉에서나 선도의 행은 어디까지나 자연(道)과 일체가 되는 것이 목적이고, 〈도〉는 실체가 없는 원리이며, 그 표현체는 만물이기 때문에, 가공의 환각에 빠지는 것은 오판이나 선입관에 의하여 실상을 오인하는 것과 같이 경계해야 할 사도(邪道)라고 생각해야 할 것이다. 선도는 어디까지나 현실에 입각하여 인간성을 견지해 가면서 삶을 즐기고 오래 사는 것이 본래의 줄거리다. 현실에서 도피하고 인간성을 비약해서 신령(神靈)에 연민하는 것은 선도가 아니다. 선도는 글자 그대로 선 〈인도(人道)〉이며, 〈인간〉 완성의 〈도〉이다.

◆ 내관(內觀)과 안처제감(安處制感)

앞에서의 설명처럼 〈내관〉은 체내의 여러 신을 관찰하여 그 신들과 관계를 맺어, 언제까지나 체내에 머무르게 하여 즐겁고 오래 살도록 협력해 줄 것을 의뢰하고자 행하는 행법이다. 따라서 항상 외부를 향하여 움직이는 감각기관을 모두 내부로 끌어들여 체내의 관찰에 종사시키지 않으면 안 된다.

눈을 감아 시각(視覺)이 밖을 향하지 않도록 하고, 전적으로 체내를 지켜보도록 한다. 또 되도록이면 외부의 소리가 들리지 않는 조용한 방에 앉아 청각(聽覺)이 외부로 흩어지지 않도록 한다.

그러나 훈련이 부족한 수행자에게는 감각을 안쪽으로 향하게 하는 것이 대단히 어려운 일이므로, 다른 힘을 빌어서 그것을 달성하도록 한다.

예를 들면 태양빛을 체내에 도입하여, 그 빛이 체내를 비추는 것을 상상하고, 그 빛에 감각을 집중하는 것에 의하여 〈내관〉을 비교적 간단히 할 수 있다. 이것은 〈일상관(日想觀)〉이라고 하는 방법이다.

또 체내의 리듬을 세어 그 리듬에 집중시키는 〈수식관(數息觀)〉, 혹은 머리 위에 금덩어리를 생각해 놓고 그것이 녹아서 체내에 침투하는 상태를 관찰하는 〈연수관(軟酥觀)〉 등 여러 가지 기법이 고안되어 있다.

어느 것이나 다른 물건을 빌어서 그 물건에 감각의 무관심이나 흥미를 향하게 하는 것에 의하여 〈내관〉의 실천을 용이하게 하기 위한 테크닉이다.

〈내관〉의 목적은 체내의 신들과 면접하여 의지에 동의해 줄 것을 요구하는 일이지만, 그와 동시에 어수선한 감각을 수습하는 것으로 감정의 격동을 방지하는 데 유효하다. 감정은 감각기관의 외적 자극에 의하여 유발된다. 감정의 흥분은 즉시 육체에 반영되어 생명 활동의 리듬을 교란시킨다.

또 감각은 자기 방위의 첨병(尖兵)이므로 일신의 안전을 위협

하는 외물(外物)에는 극단적으로 예민하며, 마음도 감각에 따라서 움직이므로 잊지도 않은 적에 놀라서 허깨비로 착각하여 공포에 싸이며, 사람을 보면 자기에게 해를 끼치지 않을까 의심하여 끊임없이 경계하고, 항상 동요하여, 한순간도 침착할 수가 없다.

이와 같은 마음의 동요는 감각을 내부로 돌리는 것에 의하여 평정하게 가다듬을 수가 있다. 항상 마음을 내부에 돌리고 있으면, 웬만한 외부의 변동에는 동요됨이 없이 생명의 리듬을 흐트러뜨리는 일이 적어진다. 즉 평정한 마음으로 안심하고 외부에 대처하여 감정의 격발을 제어하는 〈안처제감〉에 도달한다.

◆ 적정누기(積精累氣)

〈내관〉 효과의 하나는 육체를 강하게 한다는 것이다. 그것은 〈기〉의 유출을 방지하기 때문이다. 사물을 보거나 소리를 듣거나 지껄이면 〈기〉의 유출을 초래한다는 것은 이미 설명했지만, 그것은 체내 원기가 감각을 통하여 밖으로 흘러나가기 때문이다.

〈기〉는 감각을 통하여 흘러가기 때문에, 감각이 외부를 향하고 있으면 그것에 따라 체내 원기는 필요 이상으로 소비되고, 몸은 그만큼 약해진다. 체내 원기를 체내에 많이 축적하려면, 〈복기〉로 외기를 보충하는 것과 동시에, 무리한 낭비를 되도록 조심하는 것이 필요하다. 현대 생활에서는 감각이 항상 대외적으로 움직이지 않을 수 없는 상황이기에, 비록 신체를 움직이지 않고 있어도 〈기〉의 유출은 거의 이루어지고 있어서 신체는 피폐되어 간다. 이것을 〈좌치(座馳)〉라 한다. 즉 앉아 있어도 달리고 있는 것과 같다는 것이다. 신체는 앉아 있어도 감각이 밖을 향하여 떠돌아다니기 때문에, 〈기〉가 그것에 따라 유출되어, 신체가 뛰어다니고 있는 것같이 피곤해진다는 것이다.

〈내관〉은 항상 밖을 향하는 감각 모두를 체내에 향하도록 되돌리는 기법이기 때문에, 체내 원기가 감각을 통하여 유출되는 것을 방지한다. 그리하여 〈복기〉에 의하여 섭취하는 외기와 화합하여, 체내 〈기〉의 축적을 늘려주기 때문에 신체가 강화된다.

예고해 두지만, 〈선도〉에서 말하는 육체의 강화란 뼈와 살을 늘린다는 것이 아니다. 일반적으로 육체의 강화는 몸이 커지고 살이 찌고 근골(筋骨)이 늠름해지는 것 같지만, 육체는 원래 붕괴되기 쉬운 조잡한 물질로 구성되어 있어 그것을 아무리 늘려보아도 조잡한 물질만 늘어날 뿐 〈불로불사〉의 몸이 되지는 못한다.

육체의 강화란 망가지기 쉬운 몸의 조직을 부패하지 않는 조직으로 전환시키는 것, 즉 몸을 이루는 물질의 양이 문제가 아니고 질이 문제이다. 구체적으로 말하면, 조잡한 물질(肉)을 적게 하고, 정묘한 물질(氣)을 늘려가며, 서서히 몸의 조직을 〈육〉에서 〈기〉로 전환시키는 것이다. 이것을 〈육소기다(肉少氣多)〉라고 하며, 〈기〉로써 형체를 기른다고 한다.

그리하여 그와 같은 신체를 〈정체(精體)〉라 한다. 선도의 형법은 모두가 이 목적을 위해서 행한다. 〈재계〉도 〈방중술〉도 모두 〈정〉을 축적하고 〈기〉를 누적하여 몸의 조직을 전환시킴을 목적으로 행한다. 이것을 〈적정누기〉라 하며, 〈내관〉도 그의 한 부분으로 되어 있다.

◆ 태일(太一)의 신

〈내관〉은 이상의 설명처럼, 마음을 평정하게 가지고 감정을 억제함과 동시에 〈기〉의 유출을 막고, 〈적정누기〉에도 커다란 역할을 한다. 그러나 〈내관〉의 가장 중요한 목적은 의지의 뜻대로 안 되는 체내 기구를 의지에 복종시키는 것이다. 그것은 육체 기구뿐만 아니라 정신 활동의 방면에도 영향을 끼친다.

우주의 원리인 〈도〉에는 인격적인 의지는 없으며, 〈도〉의 구체화인 〈기〉에도 당연히 의지는 없다. 생명도 〈기〉의 응집이므로 인간적인 의지는 없으며, 생성 발전이라는 자연적인 힘이 있을 뿐이다. 즉 생명은 〈도〉의 원리에 따라 그 본래의 모습을 완전히 발현하기 위하여 맹목적으로 움직이는 자연 에너지에 불과하다. 그 발현을 방해하거나 원활히 하는 것은 인간의 의지의 선택에 달려 있다.

인간은 의지에 따라 자기 신체의 메카니즘을 좌우할 수가 없다. 수의근이라는 근육일지라도 무엇 하나 의지만의 명령으로 움직일 수가 없다. 그것은 모두 체내의 신들에 의하여 행하여진다.

체내 신들의 조직은 마치 관청의 조직처럼 피라밋형으로 조직되어 있으며, 명령은 위에서 아래로 전달된가. 수행자가 〈내관〉에 의하여 면회해야 할 신은 체내 각부에 산재하는 3만 6천이란 신들이 아니고 피라밋의 정점에 자리잡은 신이다. 거기서 모든 명령이 하달하기 때문이다. 최고의 신을 〈태일(太一)〉이라 한다.

〈태일〉은 최고의 신이지만, 의지를 가진 존재는 아니다. 그것은 〈도〉의 원리에 따라서만 움직인다. 〈태일〉은 생명이다. 따라서 〈태일〉에 면접한다는 것은 생명을 안다는 것이 된다.

생명은 〈도〉에서 파생했다고 하기보다는 생명이 〈도〉 그 자체이다. 〈도〉에는 의지가 없으며, 법칙과 힘이 있을 뿐이다. 〈태일〉을 만나서 그의 협력은 얻는다는 것은 생명의 법칙과 힘을 의지에 의하여 방향을 정한다는 것이며, 그것이 생명의 기쁨이다.

욕망의 달성이 생명의 기쁨으로 된다는 것은, 〈도〉의 원리에 따라 맹목적인 생명의 힘을 의지의 방향으로 작용하도록 하는 것이다. 생명의 힘은 생성 발전을 향하여 강력하게 작용하기 때문에, 의지에 방향이 잡히면 그 방향으로 만난을 무릅쓰고 작용되어 의지의 목적을 필히 달성한다. 이것을 〈내관〉에 따라 행하는 것이다.

3. 마음의 재계

생명이 완전 발현을 달성하고자 할 때, 육체는 병들어 쇠퇴하고 정신도 약해진다. 그것은 달이 구름에 가려 달빛이 지상에 도달하지 못하는 것처럼, 생명의 발현을 방해하는 것이 있기 때문이다. 그것은 육체면에 있어서는 장년의 부자연한 생활 습관에 따른 신체의 뒤틀림이다. 그 뒤틀림을 교정하여 육체면에서의 생명의 완전 발현을 달성하고자 하는 노력이 〈재계〉이다.

그러나 방해물은 육체상의 뒤틀림뿐만이 아니다. 오히려 그것보다 큰 장애는 정신면에서의 생명 부정 작용이다. 생명은 인간에게 다른 동물에서 볼 수 없는 자각 능력을 주었다. 자각은 두뇌에서 생긴다. 자각이라는 것은 생명을 알고 그것을 의지의 힘으로 리드하는 것으로, 생명의 완전 발현을 달성하고 생명의 기쁨, 즉 인간의 참된 즐거움과 장생을 실현하기 위한 지혜이다.

그런데 인간은 두뇌의 능력으로 스스로의 생명을 괴롭히고 생명의 완전 발현을 방해하는 것과 같은 물질이나 문화를 만들어냈다. 그 결과 인간은 스스로 만들어낸 문명이나 문화라고 칭하는 도깨비를 유일한 의지로 삼고, 돈이나 기계에 밤낮 없이 혹사당하여 무기의 비호 아래 위장 평화를 유지하는 것 같은 물질의 노예로 전락한 것이다.

그것은 두뇌의 사용법이 잘못된 것이며, 항상 변화 유동하는 우주의 실상을 한정하는 천박하고 피상적인 감각에 입각한 선입관을 유일한 장점으로 착각한 때문이다. 삶이 막다른 골목에 처했을 때, 심각한 고민에 휘말릴 때, 지식이나 물질에서 해결의 길을 찾으려 해도, 그것은 전혀 쓸데없는 노력이라 할 것이다. 드디어 절망에 빠졌을 때, 신에게 구원을 빌어도 그것은 도리에 어긋나는 것이다.

위기에 빠지는 것은 〈도〉의 원리에 반하여 스스로 생명의 완전 발현을 방해한 때문이다. 그 방해물을 제거하면 저절로 〈도〉는 열리는 것이다. 살아 있는 자에게는 살 권리와 자격이 주어져 있는 것이다. 스스로 삶을 거부하는 행동을 하지 않으면, 당연히 살아갈 수 있는 것이다.

생명의 완전 발현을 저해하는 것을 마음으로부터 추방하는 것이 〈내관〉의 중요한 목적이다. 그러므로 〈내관〉은 마음의 〈재계〉라 하는 것이다.

◆인간 콤퓨터

〈내관〉은 생명의 완전 발현을 방해하는 정신 작용을 교정한다는 의미로 〈마음의 재계〉라고 할 수 있다.

그러면 생명의 완전 발현을 방해하는 심리적 작용은 무엇인가.

그것은 생명의 발현을 방해하는 육체상의 뒤틀림과 같이 자연에 반하는 정신적 뒤틀림이다.

인간에게는 오랫 동안 잘못된 사고(思考)의 궤도가 생겨났다. 그 원인은 기억과 선입관이다. 과거에 경험한 일들은 모두 기억의 저장고에 넣어놓고 있다. 그리하여 새로운 사태에 대면할 때, 인간은 기억에 의하여 사태에 대처하는 방침을 정한다.

그런데 기억에는 과거의 경험 이상으로 피할 수 없는 군살이 붙어 있는 경우가 많다. 과거에 돈을 잃어버린 경험이 있다고 하자. 돈을 잃어버린 것은 틀림없는 사실이다. 하지만 그것은 단지 돈을 잃어버렸다는 단순한 사실인데도, 기억할 때는 자기는 운이 나쁘다든가, 주의력이 부족하다든가 하는 부속물이 붙어서 기억의 저장고에 들어간다.

선입관도 마찬가지로 기억의 창고에 들어가는데, 이것은 자기가 경험한 사실이 아니고 지식이다. 그것은 듣고 보았다든가 배움에서 얻은 것을 그대로 넣어놓은 개념이다.

인간은 50세 정도 되면 암을 경계해야 한다든가, 불행은 계속해서 일어나는 것이라든가의 여러 가지 잡다한 지식을 모래알처럼 수없이 가지고 있으며, 그것을 모두 사후 대비의 기억 창고에 싸놓고 있다.

인간은 기억으로 살아간다. 그 증거는, 갑자기 기억을 상실한 사람은 살아가는 힘도 잃어버리고 허탈하게 된다.

그러나 인간은 동시에, 나쁜 기억은 되도록 잊어버리려고 하든가 감추려고 한다. 그것은 의식하지 않고 있어도, 자연히 주어진 기능이 그렇게 만든다. 왜냐 하면 나쁜 기억을 생생하게 되새기는 것은 견딜 수 없는 일이기 때문이다.

나쁜 기억은 잊어버리거나 숨기고, 평범한 얼굴을 하고 살아가지만, 기억이나 선입관은 일단 저축되고 나면 영원히 지워지지 않는 것이다. 비록 본인이 전혀 잊어버렸다 해도, 규칙적으로 되살아나 그대로 저장고에 넣어둔다. 그것은 인간이 새로운 사태에 직면할 때 그 사태에 대처하기 위한 자료로 된다.

콤퓨터는 이 원리를 이용한 것이다. 콤퓨터에는 우선 여러 잡다한 자료를 기억시켜 놓고, 그 자료에 기초하여 판단을 내리는 것이다.

인간의 기억도 전적으로 동일하다. 그러나 인간의 기억 저장고 안에는 온갖 종류의 무한한 자료가 들어 있다. 그 자료가 덧붙여진 나쁜 자료뿐이라면 그 결과는 어떻게 될는지는 설명할 필요가 없겠다.

그 결과 자기는 연약한 사람이라든가, 운이 나쁘다든가, 암이 걱정된다든가, 불행이 계속해서 일어나는 운명이라든가 하는 불안하고 어두운 예상만 차례로 콤퓨터의 해답으로 되어 나타난다.

이것이 생명의 완전 발현을 방해하여 본래 즐거워야 할 인생을 어두운 것으로 만든다.

◆의지와 잠재력

기억의 저장고를 심리학에서는 잠재의식이라고 한다. 우리의 육체가 비록 수의근이라 칭하는 근육이라 해도, 결국 의지의 명령대로 움직이는 것은 아무것도 없다는 것은 앞에서 설명한 대로이다.

그러나 이 육체의 기구는 생명(도)의 원리에 따라 움직이는 것이며, 소위 맹목적인 일정한 방향을 유지하지 않는 활동이다. 생명은 〈도〉의 원리에 따라서 생성 발전의 방향에만 전념하는 실행력을 나타내려고 하지만, 적극적인 의지를 가지는 것은 아니다. 그러므로 이 실행력을 욕망 달성의 수단으로 하기 위해서는 의지로써 방향을 잡아주는 것이 필요하다.

의지가 〈추체로(錐體路)〉에 전달되고, 추체로와 추체외로(錐體外路)와의 긴밀한 협조에 의하여, 본래 의지의 뜻대로 되지 않는 〈불수의부(不隨意部)〉가 의지대로 작동하는 것이다. 이것은 정신면에서도 똑같이 말할 수 있다. 잠재의식은 의지(表面意識)의 뜻대로 안 되지만, 선택력이 없는 활동이기 때문에 여기에 방향을 잡아주는 것이 필요하다. 이와 반대로 표면의식은 옳고 그름, 좋고 나쁜 것을 판단할 수 있는데 실행성은 없다.

인간의 행동은 얼핏 보기에 의지(표면의식)에 의하여 이루어지는 것으로 생각되지만, 의지에는 실행력이 없고, 다만 방향을 지시하는 것뿐으로, 실행은 잠재의식이 추체외로를 움직여 행동을 취하고 있는 것이다.

의지의 결정은 콤퓨터의 해답에 의하여 정하고, 그것이 추체외로, 잠재 행동력으로 전달되는 것이기 때문에, 인간의 운명은 결국 의지의 방향 제시 여하에 따른다고 하는 것이 된다.

이 때 두뇌에서 나오는 의지(理性)는 거의 무력하다. 이와 같은 인간의 메카니즘을 이해 못 하고, 두뇌력(理性力)을 과신하는 사람은 의지와 행동과 모순에 고민해야 한다. 고도의 이지력(理知力)을 지닌 사람이 불행한 생애를 마쳤다는 실례는 허다하며, 인간에게는 신성(神性)과 악마성(惡魔性)이 함께 존재한다는 것을 표현한 문학 작품도 수많이 있는데, 이 악마성은 다름 아닌 자기의 의지가 지령한 방향이다.

인간은 자기가 생각한 대로의 사람이 된다고 말하기도 하지만, 누구나 자기를 불행하게 하려는 사람은 없다. 그런데도 불구하고 의지에 반하여 불행한 반대 방향으로 유도되는 것은 운명론자나 신비론자와 같이, 별의 운명이나 신의 처벌이 아니라 자기의 사고 작용의 결과에 불과한 것이다.

즉 관념(想念) 이 자기의 운명을 만드는 것이다. 의식적으로는 자기를 불행하게 만들지 않으려고 해도, 콤퓨터의 결론이 잠재 실천력에 방향을 부여하여 스스로를 불행을 추구하도록 하기 때문에, 그 책임은 어디까지나 자기 자신에게 있는 것이다.

만일 기억의 저장고가 맑고 즐거운 자료로 차 있으면, 콤퓨터의 해답은 행복으로의 길을 지향하고, 그 사람은 별로 고생 없이 생을 즐길 수가 있을 것이다. 그리고 그것이야말로 생명의 환희이다.

〈내관〉은 강한 관념력으로 그릇된 사고의 습관을 교정하여, 체내의 최고신, 즉 생명의 협력을 얻어 기억의 창고를 정화하고 잠재력을 의지에 추종시키는 방법이다.

◆ 의지의 방향 부여

앞에서의 설명과 같이 인간의 행·불행은 스스로의 의지에 따라 정해지는데, 의지는 단지 방향을 부여시키는 것뿐으로 구체적인 지령은 잠재의식이 한다. 따라서 의지의 방향 부여는 명령이 아니고 희망이다.

간단한 예를 들어 보면, 담배를 피우고 싶다는 희망을 가지면, 잠재의식이 담배가 있는 장소, 그것을 얻을 수 있는 방법을 추체로에 가리킨다. 추체로는 추체외로를 작동시켜, 주머니에 손을 넣어 담배를 꺼내고 그것을 입으로 갖다 문다. 얼핏 의지대로 모든 행위가 이루어지고 있는 것처럼 보이지만, 의지에는 비록 수의근이 있어도 근육을 직접 움직이는 힘이 없다.

체내의 기구가 건전하게 조화를 유지하고 있는 한, 의지는 단지 생각(희망하는)뿐이고, 모든 것이 의지대로 움직이거나 희망(욕망)대로 달성되지 못한다. 어디에 가고자 생각할 때, 의지가 다리에게 움직일 것을 명령하거나, 좌우의 다리가 서로 걸어가도록 방법을 가르치고 있다 해도 이것은 자연이다.

그런데 부자연한 사고의 습관에 의하여 다리에게 걷는 방법을 가르치는 어리석음을 범하고 있는 것이다.

예를 들어 중요한 용건으로 어떤 장소에 가야 할 경우, 제대로 목적지에 도착할 수 있을까 하는 위구심이나, 만일 도착하지 못하면 하는 불안도 가진다. 그 위구심이나 불안도 의지이므로 체내 기구에 방향을 부여할 수 있어, 그 주제하에 콤퓨터가 여러가지 자료를 기초로 해답을 만들어 그것을 실행시킨다. 그 해답은 안 된다는 기초 아래, 만일 안 되면 어떻게 될 것인가 라고 하는 해답이며, 그 방향 부여에 따라 체내 기구는 움직이게 되므로, 결국 가장 두려운 결과가 실현하는 것으로 된다. 이 경우 그 사람은 두려워하고 있던 대로 되었다고 절망하지만, 그것은 누구를 원망하는 것도 아니고, 모두 자기의 의지에 의하여 스스로 불러들인 결과에 지나지 않는다.

목적지에 도착하는 것이 희망이면, 어째서 그 희망만을 강하게 갖지 못하는 것일까. 그렇게 되면 체내 기구는 그 희망의 달성을 위해 전지전능을 다하여 목적을 달성시키지 않고는 내버려두지 않을 것이다.

이 이론은, 〈사이코아이바네틱〉이란 가장 새로운 과학으로 이미 실증되어 있다.

그러나 이론적으로는 알고 있어도, 오랜 사고의 습관에 의하여 공포나 불안은 당연 잇달아 일어나는 것이다. 그것은 기억이나 선입관의 저장고 속에는 너무도 많은 특성이 쌓여 있기 때문이다. 이와 같은 특성이 항상 나쁜 생각의 염파(念波)를 방사하고 있어 사고를 혼란시키고 있는 것이다.

〈내관〉은 강한 관념력으로 이와 같은 나쁜 전파의 방해를 제거시켜서 체내의 〈태일의 신(生命)〉을 직시하고, 생명의 완전발현을 실현하려는 강력한 기법이다.

4. 〈내관〉의 기법

◆ 열등감을 극복하는 일상관(日想觀)

〈내관〉의 행법 중에 〈일상관(日想觀)〉이라는 기법이 있다. 이 〈일상관〉은 열등감 해소에 매우 효과가 있다.

인간은 누구나 열등감을 가지고 있다. 열등감도부자연스런 사고의 습관에 의하여 만들어진 정신면의 비틀림이다.

어린 시절에는 열등감이 부모나 선생님의 부주의한 언동이 암시로 되어 만들어진다. 너는 산수가 서툴어 라고 때때로 주의를 받으면, 그것이 암시로 되어 실제로 산수를 잘 못하게 된다. 그렇게 되면 자기 자신도 나는 산수에는 소질이 없다고 확인하는 꼴이 되어 산수에 대한 열등감이 생긴다. 어른이 되어서도 지위, 재산 등과 같은 허식적인 것이나 죄의식 등의 망상이 자기 암시의 자료로 되어 열등감이 만들어진다.

열등감을 극복하기 위해서는 열등감의 대상이 되고 있는 사물을 적극적으로 극복하면 된다. 예를 들면 산수에 약한 사람은 산수를 열심히 하여 잘하도록 노력하면 된다. 하지만 일단 열등감이 생기면 최면술에 걸린 사람처럼, 자기에게는 능력이 없다는 잠재적 신념이 굳게 자리잡아 뽑기 힘든 강한 힘을 가지고 그 사람을 끌어당기기 때문에, 아무리 해도 그것을 때려눕힐 수가 없다. 그리하여 역으로 약점을 감추려고 하여 오히려 열등감을 심화시키는 결과에 그치고 만다.

〈일상관(日想觀)〉은 태양을 마주보고 행한다.

우선 〈향양복기법(向陽服氣法; 54페이지 참조)〉에 의하여 태양 에너지를 복기하고, 다음 눈을 감고, 태양 광선이 몸 표면에서 체내에 침투하며, 체내가 태양빛으로 충만하여 그 빛이 체외로도 넘쳐서, 외부의 빛과 합류하여 눈부신 광망(光茫)한 바다에 투입되어 자기가 태양인지 태양이 자기인지 알 수 없게 되는 상태를 강한 관념으로 뇌리에 투영시킨다.

태고의 인류가 태양을 두려워하여 신성시한 기분은 그대로 인류의 몸 속에 남아 있고, 태양 광선이 어두움이나 습기를 몰아내고 만물에게 사랑과 밝은 희망을 주고 있는 것을 우리는 선천적으로 알고 있다.

체내에 침투한 태양빛은 체내의 어두움이나 그늘을 제거하고 열등감이나 침울감을 일소하여 밝은 희망과 강한 자신감을 심어준다.

숨긴다는 것은 따뜻이 보존한다는 것이다. 음폐하여 남을 속일 수는 있어도, 숨기면 숨길수록 강해지는 것이 열등감이다. 그것을 밝은 데로 끄집어내어 강렬한 힘으로 무산시켜 버리는 것 이상은 아무것도 없다. 열등감은 〈일상관〉에 의하여 완전히 극복할 수 있다.

◆ 희망을 달성하는 연수관(軟酥觀)

〈연수관〉은 제3장 〈각병술〉에서 설명한 바 있지만, 단지 병의 치료뿐만 아니라 욕망 달성의 기법으로서도 탁월한 효과가 있다. 이미 여러번 설명했듯이, 〈선도〉의 행법은 생명의 완전 발현을 달성하기 위한 수단으로, 병이나 악벽(惡癖)처럼 생명의 완전 발현을 방해하는 것에 대하여는 그것을 배제하기 위한 수단인 동시에, 그 행법이 생명의 완전 발현을 적극적으로 조장하는 방법으로도 응용한다. 생명의 기구는 극히 복잡하고 정밀한 반면, 또한 매우 단순하고 명쾌하다. 왜냐 하면 생명은 누구의 명령을 받지 않아도 자연적으로 그 기능을 발휘하면서도 완전무결한 것이기 때문이다. 생명이 완전 발현되면 병이나 불행이 있을 수 없기 때문에, 우리는 오로지 생명의 발현을 방해하는 것을 제거하여 생명 활동에 일정한 방향을 부여하고, 나머지는 전부 생명력에 맡겨두면, 자연히 건강해지고 행복해지며 즐겁게 오래 살 수 있는 것이다.

그런데도 사람은 생명의 완전성을 믿으려 하지 않고, 지식이나 물질에 의지하여 자연에 반대되는 인위적 방법으로 자기의 행복을 얻으려 하며, 서로 중상 모략으로 헐뜯고, 보이지 않는 적에게 겁먹어 심신을 피폐시키는가 하면, 물질에 눈이 어두워 주체성을 상실하고 스스로 불행을 초래시킴과 동시에 인생에서 즐거움을 상실하고 마는 것이다.

생명 자체에는 의지가 없고 욕망도 없지만, 생명의 완전 발현을 달성하기 위한 욕망의 달성은 생명의 기쁨이며, 인생의 즐거움 또한 거기에 있다. 어떤 사람은 욕망을 죄악시하며, 욕망이 없는 것이 미덕이라고 생각하고 있지만, 그것은 생명의 법칙을 무시하고, 인생의 즐거움을 스스로 포기하는 태도이지, 결코 건전하게 사는 방법이 아니다.

올바른 욕망은 생명의 완전 발현에 필요한 것이다. 욕망의 달성은 생명의 기쁨이므로 보다 적극적으로 욕망의 달성을 위하여 노력할 것이며, 방법이 그릇되지 않으면 반드시 달성된다. 보통 같은 욕망이라도 생명의 발현을 저해하는 것은 피하지 않으면 안 된다. 배 고플 때 먹고 싶다는 욕망이 일어나는 것은 당연하며, 그의 달성은 생명 활동에 절대 필요한 것이므로 올바른 욕망이다. 하지만 단순히 관능을 만족시키려고 때를 가리지 않고 포식하는 것은 생명을 손상시키는 것이므로, 올바른 욕망이라 할 수 없다. 그와 같이 그릇된 욕망은 그것이 생긴 후 억제할 것이 아니라, 자연히 일어나지 않도록 하는 것이 올바른 방법이며,그 때문에 〈재계〉 및 그 밖의 행법이 있는 것이다.

〈연수관〉을 욕망의 달성 수단으로 하기 위해서는, 우선 머리 위에 오리알 크기의 〈연수〉를 상정(想定)하고, 그것이 체온에 의하여 녹아서 머리 속으로 침투하여 서서히 신체의 각 부분을 적시며 흘러내리는 상태를 강한 관념으로 상상한다. 병의 치료를 목적으로 하는 경우에는 연수가 모든 병을 치유하는 천부의 영약이라는 것을 확신하는 것이지만, 욕망 달성의 경우에는 연수를 욕망의 대상물이라고 생각한다. 돈이 욕심날 때는 연수를 황금으로 상정하여, 그것이 체내로 흘러내려 허리에서부터 아래에 고여서는 다시 기체가 되어 역으로 체내를 상승하여 온 몸에 황금이 충만하는 상태를 상상하는 것이다. 이 때 잊어서는 안 되는 것은, 관념으로 상상하는 것은 자기가 이미 필요한 돈을 입수하여 그것에 의하여 생명이 자극되어 활동하고 있는 결과적 심상(心像)이며, 금전 입수의 수단 방법을 상상해서는 안 되는 것이다.

희망의 달성은 그것이 정당한 것인 이상 단지 생각만으로 그치는 것이지, 그 수단 방법을 의지로 지적하는 것은 쓸데없는 일일 뿐만 아니라, 오히려 달성시키는 수단을 한정시키고 달성 자체를 곤란하게 할 우려가 있다.

어떤 지위를 얻을 필요가 있을 때는, 연수가 흘러내리고 상승하여 자기를 그 지위에 맞추어 복장이나 태도도 모두 그 지위에 있는 사람을 강하게 심상하는 관념이다.

5. 관념은 물질이다

〈내관〉은 〈관념〉을 강하게 하는 훈련인데, 강한 집중력이 있는 관념은 물질화시킨다. 〈내관법〉에 의하여 욕망이 달성되는 것은 이 때문이다. 한결같이 물질에는 관념이 선행한다.

주변에 있는 가구류, 예를 들면 책상이나 의자도 그것이 현재의 물건으로 만들어지기 전에 이미 제작자의 관념에 의하여 만들어졌다. 목재나 철재, 그리고 못과 천이 책상이나 의자를 만든 것이 아니다. 그것들은 단지 재료로 쓰여진 것에 불과하다. 또한 제작자의 손이나 기계가 만든 것도 아니다. 그것들은 정해진 양식에 따라 그의 현실화를 위해 거들어준 것에 불과하다.

책상이나 의자는 목재나 못을 재료로 해서 만들어져 있는데, 더 깊이 파고들면 그것은 〈기〉로 만들어져 있다. 〈기〉는 형체가 없는 파동적인 존재이지만, 그것이 집결하여 물질이 된 것이다.

〈관념〉 또한 〈기〉이다. 관념이라는 〈기〉가 응집하여 구체적인 형체를 이루었을 때, 그것이 현실화하는 것은 이미 시간 문제이다. 관념이 물질화되려면 관념의 집중이 이루어져야 하는데, 흐트러진 관념은 단지 〈기〉로써만 존재할 뿐 물질화할 수는 없다. 또 약한 관념으로도 물질화는 어렵다. 때문에 관념에는 강한 힘과 집중력이 필요하다.

그러므로 〈내관〉에 의하여 욕망을 달성하는 데는, 강한 관념을 집중시켜 달성하고자 하는 결과를 낱낱이 구체적으로 심상에 그려내지 않으면 안 된다.

심상이라는 것은 머리(마음) 속에 그 구체적인 모습을 심는 것이다. 이것은 일시적이 아니라 항상 간직하는 것이 필요하다. 그 심상이 구체성이 강하며 선명할수록 현실화는 빨라진다. 그러나 현실화에 대해서도 의지를 개입시키지 않는다는 것이다. 생명력은 심상에 표시된 양상에 따라 행동을 개시하는데, 얼핏 반대 방향으로 가는 것처럼 보이는 일이 있다. 그 때 의심을 품거나 행동을 중지한 채 변경시키거나 하면, 예정된 행동에 지장을 가져와서 현실화가 그만큼 늦어진다.

생명의 기구는 천박한 사람의 지식으로는 엿볼 수 없는 오묘함과 미묘함 그리고 단순함을 가지고 있다.

앞에서 설명한 〈3소법〉이란 행법 중에 〈사소〉라고 하는 것은 이것을 말하는 것이고, 의심한다든가, 혹시 하고 불안하다든가, 어떻게 하면(인위)이라든가, 아무래도(긴장)라는 사고는 분명 쓸데없는 것이며 오히려 삶을 손상시킨다는 것이다.

우리는 살기 위해서 그저 당면한 문제에 대하여 결론적인 의지(희망)만이라도 가지면 되는 것이다. 우리가 살고 있는 이상 우리는 살 자격과 권리가 있음을 당당히 주장하고, 생명의 발현을 확신하고 있으면 그것으로 만사가 잘 풀릴 것이다.

이러한 확신이 가져질 수 있을 때, 여하한 역경에 처해지더라도 당황하여 감정을 폭팔시키지 않고 편안히 생활하여 갈 수가 있는 것이다. 이것이 〈안처제감〉이라고 하는 것이다.

6. 〈내관〉과 최면법(催眠法)

최면법에는 시술자(施術者)가 피시술자에게 거는 소위 최면술과 자기 혼자 하는 자기 최면법이 있는데, 방법은 다르지만 원리는 같다.

앞에서의 설명대로 의지가 행동(결과)으로 되어 나타나는 것은, 우선 의지가 희망하고 그것이 추체로(錐體路)에 전달되어 추체로와 추체외로(錐體外路)와의 협조에 따라 근육이 움직인다는 경로를 밟게 된다. 그런데 그릇된 사고의 습관에 따라 의지가 분열되어 나타나고, 기억과 선입관의 저장고에 있는 잠재의식이 반의지적인 전달을 취체로에 제공하여 그것에 따라 기대했던 것과 반대되는 결과가 나타나는 것이다.

그리하여 최면술에서는, 우선 본인의 표면의식을 잠재워 시술자가 직접 본인의 잠재의식에 지시를 내리는 것이다. 도벽(盜癖)이 있는 사람은 훔칠 의사가 없는데도 손이 멋대로 훔쳐버리고 마는데, 이것은 훔쳐서는 안 된다는 의지 이면에는 훔칠지도 모르겠다는 무의식적인 의지(불안)가 작동되어, 콤퓨터가 과거의 기억과 선입관의 자료를 모아서 훔친다는 지령을 추체로에 전달하기 때문이다.

그런데 본인을 대신하여 제3자인 시술자가 훔치지 않는다는 분명한 테마를 잠재의식에 주어, 그것을 반복하는 것에 의하여 콤퓨터에 훔치지 않는다는 테마를 기억시키는 것이다.

그러나 최면술을 필요로 하는 사람은 원래 의지가 분열하여 움직이는 사람으로서, 항상 일상적인 사고의 습관이 잘못 되어 있으며, 기억의 저장고에 나쁜 자료가 모아져 있는 사람이다.

최면술에는 폐해도 있기 때문에, 그것을 피하기 위해서 고안된 것이 자기 최면법이다. 자기 최면의 경우에는, 최면술처럼 표면의식을 완전히 잠재울 수는 없다. 다만 신체와 의지의 긴장을 풀어 분열적으로 움직이는 것을 약화시키며, 한편으로는 강한 암시로서 잠재의식을 정화시키려는 방법이다.

여하간 최면술은 암시에 의하여 잠재의식을 의지의 지배하에 두는 것을 주안점으로 하고 있다.

그것들은 사용 목적에 따라서는 매우 유효하다. 무통 수술이나 의료의 보조 수단에는 유해한 약재 등의 사용도 필요하며 결과적으로는 바람직한 방법이지만, 반면에 그의 남용은 중대한 폐해를 수반하는 위험성이 있다. 그것은 암시라는 점에 있다.

암시란 타인 자기를 가리지 않고 어떤 특정한 틀 속에 맞추는 것이다. 즉 포박하는 것이며 생명 활동의 자유를 제한하는 것이다. 잠재의식에는 선택력이 없으므로, 부여된 암시가 생명력의 발현에 좋고 나쁜 것을 판단하지 못하고, 단지 암시대로 움직인다.

만일 잘못된 암시가 부여되면, 그것은 생명의 완전 발현을 방해하는 결과가 된다.

그 다음 이것은 주로 남을 최면하는 경우인데, 피술자의 의지는 필요없게 되므로 의지의 훈련이 되지는 못하고, 역으로 의지를 약화시킨다.

선도의 내관법은 자기 최면에 닮은 부분도 있으나, 의식의 집중에 따라 의지 그것을 훈련시키고 나쁜 결과를 초래할 근본적 원인인 의지의 분열, 사고 습관의 잘못을 교정하는 것이 목적이다.

〈내관〉에는 구체적 수단 방법을 개입시키지 않는다. 〈일상관〉의 경우, 태양 에너지가 체내에 침투하여 몸의 내외가 강렬한 빛에 싸인다는 것은 일종의 암시이다. 그런데 그것은 생명(太一神)을 직시하기 위한 방법이며, 앞으로 어떤 행동을 취할 것인가에 대하여는 일체 생명의 작용에 위임하여 의지를 개입시키지 않기 때문에, 생명은 자유분방하게 생명 활동을 진행하고, 본래의 생명의 완전 발현을 향하여 움직인다. 따라서 인위적 방법에 의한 생명 활동의 제한 또는 비틀림은 있을 수 없다.

그 밖에 중요한 것은, 〈내관〉은 마음의 〈재계〉이며, 보다 더 큰 목표를 달성하기 위한 준비적 행법이라는 것이다.

이것은 최면법이 병의 치료나 악벽의 교정이라는 목적 달성만을 목표로 하는 수단인 데 비하여, 내관법은 〈도〉와의 일체화 또는 즐겁게 오래 산다는 선도 궁극의 목표에 도달하기 위한 1단계적 기법인 것이며, 병의 치유나 희망 달성이라는 효과는 그 과정 중에 생기는 부산물적 효과에 지나지 않는다. 이것은 제1단계 재계 부분이 육체의 건강을 목표로 한 단순한 건강법이 아닌 것과 같다.

선도 수행을 희망하는 자는 〈재계〉, 〈내관〉을 기초로 하여 보다 높은 인간 완성으로의 길로 걸음을 내딛지 않으면 안 되겠다.

제 7 장 초능력(超能力)의 개발

1. 인간의 능력과 상식

성경에는 예수가 물 위를 걸어다녔다든가, 앉은뱅이 여인을 말 한 마디로 일으켜 세웠다는 여러 가지 불가사의한 일이 기록되어 있다.

이것은 보통 그리스도의 기적이라고 하는데, 목사나 신학자 중에는 그것은 신앙심을 두텁게 하려는 방편으로 진실처럼 전해진 것에 지나지 않는다고 해석하는 사람도 있으며, 또 한편으로는 예수는 신이기 때문에 보통 사람에게는 없는 초능력이 갖추어져 있기 때문이라고도 한다.

초자연능력이라는 말처럼 넌센스한 말도 없다. 왜냐 하면 우주의 존재를 총괄하는 것은 자연이며 자연을 넘어선 존재라는 것은 있을 수가 없기 때문이다.

이들 사람들이 말하려는 의도는 초자연이 아니고 초상식이라는 의미일 것이라고 생각한다. 또 기적을 과장된 허구로 생각하는 사람들도 결국 그 사람들의 상식이 해석의 근거로 되어 있을 것이다.

중국의 깊숙한 곳에 사는 사람은 한번도 철로 만든 배를 본 적이 없어서, 아무리 이야기해도 쇠가 물에 뜰 수가 없다고 주장하며 아무래도 납득하지 않으므로, 양자강을 따라 하구까지 데려와 하구에 정박하고 있는 커다란 배를 보이자 그 배를 망치로 두드려 보고 나서야 기적이라고 감탄했다는 말이 있다.

또 전시에 텔레비젼 연구에 몰두하고 있던 어떤 학자가, 먼 곳의 경치를 그대로 즉시 볼 수 있는 장치를 만든다고 해서 일반 사람들로부터 미친 놈 취급을 받았다는 이야기는 이미 오래 전 이야기이지만, 그러나 그 학자를 비웃던 사람들이 현재 텔레비젼을 보고 조금도 이상하다고 생각하지 않는다.

일반적으로 인간은 현재 있는 것에 대하여는 조금도 의심을 갖지 않지만, 현재 없는 것에 대하여는 모두 있을 수 없는 것으로 생각하는 경향이 있다.

얼마 전 작고한 오펜 하이머라는 물리학자는, 일반 대중이 그 학자의 설을 이해하려면 백년 이상의 세월을 요한다고 한다. 그것은 일반 사람들이 상식이라는 고정 관념에 묶여서 우주의 실상을 볼 수 있는 자유를 잃었기 때문이다.

앞에서도 설명한 바와 같이, 지식이라는 것은 사물을 분류 정리하기 위한 편의적인 도구이지, 결코 사물의 실상에 대한 설명은 아니다. 그런데도 사람들은 지식에 의하여 우주 만물을 인식하려고 하기 때문에 실상을 볼 수 없는 것이다. 사람들은 사물을 판단하는 데 그 사물을 정확히 관찰하려 하지 않고 알고 있는 지식만을 기초로 하여 생각한다. 예를 들면 하늘을 바라볼 때, 눈은 하늘을 바라보고 있으나 실제로는 하늘은 푸르다는 기성 개념이 선행한다. 이것은 그림을 그려보라고 하면 곧 알게 된다.

이것을 상식이라고 한다.

능력의 경우도 어떤 능력이 상식의 선으로 그은 선을 넘어설 때에는 실제로 일어났던 경우에도 있을 수 없는 것으로 부인하든가, 초자연력으로 특수하게 취급해서 상식을 견지하려고 한다.

◆ 능력의 한계

일반 사람들이 믿고 있는 인간의 능력 한계는 무엇일까.

제 1 장에서 설명한 것처럼, 인간의 〈생〉의 길이는 한계가 없다는 학문적 결론에도 불구하고, 일반 사람들은 어떤 표준이나 한계를 굳게 믿고 있다. 그것은 과거의 통계에 의한 평균치를 생존 기간의 표준 내지 한계로 생각하고 있기 때문이다.

능력에 대해서도 같은 것을 이야기할 수 있다.

역시 육체의 운동에는 어떤 일정한 한도가 있다. 예를 들면 무릎을 편 채 다리를 앞으로 올리는 경우, 90도 이상 넘을 때 근육이 땡기는 작용이 일어난다. 또 무릎 관절은 180도 이상으로 할 수가 없다. 시력도 0.7미크론에서 0.36미크론의 범위 외의 진동수는 육안으로 볼 수 없다.

그처럼 인간의 육체는 일정한 조건이나 한계가 있다. 그러나 그것은 한 인간의 총력의 한계는 아니다. 또 그 한계라 하는 것은 개인차가 커서 일반적인 것도 아니다.

전쟁 중 남방의 정글 지대에서 작전에 종군했던 부대가 어둠을 꿰뚫어보는 훈련을 했다. 너무 짧은 훈련 기간이었기 때문에 현저한 성과는 못 올렸으나, 그래도 어둠 속에서 100미터 정도 전방의 개나 사람의 동향을 식별할 수 있게 되었다고 한다.

옛날 사람 중에는 수직으로 된 벽에 도마뱀처럼 달라붙거나,

고양이처럼 소리를 안 내고 걸을 수도 있었다고 한다. 또 중국의 무예를 하는 사람은 무릎을 구부리지 않고 선 자세에서 수십자 높이까지 도약하는 초인적 기술을 사용하는 사람이 있었다고 한다.

이것들은 어릴 때부터 심한 훈련의 결과로 얻어진 능력이다. 만일 인간의 능력에 한계가 있다면, 아무리 훈련해도 되지 않을 것이다.

어둠 속에서도 대낮과 같이 물건을 보는 동물들이 있다. 또 곤충도 미래를 내다보는 능력을 가진 것이 있다. 동물 중에서 가장 뛰어난 능력을 가지는 인간이 그와 같은 능력이 없다는 것은 믿기 어려운 이야기이다.

능력에는 한계가 없다. 다만 모든 사람에게 가능성은 갖추어져 있으나, 그것을 개발하고 행사해야 비로소 능력으로 되어지는 것이지, 개발을 안 하면 귀한 물건이 썩는 것과 같으며, 그 능력을 발휘할 수가 없다.

일반적으로 초능력이라 해도 특수한 사람만이 갖춘 능력은 아니고, 만인이 모두 능력을 가지고 있으나 개발의 노력을 하지 않기 때문에 발휘되지 못하는 능력이다.

반대로 누구나 가지고 있는 일반적인 능력이라고 생각되지만, 사용하지 않고 있으면 점차로 퇴화하여 마침내 능력이라 할 수 없게 된다. 예를 들면 걷는다는 능력도 자동차만 늘 타는 사람의 다리는 매우 쇠퇴해진다. 장차 엘리베이터나 에스컬레이터뿐만 아니라 움직이는 도로가 등장하면, 인간의 다리는 걷는다는 능력을 상실할지도 모르겠다.

이런 사실들을 종합하여 생각해 보면, 능력에는 기준도 한계도 없으며, 단지 훈련의 개발 여부가 능력의 유무를 결정한다는 것을 알 수 있다.

◆ 초능력은 누구나 할 수 있다

인간에게는 누구나 초능력이 갖추어져 있다는 구체적인 예 2, 3개를 들어보겠다.

우리가 길을 걷고 있을 때 자주 경험하는 일인데, 지나친 사람을 뒤돌아보면 상대편도 뒤돌아보아 시선이 딱 마주쳐서, 서로 어색한 느낌을 가지게 되는 경우가 있다.

이것은 우리가 보통 우연이라고 하지만, 우연이라는 것은 원인을 분명히 알 수 없는 현상에 대한 속임수의 말이며, 알지 못하는 것을 모두 우연으로 처리해 버리려는 것은 진실한 태도가 아니다. 이와 같은 현상은 우연이라고 할 수 없으며, 사람의 마음이 통하여 일어나는 필연적 현상이다. 이것을 심리학에서는 텔레파시라 하며, 인간의 초능력의 하나이다. 이것을 우연으로 보아 버리려는 사람은 자기의 초능력을 알아차리지 못하고 스스로 권리를 포기하고 마는 사람이다. 그러므로 그 능력을 믿고 훈련으로 능력을 길러 가려고 노력하는 사람은 초능력의 소유자가 된다.

또 우리는 미래에 대하여 예감을 가지는 수가 가끔 있다. 그것은 머리로 생각해내는 것이 아니라, 어떤 이유도 없이 갑자기 마음에 떠오른다. 속된 말로 새가 이것을 알려주었다고 하지만, 그것은 인간이 태어날 때부터 가지고 있는 미래 예지 능력의 작용이다. 때때로 만나고 싶어하던 사람을 꿈에서 만나는 일도 있다. 그것은 만나고 싶은 생각이 꿈에서 실현된 것이라고 해석되고 있지만, 그것으로는 해답이 되지 않는다. 어째서 만나고 싶다고 생각하고 있으면 꿈에서 보이는가 하는 것을 좀더 깊이 파내려가면, 그것도 인간이 가지고 있는 능력이라는 결론에 도달한다.

이와 같은 체험은 일상 생활에서 이상한 일이 아니다. 그러므로 별로 신기하다고 생각하지 않지만, 사실은 인간에게는 누구나 초능력이라는 능력이 갖추어져 있다는 증거이다.

그것은 미국의 J.B. 라인 박사와 그 밖의 학자들이 과학적으로 실증한 결론이다. 심지어 곤충이나 하등동물이 갖추고 있는 능력이, 만물의 장이라 불리어지는 인간에게 갖추어지지 않았다고 할 수 있겠는가. 그것이 일반에게 믿어지지 않는 것은, 상식이라는 잘못된 선입관에 사람들이 묶이어 사고(思考)의 자유, 행동의 자유를 상실하고 있기 때문이다.

이미 일부 과학자 들에 의해서 실증되어 있는 것처럼, 인간에게는 누구나 보통 초능력이라 불리우는 능력이 갖추어져 있고, 현재 대부분의 사람은 그 능력을 무의식중에 사용하고 있음에도 불구하고, 선입관에 의하여 만들어진 상식을 고집하여 스스로의 능력을 과소평가하고 그것을 개발하려 하지 않기 때문에, 당연히 붙잡을 수 있는 인생의 즐거움을 쥐어잡을 수가 없으며, 모처럼 가지고 있는 보물을 땅속 깊이 묻어둔 채 세상을 떠나지 않으면 안 되는 것이다.

닭이 서 있는 주위에 분필로 둥글게 원을 그려 놓으면, 닭은 갇혔구나 하고 잘못 믿고 움직이려 하지 않는다. 마찬가지로 스스로의 잠재 능력을 부인하는 사람은 마치 이 닭과 같은 사람이다. 그 사람들은 상식이라고 하는 분필로 스스로 자기 주위에 원을 긋고, 그 끊기 어려운 인연에 붙잡혀 자기가 가지고 있는 능력을 사용할 수가 없는 사람들이다.

2. 능력의 개발

갓태어난 아기에게는 지껄일 능력도 걸을 능력도 없다. 그러나 언젠가는 그렇게 할 수 있는 가능성, 즉 잠재 능력을 가지고 있다. 그리고 훈련에 의하여 그 능력을 가지게 된다.

수영을 못하는 사람은 자기에게는 처음부터 수영할 수 있는 능력이 갖추어지지 않았다고 생각할지 모르나, 누구든 처음부터 헤엄칠 수 있는 사람은 없다. 헤엄치는 능력은 누구에게나 잠재력으로 갖추어져 있으며, 그것을 개발하여야 비로소 수영할 능력을 가지는 것이다. 그러면서 훈련을 거듭해 가면, 물고기에 지지 않는 수영 능력을 가질 수도 있다.

따라서 능력이 있느냐 없느냐는 잠재 능력을 개발하느냐 안 하느냐에 따라 정해지는 것이며, 거기에는 일정한 한계가 있을 리 없고, 훈련 여하에 따라서는 얼마든지 향상시킬 수 있다는 것을 알 수 있다.

선인은 천리길을 날아가듯이 달리고도 조금도 피곤하지 않는 보행법을 터득하고 있는데, 이것도 누구나 가지고 있는 단순히 걷는다는 능력을 끝까지 개발한 결과 얻어진 능력이며, 결코 영적 능력이나 초자연적 능력 같은 특수한 능력이 아니다. 일반 사람이 하지 못하는 것 같은 초능력이라는 것도, 결국 보통의 능력을 최후까지 훈련했든가, 인간의 잠재 능력을 철저히 개발했기 때문이다. 즉 초능력도 일반 능력의 연장에 지나지 않는다고 할 수 있다.

다만 능력에는 한계가 없으나, 그것을 개발하기 위하여는 스스로 방법을 찾는 것이 당연하다. 모처럼 내재하고 있는 능력이지만, 적절한 개발 및 훈련 방법을 모르면 충분히 활용할 수가 없다.

인간은 자기가 가지고 있는 능력을 완전히 발휘하여 인생에 공헌함으로써 사는 즐거움이 있다고 할 것인데, 잠재력이 충분히 활용되면 아마도 인생에서 불가능은 없어질 것이다. 불가능이 없어진다는 것은 모든 것이 뜻대로 된다는 것으로, 달성되지 않는 욕망은 하나도 없고, 두려울 것도 하나도 없다. 이런 인생이야말로 진정 즐거운 인생이라 할 것이다.

세상에는 매우 재간이 좋은 사람이 있다. 내가 알고 있는 사람 중에 재봉에 도통한 사람이 있어, 이 사람은 다른 사람의 절반 이하의 시간에 옷을 만들어낸다. 이처럼 개개인의 재능은 태어날 때부터 능력의 혜택을 받고 있다. 그러나 비록 태어날 때부터 재능에 소질이 없는 사람이라도 훈련 방법이나 노력을 터득하고 나면, 누구나 그와 같은 일을 할 수 있다. 반대로 태어날 때부터 재간이 뛰어나도 그 재간을 또다시 갈고 닦는 노력을 게을리 하면, 속된 말로 재간동이 가난하다는 식으로 인생의 즐거움을 증진시키는 데 쓸모없는 사람이 되고 만다.

초능력이 보통 능력의 연장인 이상, 그 개발에는 우선 가지고 있는 일반 능력을 길러나가는 훈련이 필요하다. 다만 능력에는 육체력, 두뇌력, 정신력 등의 여러 분야가 있으며, 그것이 종합된 것이 인간의 능력이다. 근육만의 훈련, 두뇌만의 단련, 또는 정신력의 연마에 편중하면, 각각 그 기관의 혹사에 그치고, 오히려 전체의 삶을 손상시키는 결과를 초래하게 되므로 주의하지 않으면 안 된다.

◆ **체력, 정신력, 기력(氣力)**

기술이나 힘을 겨룰 때 기력(氣力)이라는 것이 있다. 체력이 같거나 혹은 열세인 경우에도 기력으로 이길 수 있다고 한다. 실제로 씨름 등에서 체력이 훨씬 우세한 장사가 작은 장사한테 지는 일이 흔히 있다.

보통 기력이라 하는 것은 정신력이란 의미로 쓰여진다. 그러나 가만히 생각해 보면, 육체와 육체가 힘을 다툴 때 정신력이라는 것이 개입할 여지가 없을 것이다. 만일 개입한다면, 그것은 직접 개입이 아니고, 정신력이 육체력을 강화하여 상대의 육체력을 압도한다는 것이다. 육체와 정신은 생명 활동의 두 개 면에 지나지 않으므로, 육체력과 정신력이 서로 별개로 존재하는 것이 아니라, 그의 종합력이 그 사람의 힘일 것이다. 따라서 육체력은 떨어져도 정신력이 강하여 승리했다는 것은 성립되지 않는다. 원래 육체도 정신도 모두 〈기〉로 이루어지고, 〈기〉의 발현이 힘이다. 〈기〉가 충실하다는 것은 정신면에 있어서나 육체면에 있어서나 힘이 세다는 것이 된다.

속된 말로 기력이라 하는 것은 정신력이 아니고, 정신적으로나 육체적으로나 〈기〉가 충실하다는 것이다. 기력은 정신력도 아니고, 또 육체력이나 정신력과는 별개로 존재하는 힘도 아니다. 다만 〈기〉나 힘이 동등한 경우 승부에 이긴다고 할 때 기력의 상위(相違)라고 하는 것은, 육체 및 정신에 〈기〉가 충실해 있을 뿐만 아니라 당면한 목적에 대해 〈기〉가 집중하느냐 안 하느냐의 문제로 되는 것이다.

즉 기력이라는 것은 육체력과 정신력과의 별개의 힘이 아니고, 체내에 충실해진 〈기〉가 한 곳으로 집중하는 힘이다. 〈기〉가 목적한 한 곳으로 집중하면, 정신력도 육체력도 비약적으로 강화된다. 그것에 의하여 승부에 이기는 것이다.

체력이 열세인 사람이 체력이 우수한 사람에게 이기는 것은, 정신력에 의하는 것이 아니고, 〈기〉의 강화에 의하여 육체력이 상대보다 강해지기 때문이다. 체력의 우열을 겨루는 경우, 마땅히 육체력이 기준이 될 것이다. 그러나 그 경우의 육체력이라는 것은 체중이나 신장 등의 외면적인 것이 아니고, 어디까지나 실질적인 힘이다.

아무리 강대한 체격의 소유자일지라도 한 곳으로 힘이 집중되지 않을 때는, 체력은 분산하여 큰 힘으로 되지 않는다. 체격이 열세인 사람이 강대한 상대를 쓰러뜨리는 것은, 〈기〉가 집중하여 큰 힘으로 되기 때문이다. 그 경우 몸집의 크기나 근육이 세고 약함은 대세를 좌우하는 승부를 결정하는 수단이 되지 않는다. 물론 정신력 등은 문제가 되지 않는다.

정신력이 문제가 되는 것은, 〈기〉의 집중이 관념력에 의하여 행해지는 관념력을 일반적으로 정신력이라 하기 때문이다.

요는 체력, 정신력, 기력이라 하는 것은 별개의 것들이 아니고, 체력이나 정신력도 〈기〉의 활동이기 때문에 모두 기력이며, 그 〈기〉가 집중적으로 작용되는가의 여하에 따라 체력이나 정신력의 강약을 알게 된다. 그리하여 〈기〉를 집중적으로 작용시키기 위해서는 관념의 힘을 강화시키지 않으면 안 되며, 관념의 힘을 강화시키려면 육체가 조화되어 있지 않으면 안 된다는 상관관계가 있는 것이다.

〈선도〉에서는 우선 육체의 고장을 교정하여, 〈기〉의 원활한 순환을 꾀하고, 정신면을 정화하여 〈기〉의 부드러운 작용을 촉진한 뒤, 〈기〉의 집중에 의하여 능력의 강화신장을 기도하는 것이다.

◆ 〈기〉의 집중(煉氣)

〈기〉의 집중은 관념에 의해서 행해진다. 〈기〉는 관념에 따라 움직이기 때문이다.

〈복기〉에 의해 체내에 집어넣은 원기를 체내 각부에 순환시키는 것도 관념의 유도에 따라 행한다. 이것을 〈행기(行氣)〉라 한다. 〈행기〉에 대해서는 이미 설명했지만, 이와 마찬가지로 〈기〉를 어떤 곳으로 집중시키는 것도 관념에 따라 행한다. 그리고 이 방법을 〈연기(煉氣)〉라 한다.

〈행기〉는 보통 〈내관〉이라고 하는 행법으로 행하는데, 〈연기〉는 〈존상(存想)〉이라는 행법에 의하여 행한다.

〈존상(存想)〉은 상념(想念)을 한 곳으로 집중시키는 훈련이며, 상념을 한 곳으로 집중시키는 것은 동시에 〈기〉를 한 곳에 멈추는 것이다. 관념을 한 곳으로 집중시키기 위해서는, 감각을 흐트러뜨리지 않도록 한 곳에 고정시켜야 한다. 감각을 통제한다는 뜻으로 〈존상〉의 행을 또한 〈통각(統覺)〉의 행이라고도 한다.

즉 선도 행법체계의 제3단계 존상(統覺)의 부분이 이것이다. 관념으로 〈기〉를 육체의 한 곳으로 집중시키면, 그 부분의 기능을 강화시킴과 동시에 능력을 강대하게 한다. 이것이 소위 기력이다. 〈기〉의 충실에 따라 육체력이 강화되는 것이다. 더 나아가 〈기〉가 충실하면, 〈기〉는 육체 밖으로 분출된다.

칼 끝에서 섬광이 나와 그 빛으로 상대방의 눈이 부셔 한 번도

칼을 써 보지도 못하고 적을 쓰러뜨렸다는 혁기술(赫氣術)도, 상대방의 몸에 손을 안 대고도 던져 버린다는 합기도(合氣道)의 경우도, 모두 육체 밖에까지 넘쳐나온 〈기〉의 강력한 힘에 의한 것이다.

〈기〉는 우주력이다. 〈기〉의 집중은 우주력의 집중이다. 그러므로 〈기〉의 집중이 강할수록 우주력의 참여가 늘어나, 그것이 육체를 통하여 발현되므로 인간의 능력으로 생각 못하는 초인적인 힘이 발휘되는 것이다. 그런데 예를 들어, 의식을 발에 집중시키고 있다면 자유로이 걸어다닐 수가 없다. 자유로운 행동을 할 수 없다는 것은, 힘이 멸살(滅殺)된 것이다. 관념의 집중과 포로는 전혀 다른 것이다.

인간의 신체 어떤 부분도 의지의 자유로 되는 부분은 하나도 없다. 수의근이라 불리우는 근육도 최후에 움직이는 부분은 불수의근이며, 의지로 좌우할 수가 없다. 본래 의지의 뜻대로 안 되는 것을 무리하게 의지의 지배하에 두려는 곳에 포로가 생긴다.

관념의 집중은 의지의 침투이다. 즉 불수의근부를 의지의 지배하에 두는 것이다. 그렇다면 본래 지배할 수 없는 것을 마음대로 하려면 과연 어떻게 하면 될까. 그것을 말하기 전에 우리 인간의 생명 활동의 메카니즘에 대하여 깊은 관찰을 시도해 볼 필요가 있다.

3. 두 개의 신경(神經)

인간에게는 두 개의 커다란 신경계통이 있다. 그 하나는 뇌척수(腦脊髓) 신경계통이고, 다른 하나는 자율신경계이다. 뇌척수신경계의 중추는 대뇌피질(大腦皮質)로서 지각(知覺), 언어, 운동 등을 관장한다. 그리고 이 신경계통은 의지에 따라 수의적(隨意的)으로 활동한다고 한다.

이것에 반하여 자율신경계는 소화, 순환, 내분비, 체온조절, 배설 등을 관장하며, 의지와는 완전히 떨어져서 자동적으로 활동한다고 한다.

원래 신경이라는 것은, 예를 들어 전깃줄 같은 것으로 전기가 전선을 타고 전달되어 불이 켜지고 모터가 작동되는 것처럼, 〈기〉를 전달하는 기관이다. 뇌척수신경은 본래 대뇌의 명령을 근육에 전달하는 기관이 아니고, 외부의 자극(氣의 작용)을 붙잡아 그것을 대뇌나 근육에 전하는 기관이다. 이것이 대뇌피질에 전달되어 지각이 되는 것이며, 외부에 대한 반응을 대뇌가 각 기관에 명령하는 것이 아니다.

대뇌피질은 갓난아기의 경우 거의 발달되지 못한 상태이지만, 운동신경이나 지각신경은 이미 활동하고 있다. 대뇌가 발달되지 않은 젖먹이도 뜨거운 우유가 입에 닿으면 반사적으로 얼굴을 찌푸린다. 이들 신경의 반사작용에 의하여 대뇌피질이 점차 발전되어 간다.

개에게 음식물을 보이면 타액이 분비된다. 그것은 대뇌의 명령이 아니며, 태어날 때부터 가지고 있는 반사운동이다. 또한 개에게 밥을 줄 때 벨을 울리면, 벨소리만 들어도 개는 타액을 흘리게 된다. 이것을 조건반사이라 하는데, 대뇌는 이 신경의 반사작용에 의하여 발달하는 것이며, 교육의 근거는 여기에 있는 것이다.

부자연스런 반사작용이 반복되어지면, 대뇌는 그릇된 지식, 사고(思考)에 의하여 만들어진다. 이 그릇된 지식, 사고가 기억이 라는 저장고에 비축되어, 그것이 행동이나 사상을 결정하고, 재난이나 불행을 불러들이는 것이다. 나쁜 자세나 부자연스런 걸음걸이에 습관되면, 그것이 반사되어 부자연한 사고작용을 일으키고, 기억의 저장고에 나쁜 자료를 집어넣는다. 이것을 교정하는 것이 〈재계〉의 목적이라는 것은 이미 누누이 앞에서 설명한 바와 같다.

한편 자율신경계는 전혀 의지와 관계 없이 활동하고 있다고 하는데, 뇌척수신경계와 완전히 분리 독립된 것이 아니고, 신체 각부에 있어서 이 양자는 밀접하게 연관되어 있는 것이다. 교감신경은 흉부에서, 또 부교감신경은 허리 부분에서 중추신경과 연락하고 있다. 이 연락부를 통하여 지각신경 외부에서 받아들인 자극을 자율신경에 전하여 내장기관이나 내분비선에 변화를 준다.

즉 어떤 이상한 외부의 자극을 받으면, 최전선의 뇌척수신경계의 감각은 즉시 연락부를 경유하여 자율신경에 전달하고, 자율신경은 동맥을 수축시키거나(안면 창백, 혈압 상승), 호르몬의 이상 분비(아드레날린의 대량 생산에 의한 홍분)를 일으키거나, 임전태세를 취한다. 이것은 신체의 평화를 흐트러뜨리고, 음양의 균형, 〈기〉의 원활한 순환을 혼란시켜, 신체의 건강, 정신의 안정을 크게 무너뜨린다. 그러나 이 사태를 수습하기 위한 의지력은 전혀 무력하다.

◆ 자율신경의 의지 지배

자율신경은 두 개의 계통으로 되어 있다. 그 하나는 교감신경계이고, 다른 하나는 부교감신경계이다.

이 두 개의 신경계통은 서로 정반대의 역할을 한다. 대충 설명하면, 교감신경은 흥분작용(緊張)을 하고, 부교감신경은 억제작용(弛緩)을 한다. 이 상반되는 두 개의 작용이 대항하며 조화를 이룰 때, 인간은 건전성을 유지할 수가 있다. 이것도 인체에 있어서 음양조화의 하나이다.

심장의 예를 들어 보면, 교감신경은 심장을 흥분시키며, 혈관을 수축시키고, 혈압을 높이는 작용을 한다. 반대로 부교감신경은 심장을 진정시키고, 혈관을 확장시키며, 혈압을 내리는 역할을 한다. 이 두 개가 균형을 이루고 조화를 유지하는 역할을 다할 때에만 심장은 건전한 생명 활동을 다할 수가 있다. 내분비선(內分泌腺)에서도 마찬가지로, 이 두 신경의 조화에 따라서 호르몬의 정상적 분비가 이루어지며, 인체를 건강하게 유지해준다.

그러나 이 두 개의 균형이 깨지면, 신체의 음양조화가 흐트러져 이상한 상태가 일어나는데, 이상한 상태라는 것은 오로지 교감신경의 과잉작용에 의해서 일어난다. 그 경과를 분석하여 순서적으로 설명하면, 우선 외부에서 이상한 자극을 지각신경이 포착하면, 이것을 대뇌중추에 전달함과 동시에 연락부를 통하여 자율신경계에도 전달한다.

예를 들어 외적(外敵)에 의하여 일국이 공격당할 때 국가가 방어를 위해 긴급 전시 태세를 펴는 것처럼, 이상한 자극에 대해서는 우선 흥분작용을 다스리는 교감신경의 중추가 각 기관에 전시 태세를 지령한다. 즉 우선 뇌하수체(腦下垂體)가 활동하여 호르몬을 다량 분비하고, 그 자극에 의하여 부신수질(副腎髓質)

에서 아드레날린이라는 호르몬이 다량 분비된다. 아드레날린은 맥박을 빠르게 하고, 혈압을 높이며, 또한 혈중 당분을 늘린다. 이것은 외적에 대비하여 공격 태세를 정비하기 위한 것으로, 체내에 독약을 제조하는 것과 같다. 이것을 융화시키기 위해 또다시 부신피질에서 〈코티존〉이 나오게 되어, 호르몬의 조화는 완전히 흐트러뜨리고, 체내 각 기관을 피로 소모시켜 병이나 일찍 죽는 원인을 만든다.

이 교감신경의 쇼크를 미연에 방지하기 위해서는, 항상 반대 작용을 하는 교감신경의 힘을 강하게 하고, 이상 흥분에 대한 강한 억제력을 작동시켜야 하는데, 그것은 모두 의지에 의해서 행해야 한다.

물론 자율신경계는 의지의 지배 하에는 없으므로, 이것을 의지로 지배하는 것은 보통 안 되는 일이지만, 그것을 특수한 방법으로 실현시키려 하는 것이 이 부분의 선도 행법(存想)이다.

◆ 표면의식과 잠재의식

뇌척추신경계는 의지를 수반하고, 자율신경계는 의지로부터 독립하여 자동적으로 활동한다고 하는데, 그런 경우에 말하는 의지는 무엇일까.

의지는 인간의 생명 활동이다. 의지가 인간의 생명 활동이라면, 같은 생명 활동인 자율신경의 활동이 의지를 떠나 행동한다는 것은 있을 수 없는 일이 아닐까.

모든 에너지의 활동은 반드시 힘을 필요로 한다. 힘은 의지에 의해서 생겨난다. 자율신경이 활동하고 있는 이상, 그것은 역시 의지에 의해 움직여지고 있는 것이다.

그러나 그 의지는 대뇌의 의지는 아니다. 왜냐 하면 대뇌는 인간이 태어나면서부터 성장하지만, 신경 활동은 그 이전, 즉 태어날 때 갖추고 있는 것이다.

대뇌 기능이 낮은 동물은 물론, 대뇌가 전혀 없는 식물에도 의지는 있다.

장미 재배 전문가의 말에 의하면, 장미 두 그루를 가지런히 심어 놓으면, 분명히 경쟁 의식으로 생각되는 것 같은 성장 과정이 보여진다는 것이다.

그것은 생명이 생명체를 통하여 생명의 완전 발현을 해내려는 의욕이다. 그것을 우주의식이라 한다. 식물이나 저급한 동물에 있는 의지는 이 우주의식이다. 우주의식은 잠재의식 분야의 의식이다. 잠재의식은 모든 생물에 갖추어진 의지이다. 여기에 대해 후천적으로 발달한 대뇌의지를 표면의식이라 한다.

인간은 대뇌가 가장 발달한 생물이므로 표면의식이 매우 발달되어 있다. 표면의식과 잠재의식을 비교해 보면, 잠재의식의 활동 분야는 표면의식의 몇십배에 달하며, 이것이 인간의 생명 활동을 좌우한다고 해도 과언이 아니다. 표면의식은 대뇌의 발달에 따라서 후천적으로 발전하는 생명 활동이지만, 잠재의식은 생명과 더불어 갖추어진 생명 활동이며, 앞에서 말한 신경활동도 잠재의식에 의해서 움직여지고 있는 것이다.

인간의 경우 표면의식이 발달됨에 따라 인간 활동을 표면의식의 뜻대로 하려는 의욕이 생겨, 이것이 잠재의식의 작용과 충돌한다. 그러나 육체의 근본적인 생명 활동은 표면의식의 여하에 불구하고 잠재의식의 지배하에 놓여지기 때문에, 이 두 가지 작용이 분열적이며 모순적으로 작용하여 본래의 생명 활동을 방해하는 결과가 된다.

그것은 서로 발을 잡아끄는 것 같은 반대 진행이며 분열운동이기 때문에 힘이 상쇄된다. 그것을 같은 방향, 협동운동으로 향하게 하면 거대한 힘으로 되어, 능력은 비약적으로 증대된다. 필사적이며 무아지경에서 평상시는 도저이 상상도 할 수 없는 힘이 생기는 것도, 두 개의 힘이 일시적으로 협동하여 발동되기 때문이다.

그것을 의식적으로 하는, 즉 두 개의 작용을 하나의 의지의 명령에 따르게 할 수 있으면, 인간의 능력은 상상 이상의 힘을 발휘하여, 능력의 한계도 불가능도 없어지고, 소위 초능력이 얻어질 것이다.

◆ 대뇌와 복뇌(腹腦)

의지, 즉 표면의식은 대뇌의 작용이다. 그러나 앞에서의 설명처럼 대뇌의 의지는 자율신경을 지배할 수가 없다. 심장이나 위장은 아무리 강력한 의지를 가하려 해도 그 명령에 따르지 않는다.

그렇다면 심장이나 위장 등 자율신경의 활동은 어떤 명령에 따라 움직이는가 하면, 그것은 잠재의식이다. 잠재의식도 넓은 의미의 의지이다. 표면의식을 지식이라고도 하며, 잠재의식을 장식(臟識)이라고도 한다. 표면의식의 중추는 대뇌인데, 그렇다면 잠재의식의 중추는 어디일까. 그것을 〈복뇌〉라 한다.

옛날의 생리학에서는, 내장뇌(内臟腦) 또는 복뇌를 인정하고 있었으나, 현재의 생리학에서는 그것을 인정하지 않는다. 왜냐하면 복뇌는 해부해도 그 존재가 확인되지 않기 때문이다.

여기서 생리학이라는 학문상의 논의를 하고픈 생각은 없지만, 형체가 있는 것만을 존재로 보는 것에는 반대한다. 인간의 메카니즘에는 미지의 분야가 너무 많다는 것은 생리학자도 충분히 인정하고 있으므로 금후의 연구에 기대해 보고자 한다. 그것은 어쨌든 표면의식이 대뇌의 작용인 이상, 잠재의식에도 그 작용을 관장할 기관이 있어야 할 것이다. 즉 표면의지는 대뇌에서 나오는데, 대뇌의 지배하에 있지 않는 잠재의식은 복뇌에서 나온다.

또 대뇌가 발달되지 않은 갓난아이 때부터 인체의 생명 활동을 받들어온 것은 진정 복뇌의 역할이었다. 그러나 동시에 말할 수 있는 것은, 복뇌도 또한 대뇌와 같이 훈련이 필요하다는 것이다.

단지 살아간다는 생명 활동이라면, 선천적으로 갖추어진 복뇌 작용만으로도 충분할 것이다. 그것은 곤충에도, 하등동물에도, 아마도 식물에도 갖추어진 자연의 작용이다. 그러나 만물의 영장으로 자부하는 인간이 식물이나 하등동물과 같은 생명 활동으로 만족할 리 없다. 사람이 하등동물과 다른 점은 대뇌의 발달에 있다고 하는데, 대뇌의 발달이 인류에게 행복을 가져다 주었는가에 대하여는 지금까지 설명했고, 또 냉정히 생각해 보면 누구나 알 수 있는 것이다.

우리가 살고 있다는 사실은 우리가 살 권리와 자격이 부여되어 있다는 것이다. 보다 정확히 말하면, 인간은 즐거운 인생을 가지며, 오래 살 권리와 자격이 부여되어 있다는 것이다. 산다는 것이 즐거운 것이 되지 않으면 안 된다. 속죄 때문에 고통스러운 삶이 의무로 되어 있다면, 신앙이라도 갖지 않는 한 하루도 살 수 없을 것이다. 인간에게는 스스로 삶을 끊을 자유가 부여되어 있기 때문이다.

즐거운 인생을 항상 그리고 오래 계속하기 위해서는, 대뇌는 너무나 무력하며, 동시에 목적에 반대되는 작용을 하고 있다. 인간이 영적인 동물로서 인생을 즐기며 오래(될 수 있으면 영원히) 살기 위한 단 한 가지의 방법은, 복뇌를 훈련하여 복뇌와 대뇌를 즐겁게 산다는 같은 목적에 일치 협력시키는 일이다. 그 때 비로소 대뇌의 의지로 좌우할 수 없는 자기의 심신을 의지의 지배하에 두어, 의지 마음대로 움직일 수가 있는 것이다.

자기를 다스릴 수 있는 사람은 세계를 다스린다는 속담이 있다. 그것은 한 개의 인간 속에 서로 분열적으로 움직이는 두 개의 나를 거머쥔 인간의 능력이 하나의 의지 지배하에 협동적으로 일하는 경우, 상식을 넘어선 엄청난 힘을 발휘하는 것을 표현한 말이다. 그 때 그 인간을 통하여 우주력이 작용하는 것이다.

4. 복뇌의 개발법

복뇌는 보통 태양신경총(太陽神經叢)이라고 한다. 태양신경총과 복뇌는 바르게 표현하면, 서로 다른 기관으로 밀접한 관계를 가지고 있다. 그것은, 태양신경총은 복부에 있어서의 교감, 부교감신경의 신경섬유가 집중되어 있는 곳이며, 그것들의 자율신경계의 중추가 복뇌이기 때문이다.

태양신경총은 명치끝 앞에서의 3분의 2, 등에서 3분의1의 위치에 있으며, 자율신경계의 신경섬유가 중앙부(태양신경절)를 중심으로 팔방으로 퍼져 있는 상태가 마치 태양 광선의 방사(放射)와 닮았다는 데서 이름이 붙여졌다.

자율신경은 몸 속 구석구석에 분포되어 있는데, 그 중에서도 복부에 집중적으로 모여 있다. 이것은 복부에는 인간의 근본적 생명 활동을 위한 중요기관이 모여 있어, 이들 기관의 활동 상태를 돌보고 있는 것이 교감, 부교감신경(자율신경)이기 때문이다.

여기서 이 부분의 교감, 부교감신경의 활동이 약해지고 조화가 잘 되지 않으면, 곧 내장기관의 기능 쇠퇴 또는 고장을 초래한다. 교감, 부교감신경이 약해지면, 혈관의 수축이나 확장이 충분히 되지 못하며 혈액의 보급이 불충분하게 되기 때문에, 기관의 활동이 둔해지고 인간의 근본적 생명 활동이 쇠퇴한다.

인간의 체내에는 대개 4, 5리터의 혈액이 흐르는데, 이것이 각 기관에 산소나 영양을 보급하고 있다. 그런데 복부에 흘러간 혈액을 또다시 심장에 돌려 보내기 위해서는 물리 법칙에 거슬리게 되기 때문에 강한 압력이 필요하게 된다. 그것이 부자연한 생활 습관에 의하여 복부의 압력이 약해지기 때문에, 전 혈액량의 약 반량이 복부에 정체하여 온 몸이 빈혈 상태에 빠지게 된다. 그 때문에 혈압이 올라가고, 각 기관에 산소 부족에 의한 기능 저하를 가져온다.

중년이 지나면 배가 나오는데, 그것은 복압 저하에 의한 침체된 혈액 때문에 일어나는 현상으로 노화 현상, 죽음의 예고임에도 불구하고 사장배라고 좋아하는 사람이 있는데는 그저 아연실색할 따름이다.

여기에는 순리로써 복압력을 높이고, 혈액을 강력하게 심장에 되돌려 보내는 것이 필요하다. 다음에는 태양신경총의 기능을 강화하고, 혈관 및 각 기관의 활동을 왕성하게 하는 것이다. 이렇게 하여 〈기〉의 순환을 원활히 하고, 〈기〉의 집중(煉氣)에 의하

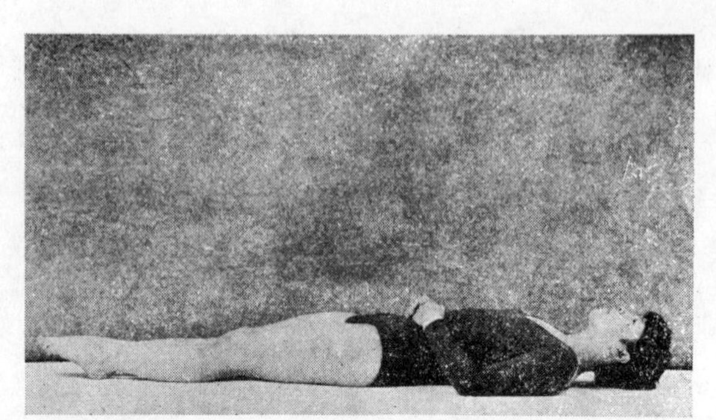
〈그림 43〉

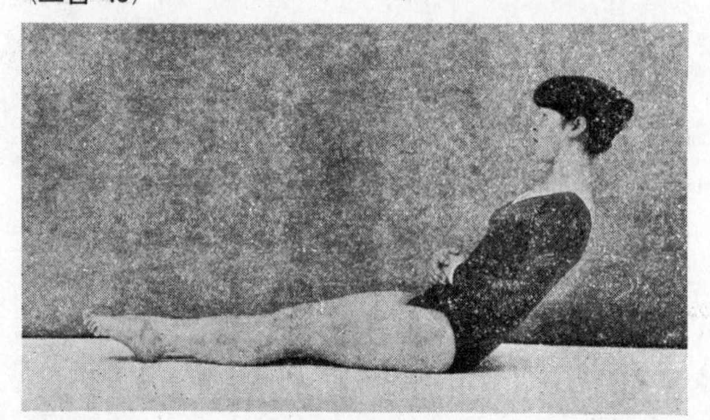
〈그림 44〉

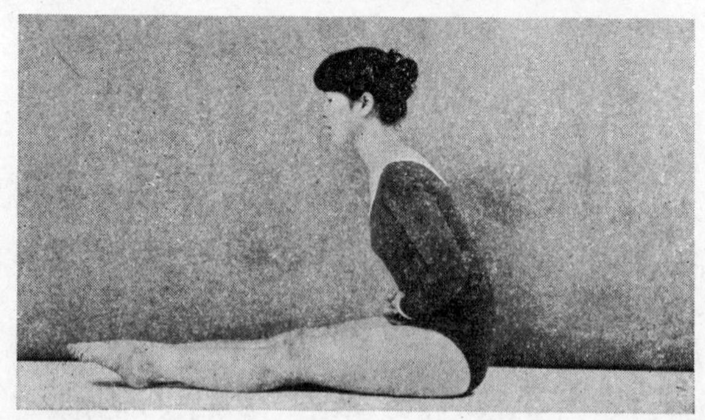
〈그림 45〉

여 복뇌를 개발하는 것이다.

◆ 복뇌 개발의 기법

복뇌의 개발은 우선 복압(腹壓)을 강화시키고, 다음에 태양신경총의 활동을 강하게 하는 방법을 행한다.

복압의 강화법

① 하늘을 보고 누워서 양손을 자연스럽게 흉복부(胸腹部) 위에 얹고, 두 발을 바닥에서 떨어지지 않게 하며, 조용히 상체를 일으킨다. 그리고 손을 바닥에 닿지 않게 하고, 처음 자세로 돌아온다. (그림 43~45)

② 하늘을 보고 누워서 두 발을 가지런히 편 채, 바닥과 30~40도 정도의 각도까지 발을 들어올린다. 이 자세를 잠시 동안 지속시킨 다음, 발의 위치를 그대로 한 채 상체를 놀리고, 양손을 앞으로 내밀며 균형을 잡는다. 최종적으로는 발

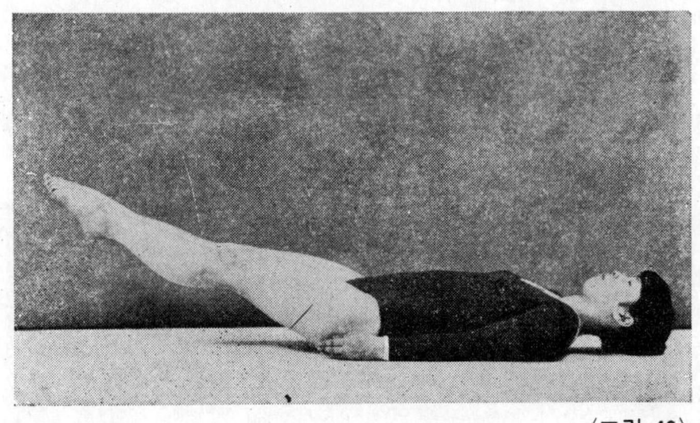

〈그림 46〉

〈그림 47〉

끝이 거의 눈 높이까지 되고, 엉덩이 부분만 바닥에 댄 자세가 된다. (그림 46,47)

③ 하늘을 보고 누워서 양 무릎을 세우고 후두부(後頭部)를 축으로 하여 몸을 올린다. 무릎에서 머리까지 일직선이 될 정도로 높이 올리고, 이 자세를 지속시킨다. (그림 48,49)

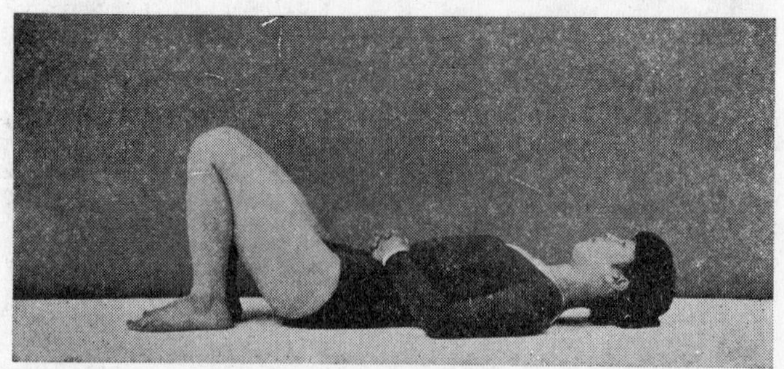

〈그림 48〉

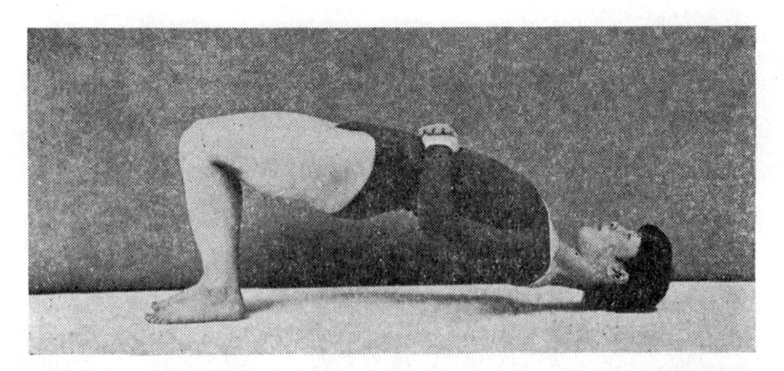

〈그림 49〉

④ 책상다리와 같은 편한 자세로 앉는다. 코로 숨을 쉬고 상체를 명치에서 구부리며 앞으로 기울여, 하복부를 공처럼 부풀린다. 이 때 얼굴은 배꼽을 보는 것 같은 모양이 된다. 양손은 명치 부분에 대고 그 곳을 세게 누르며, 이 부분에 힘이 들어가지 않도록 주의한다. 다음에는 입으로 숨을 내쉬면서 하복부를 강하게 수축시킨다. 이 호흡법을 수십번 되풀이 한다.

태양신경총의 강화법

복압을 강화시키면 태양신경총의 활동도 자연히 활발해지는데, 특히 효과가 있는 방법 두세 가지를 소개한다.

① 두 발 사이로 엉덩이를 떨어뜨려 앉고, 상체를 뒤로 쓰러뜨려 위를 보고 눕는다. 양손은 후두부에 포개 놓고, 조용히 복부 호흡을 한다. (그림 50)

② 두 발을 모으든가 약간 벌리고 서서 양손은 주먹쥐고 몸 양쪽으로 내린다. 배에서 나오는 기합(氣合)과 함께 양손을 일단 뒤로 제치고, 양 무릎을 굽히고 상체를 곧바로 한 채,

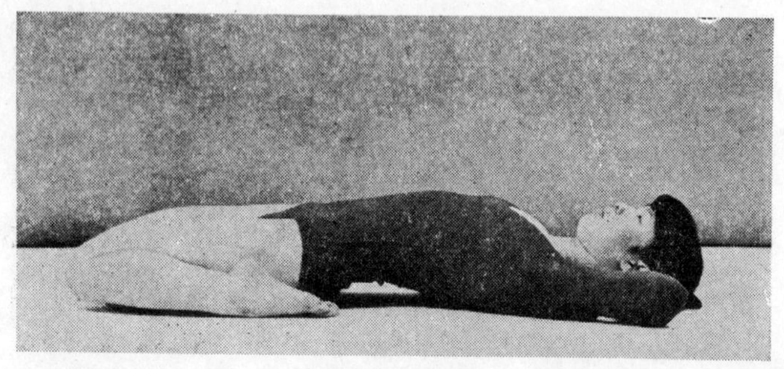
〈그림 50〉

쑥 수직으로 몸을 내림과 동시에 양손(손등을 아래로)을 뒤에서 무릎 앞으로 빼치듯이 내민다. (그림 51, 52) 무릎의 각도는 직각에서 익숙해짐에 따라 점점 깊어져, 발꿈치와 엉덩이의 간격이 10센티미터 정도가 될 때까지 굽히게 한다. 이 때 엉덩이는 되도록 뒤쪽으로 끌고, 상체는 수직으로 유지하며, 흔들리지 않도록 하여 하복부에 힘을 준다. 상반신을 쑥 내렸을 때, 위에서 떨어지는 힘을 급정지에 의하여 태양신경총에 울림이 가도록 한다. 이 자세를 그대로 5～10초 동안 유지하고, 다음에는 조용히 코로 숨을 쉬면서, 무릎을 펴고, 처음 섰던 자세로 돌아온다. 이 동작을 반복한다. 똑바른 자세로 하면 5～7회면 충분하지만 흔들리거나 자세가 무너지거나 하면 수십번 해도 효과가 없다.

③ 모든 복기법(行氣法)은 태양신경총 강화에 효과가 있다. 우선 복기하여 우주 원기를 일단 미골 끝까지 떨어뜨리고, 그것을 최하부의 최궁(峻宮 — 前立腺)에 도입시킨다. 여기서 내원기와 혼합한 다음, 각 정궁(玄宮, 丹宮, 心宮, 膃宮, 命

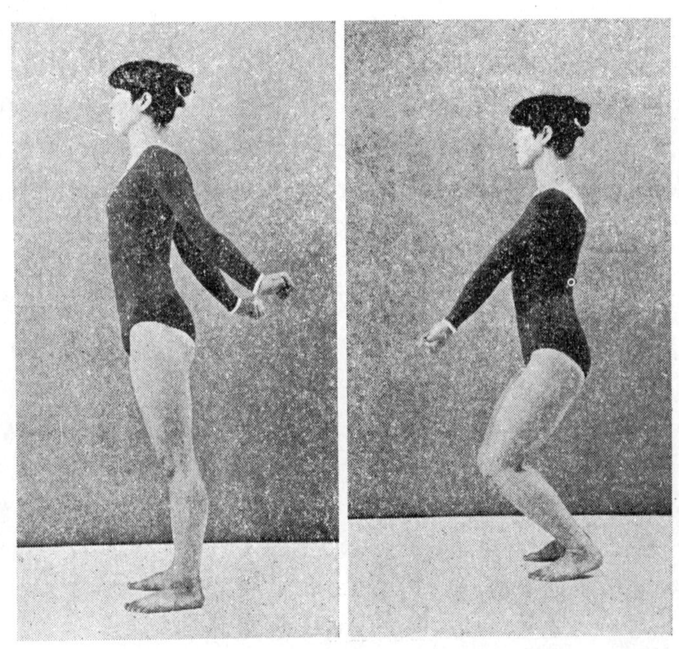

〈그림 51〉 〈그림 52〉

宮)을 순차적으로 상승, 순환시켜서 뇌천(黄宮 — 松果腺)까지 올려보내, 그것을 한번에 태양신경총을 치듯이 떨어뜨리는 것이다. 내관법도 태양신경총 강화에 이바지한다. 내관법에 대해서는 제 6 장(190페이지)에서 설명했으므로 여기서는 뺀다.

여기에 열거한 것은 극히 일부분에 지나지 않는다. 복압 높이기, 태양신경총 강화에 대한 기법은 행법체계의 제1단계에 속하는 〈재계〉의 기법 및 제 2 단계에 속하는 〈내관〉을 통하여 여러 가지가 있다. 그것은 〈선도〉의 행법 목표가 처음부터 복뇌의 개발과 훈련에 있기 때문이다.

그런 의미에서 〈도인법〉이나 〈복기법〉 또는 〈내관법〉 등 여태까지 설명한 행법은 모두 복뇌 개발을 위한 준비 행법이라 할 수 있다. 그 준비(築基行法)의 기초 위에서 본격적인 복뇌를 단련시키기 위한 행법이 존상(統覺)이다.

5. 대뇌(大腦)의 개발법

대뇌의 개발과 훈련은 보통 〈교육〉이라는 방법으로 행하여지고 있는데, 〈교육〉이 지식을 집어넣는 데 그치는 이상 참다운 대뇌 개발은 되지 않는다.

지식이라는 것은 항상 유동 변화하는 현상을 어떤 시점으로 한정한 것으로, 사물의 종류, 성질 등을 분별 정리하는 데는 알맞지만, 현상의 참모습을 있는 그대로 파악한 것은 아니다. 예를 들면 영화를 잠시 멈추고 영사되고 있는 인물이나 경치를 분석하는 것과 같은 것으로, 참된 실재의 한 단면에 지나지 않는다.

그런데 그것을 현상의 참된 모습으로 착각하고, 실상과 거리가 먼 지식만을 대뇌에 기억시키는 것이 오늘날의 대뇌 교육이다. 그리하여 지식이 풍부한 사람, 두뇌가 좋은 사람이라고 칭하고 있다.

그러나 지식은 고정관념이므로, 이것이 선입관으로 되어, 사물을 솔직하게 관찰하기에 앞서, 우선 선입관으로 판단함으로써 진상을 놓치게 된다. 소위 석두란 이런 것이며, 대뇌의 자유로운 활동을 오히려 저해하고 있다. 어린아이가 사물을 바라볼 때는 놀라움과 깊은 관심을 가진 눈빛이 된다. 그런데 어른들은 유심히 관찰도 안 하고 기성 개념의 분류 카드를 맴돈다.

이와 같은 고정관념과 선입지식을 한번 모두 끌어내어 머리를 유연하게 하면, 늘 익숙해진 사물이라도 여태까지 느끼지 못하던 점이 발견되어 감동을 주거나 한없는 흥미와 즐거움을 맛볼 수가 있고, 또한 좋은 아이디어도 떠올라 사회 생활에도 도움을 준다.

학자의 설에 의하면, 인간의 두뇌에는 미개발의 부분이 많이 있다는 것이다. 지식을 버리라는 것은, 대뇌의 활동을 부정하려는 것이 아니라, 대뇌의 미개발 부분을 개발함으로써 대뇌의 기능을 빠짐없이 활용하여 인생에 도움이 되도록 하려는 데 목적이 있는 것이다.

소위 초능력이라는 것도 신이 준 힘이 아니고, 인간이 가지고 있는 기관의 활동을 고도로 발휘시킨 결과밖에는 안 된다.

◆ 대뇌 개발의 기법

대뇌의 활동을 강화시키는 데는 다음과 같은 방법이 있다.

두좌의 자세

두좌법(頭座法)을 되도록 권하고 싶다. 이것은 머리에 혈액을 충분히 공급하여 평시에 부족하기 쉬운 산소를 대량 뇌에 넣어주기 때문에 대뇌의 활동을 왕성하기게 한다.

두부(頭部)의 진동

고개를 숙이고 머리를 기운차게 앞뒤로 흔든다(5～7회). 다음에 좌우로 강하게 흔든다. 귀가 어깨에 닿을 정도까지 깊게 구부린다(5～7회). 다음에는 목을 꼬고 머리를 돌려 얼굴을 좌우로 향하게 한다.

이들 방법은 어느 것이나 강하고 탄력있게, 기운차게 해서 머리 속을 진동시키도록 한다.

다음에는 주먹을 쥐고 이마를 세고 빠르게 두드린다(20회). 또 손 옆으로 후두부를 동일하게 친다(20회). 계속해서 좌우 관자놀이의 위 또는 귀 위의 주위를 두드린다(좌우 교대로 20회).

미골(尾骨)의 운동

미골이 뇌와 밀접한 관계가 있다는 것은 어느 곳이나 척추의 양끝이라는 것으로 이해될 것이다. 미골은 여러 가지 중요한 역할을 하는데, 여기에 적당한 자극이나 충격을 주면, 잠자고 있는 뇌의 분야가 활동한다는 것은 예부터 전해지고 있으며, 또 그 실례는 얼마든지 있다.

미골의 운동은 다음과 같은 방법이 있다.

① 양 다리를 가지런히 앞으로 펴고 앉아서, 양손을 끼고 머리 뒤에 댄다. 상반신을 앞으로 굽혀 이마가 다리에 닿도록 구

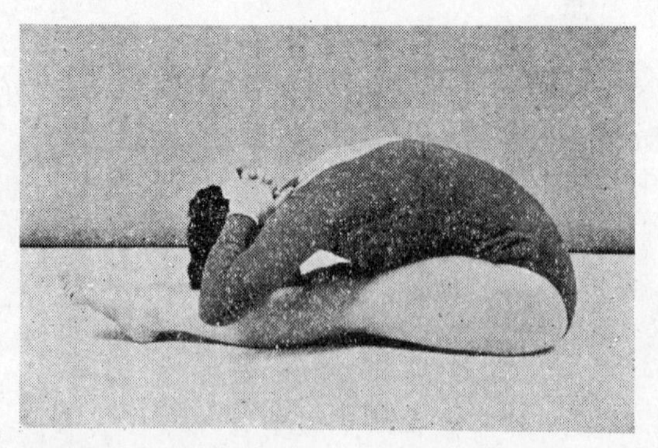

〈그림 53〉

부린다. (그림 53) 이 경우 무릎을 구부리지 않도록 한다. 상반신을 처음 위치로 되돌려, 또다시 앞으로 구부린다. 이 운동을 30～50회 행한다. (그림 54,55)

② 두 무릎을 구부리고 발꿈치를 합친다. 양손으로 엄지발가락을 잡고, 상반신을 앞으로 구부림과 동시에 두 무릎을 바닥에 대는 듯이 내린다. 상반신을 처음 위치로 가져감과 동시에 두 무릎을 바닥에서 떼고, 또다시 무릎을 바닥에 붙이듯이 상반신을 앞으로 구부리며, 이마는 되도록 바닥에 닿도록 접근시킨다. 이 운동을 빨리 계속하며 30～50회 행한다.

③ 요신법(搖身法)이라 하여 상체를 전후좌우로 흔드는 방법도 효과가 있다. 엉덩이를 두 발 사이로 떨어뜨리며 바닥에 닿게 앉는다. 양손은 주먹쥐어 허벅다리 위에 놓고, 하복부

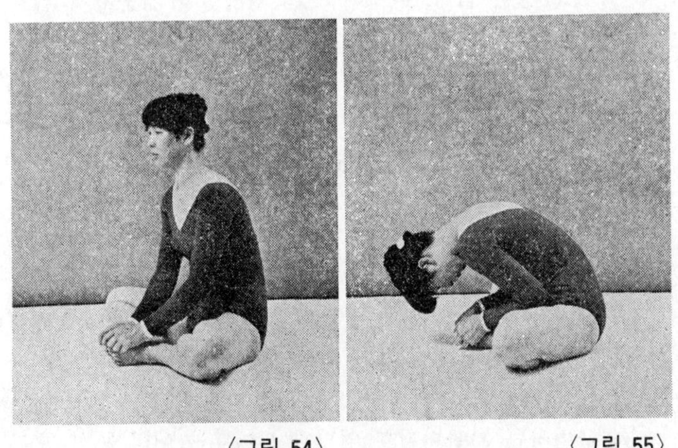

〈그림 54〉 〈그림 55〉

〈그림 56〉

〈그림 57〉

를 누르는 자세를 취한다. 상반신을 앞으로 굽히며, 이마를 바닥에 가깝게 가져간다. 이 때 숨을 내쉰다. 엉덩이는 올라가도 상관 없다. 다음에는 그 상반신을 기운차게 뒤로 제치듯이 가슴을 펴고, 얼굴은 위를 향하게 한다. 이 동작을 숨을 들이쉬면서 행한다.(그림 56,57) 이것이 전후요신법으로, 전후를 1회로 하여 50회 행한다. 다음은 같은 앉은자세로 상반신을 좌우로 흔든다. 좌우를 1회로 하여 100회 정도 행한다.

6. 불수의근(不隨意筋)의 의지지배(意志支配)

누구든지 자기 몸을 자기 것으로 생각하는데 의심하지 않는다. 그런데 자기 것이면서도 자기 뜻대로 근육 하나도 좌우할 수 없는 것이 사람의 몸이다.

수의근이라는 기관마저도 엄밀한 의미로는 어떻게 할 수가 없다. 그러나 자기 것인 신체를 자기 의지로 지배하는 것이 당연한데도, 사실은 자기의 것이라 할 수 없는 것이다.

내장기관이나 혈관 등 복잡한 것의 의지 지배는 다른 기회에 설명하겠으며, 여기서는 간단한 것에 대한 훈련 방법을 대강 설명하겠다.

◆ 외부 수의기관(隨意器官)의 운동

귀운동 귀는 인간의 경우 불수의근으로 움직이려고 마음먹어도 뜻대로 안 되는 것이 보통이다. 그것을 움직이는 요령은, 정신을 귀에 집중시키고, 얼굴을 넓히는 것처럼 해서 좌우로 움직이며, 또 귀 부근의 근육을 상하로 움직이도록 하여 귀를 상하 운동시킨다. 매일 거울을 보면서 훈련하면 곧 움직일 수 있게 된다.

코 벌리기 운동 이것도 정신 집중에 의하여 행한다. 코, 볼, 입 주위의 근육을 고정시키고, 비익(鼻翼)에 정신을 집중시켜, 콧구멍을 넓히며 움직인다.

이마를 넓히는 운동 정신을 집중시켜, 이마를 상하 좌우로 넓히도록 훈련한다. 또 눈썹을 좌우 교대로 한쪽만을 올리는 연습을 행한다. 이들 불수의근 운동은 추체외로의 활동을 예민하게 하는 외에 뇌의 강화에도 도움이 된다.

성기를 움직이는 운동 음경도 또한 불수의근으로 의지에 따라 발기시키기가 곤란하지만, 이것도 훈련에 따라 가능하게 된다. 다른 불수의근의 경우처럼 정신을 국부에 집중시켜 〈기혈〉을 채우는 것으로 긴장시킨다. 이것은 다음에 설명할 〈통각법〉의 일환으로 행할 수도 있다. 음경을 의지 지배하는 것을 마음대로 할 수 있게 되면, 음경으로 액을 흡수할 수 있게 되며, 〈방중술〉에도 도움이 된다. 또 외부 기관의 불수의근을 의지로 움직일 수 있게 되면, 당연히 체내의 불수의근도 의지의 뜻대로 할 수 있다.

◆ 말초신경(末梢神經)을 강하게 하는 운동

이 말초신경의 훈련은, 신경을 예민하게 하는 것과 동시에 정신의 집중 훈련으로서도 극히 효과 있는 방법이다. 아무것도 아닌 것 같은 작은 훈련이지만, 이처럼 작은 것이 드디어는 초능력으로 연결되는 큰 성과를 가져온다.

① 손가락을 밀착시키고 펴서, 우선 둘째손가락을 다른 세 손가락으로부터 펜다. 다음에는 둘째손가락과 가운데손가락, 네째와 새끼손가락을 각각 밀착시킨 채 둘로 나누며, 다음은 둘째, 가운데, 네째의 세 손가락을 밀착시키고 새끼손가락만을 벌린다. 이것을 좌우의 손으로 동시에 행하며, 익숙

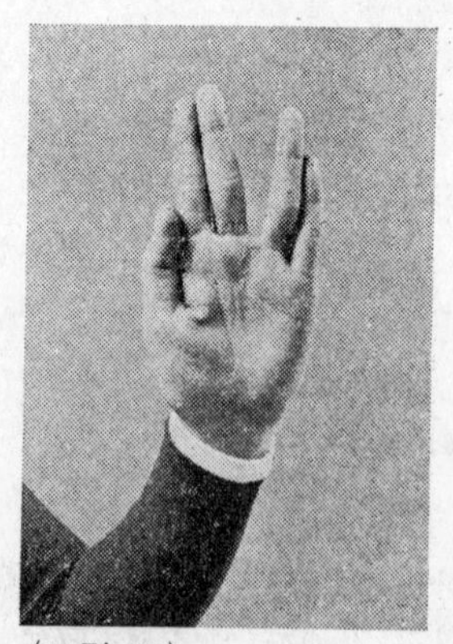

〈그림 58〉

〈그림 59〉

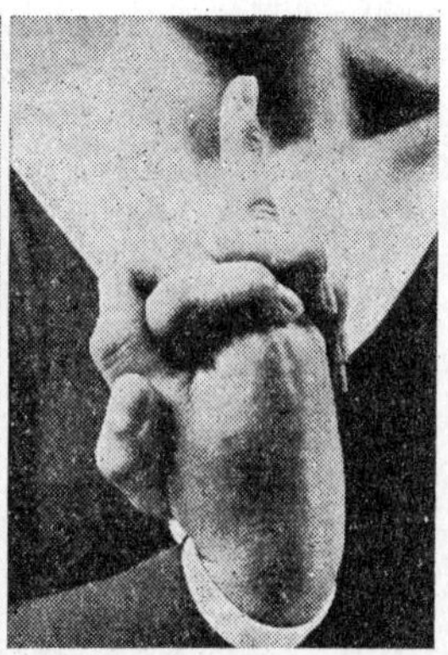

〈그림 60〉

해지면 좌우의 손으로 동시에 반대 방법을 해 본다. (그림 58)

② 양손을 앞으로 펴고 손목에서 교차시켜 안쪽으로 손바닥을 향하게 하며, 손바닥을 합쳐 손가락을 끼고, 그대로 양손을 아래서부터 회전시켜 가슴 앞으로 가져온다. 말이나 또는 마음 속으로, 예를 들면 왼손의 가운데손가락 하고 지적하면 곧바로 지적된 손가락을 세운다. (그림 59, 60)

③ 무릎을 꿇고 앉아, 왼손은 주먹을 쥐고 왼쪽 허벅지를 두드리며, 오른손은 손바닥을 펴서 오른쪽 다리를 쓰다듬는다. 이것을 동시에 10회 행하고 나면, 즉시 좌우 손의 동작을 반대로 향하여 계속한다. 이것을 몇 번이고 되풀이한다. (그림 61)

④ 양팔을 세워 바닥을 짚고, 두 다리를 펴서 발끝으로 받치고 엎드린다. 왼손을 바닥에서 떼어 앞으로 편다. 동시에 오른

〈그림 61〉

발을 바닥에서 떼어 뒤쪽 하늘로 쳐든다. 이것을 동시에 행하여, 몇 초 동안 그 자세를 유지하고 나서, 좌우의 손과 발을 반대로 하여 동시에 행한다. 이것을 수차례 서로 반복한다.

⑤ 뒷걸음으로 걷는다. 방안에서는 도구 등 위험물을 한쪽으로 치우고, 둥글게 원으로 돌면 된다. 또 차나 사람이 안 다니는 장소로서 상당한 거리가 있는 길이면 이상적이다. 옆으로 쏠리지 않도록 조심하며, 앞으로 가는 것과 같이 자유로이 걷도록 연습한다.

7. 통각법(統覺法)

여태까지 설명해 온 기법은 대뇌 및 복뇌의 개발을 위한 보조적 방법이었는데, 지금부터 설명하는 〈통각법〉은 대뇌, 복뇌, 감각, 자율신경과 그 밖의 신체 각 기관을 하나의 의지 목적에 통일하는 본격적인 행법이다.

〈통각법〉에 의하여 모든 신체 기관이 동일 목표에 집중되었을 때, 불수의근도 의지의 지배하에 둘 수가 있다. 인간의 능력은 무한히 발휘되므로, 상식적으로는 생각할 수 없는 소위 초자연력, 영능력(靈能力)이라고 하는 능력을 발휘할 수 있게 된다.

조용한 방에 자세를 바르게 앉는다. 좌법은 〈단좌(端座)〉, 〈반좌(盤座)〉, 〈가부좌(跏趺座)〉 어느 것이나 상관없이, 척추와 요골(腰骨)을 편다. 특히 후두부(後頭部)를 천정에 매달려 늘어진 기분이 되도록 많이 펴고 턱을 끌어당긴다. 그러나 온 몸은 힘을 빼고 편하게 하는 것이 필요하며, 그 요령은 우선 척추, 요추에 힘을 주어 펴고, 엉덩이를 되도록 뒤로 끌고, 다음에 목 뒤가 아플 정도로 편다. 이 자세를 흐트러뜨리지 않고 몸 전체에서 힘을 뺀다. 그리고 힘이 몸 한쪽으로 몰리지 않도록 온 몸을 평균적으로 이완시킨다.

자세가 준비되었으면, 코로 조용히 숨을 들이쉬고, 그 숨을 배꼽으로 가져간다. 배꼽에 숨이 도달하면, 배꼽 부위에 약간 힘을 주어, 그대로 배꼽에서 숨을 멈춘다. 숨을 멈추는 시간은 잠깐(1~2초)이고, 그 동안 관념은 숨과 더불어 움직이며, 숨이 배꼽에 멎을 때 강력한 관념을 배꼽에 집중시킨다.

다음은 숨을 배꼽에서 빼며, 코로 숨을 조용히 내뿜는다. 이 때 호흡에 관심을 두지 않도록 하며, 관념은 배꼽에 집중시킨 채 행한다. 끝나면 다시 숨을 배꼽으로 들여보낼 때, 강한 관념을 배꼽에 같이 보낸다.

이처럼 호흡과 더불어 강한 관념을 배꼽에 집중시키고 있으면, 점점 배꼽 근방이 더워지거나 또는 자극을 받는 느낌이 생긴다. 더욱 계속해 가면, 높은 열이 생겨나, 배꼽에서 속으로 퍼지고, 배꼽을 중심으로 한 복부 깊숙이에서 더워진다.

복부가 더워진다는 것은, 혈액이 그 근방으로 모이는 것이며, 〈기〉도 또한 여기서 연기(煉氣)되므로, 복부 각 기관의 활동이 활발해지고, 여러 기관이 충실하게 발휘되는 것이다.

이 방법을 〈지식법(止息法)〉이라 한다. 또 숨과 더불어 관념을 일정한 곳에 정지시키는 것이기 때문에 〈지심법(止心法)〉이라고도 한다.

숨을 멈추는 곳은 배꼽에 한하는 것이 아니다. 다만 배꼽은 늘 보아 왔고, 정신 작용에 민감한 기관이기 때문에, 통각(統覺)이 비교적 쉽다. 배꼽에 통각하는 방법을 〈제륜지식법(臍輪止息法)〉이라 하며, 통각법의 기본으로 하고 있다.

배꼽에 통각하는 것이 성공되면, 다음은 최궁(峻宮)에 통각한다. 남자는 전립선, 여자는 난소를 중심으로, 소위 성기관 집단에 통각을 실시한다. 이것은 성기의 활동을 왕성하게 해주며, 젊어지는 효과가 있다.

다음에는 태양신경총에 통각한다. 명치의 생김새를 머리 속에 그리며, 우선 외부에서 행하고, 차츰 안쪽 깊숙이 해간다.

복부에 태양을 마음 속으로 생각해 놓고, 그것을 쭉 보고 있으면서 통각한다. 이 부분이 더워지면 교감, 부교감신경이 활발하게 움직여 복뇌가 강화된다. 다음에 심장부를 통각한다. 심장 고동의 리드미컬한 소리를 들으면서, 심장이 움직이는 상황을 하나도 빠짐없이 관찰하도록 감각을 이 부분에 집중시킨다.

이들 부분의 통각은 모두 복부기관의 강화와 건전화에 커다란 효과를 줌과 동시에 자율신경 및 복뇌의 개발 훈련에 도움된다. 흉복부 이외에 미골과 발에 통각하는 방법도 있다. 미골의 통각은 대뇌의 강화에 연결된다.

발의 통각은 선 채 또는 업드린 자세로 행한다. 서든가 또는 업드려, 두 다리를 뻐치고, 들이마신 숨을 몸을 경유하여 발바닥에 보냄과 동시에, 강한 관념을 발바닥에 집중시킨다.

8. 신체 각 부분에서의 복기법(服氣法)

보통 호흡은 입이나 코로 행한다. 그러나 인간의 호흡 작용은 코나 입뿐만 아니라 피부 전체에서 하고 있다. 외기(우주원기)는 보통(호흡으로) 체내에 집어넣는데, 복기는 코나 입으로뿐만이 아니고 피부에서도 할 수 있다.

제8장에서 설명하는 〈좌망(座忘)〉 때의 복기, 즉 〈태식법(胎息法)〉은 온 몸에서의 복기이며, 의식을 쓰지 않고, 〈기〉가 자유로이 몸 안팎으로 흘러다니는 것에 맡겨 놓는 방법이다. 〈태식법〉이 익숙해지려면 일반 복기법을 익힐 필요가 있다.

보통 복기법은 관념의 리드로 행한다. 여기에 설명하는 신체 각 부분으로부터의 복기도 물론 관념에 의한 복기법이다. 그러면서 코나 입의 경우와는 달리, 일상 호흡하고 있는 것을 의식하지 않는 곳으로부터의 복기법이므로, 코나 입의 경우 이상으로 강한 관념을 필요로 한다.

그 대표적인 복기는 다음과 같다.

배꼽에서의 복기 복부를 알몸으로 하여 배꼽을 태양에 향하게 하고, 배꼽으로 태양 에너지를 빨아들인다. 섭취한 에너지를 각 정궁에 흘러보낸다. 여러 차례의 복기로 배꼽 및 복부 전체가 열기를 받고, 하복부의 혈기 활동이 활발해진다.

손끝에서의 복기 가만히 앉아 합장하고, 손끝으로 호흡하고 있는 것을 강하게 상상한다. 그러면 손끝이 찌리찌리해지는데, 이것이 손바닥으로 전해지고, 손바닥에 강력한 〈기〉의 약동을 느낀다. 이 손바닥을 환자의 환부에 대면 치료를 빠르게 해 준다.

연수(延髓)에서의 복기 〈반좌(盤座)〉로 앉아서 고개를 구부리고 후두부 아래서 〈기〉를 복기하여, 그것을 척추를 통하여 미골까지 유도한다. 미골에 도달하면, 다시 상승시켜 연수로부터 토기(吐氣) 시킨다. 이것을 코의 호흡과 리듬을 맞추어 행하면 쉬운데, 그 경우에도 의식을 코의 호흡에 뺏기지 않도록 연수 호흡에 강한 관념을 집중한다.

발끝에서의 복기 엎드려 누워, 두 다리를 펴고, 발끝에서 호흡하며, 호흡한 〈기〉를 뼈를 통하여 대퇴골 상단까지 유도하고, 여기서 되돌려 발끝에서 토기한다. 이것은 한 발씩 교대로 한다. 이들 복기는 보통 골호흡(骨呼吸)이라 한다.

발바닥에서의 복기 이것은 〈두좌〉의 자세로 행한다. 거꾸로 서서 발바닥을 하늘로 향하게 하고, 거기서 하늘의 〈기〉를 마신다. 마신 〈기〉는 행기법에 따라 대퇴부에 유도하여 발 전체에 순환시킨다. 이것을 행하면 발 전체가 더워지며, 두한족열(頭寒足熱)의 득이 있다.

양관(陽關)에서의 복기 이것도 두좌의 체위를 유지하여, 두 다리를 좌우로 크게 벌리고, 음부에서 복기한다. 빨아들인 〈기〉를 남근, 고환, 전립선, 여자는 산도, 난소 등 주로 생식기에 도입시킨다. 이것은 성력의 증진, 성기의 강화에 유효하다.

장자(莊子)는 "범인은 입으로 숨쉬지만, 진인(眞人)은 발끔치로 호흡한다"는 유명한 말을 했지만, 신체 각 부분에서의 호흡(복기)에 능해지면, 초인적 능력을 발휘할 수 있는 것이 가능하다.

제8장 행복의 길

1. 진 아(眞我)

◆의식 속의 나

우리는 자기를 〈나〉로 부른다. 습관적 용어로서의 〈나(我)〉는 자기의 육체나 정신을 타인 또는 다른 물건과 구별하는 의식이다. 즉 우리가 보통 쓰고 있는 나라는 말은 우리의 의식 속에 있는 〈나〉라는 존재이다.

그런데 우리의 육체나 정신이라고 하는 생명 활동은, 나라고 하는 의식이 생기기 이전부터 존재하고 있었다 라고 하는 것은, 우선 생명 활동이 있어서 거기서부터 〈나〉라고 인정하는 의식이 생겼다고 하는 것이다.

의식이 모든 실재를 바르게 인식한다면, 의식 속의 나라는 존재는 바로 진정한 〈나〉라고 할 수 있으나, 인간의 지적 활동은 우주의 실상을 그 실재대로 파악할 수는 없으므로, 의식 속의 나라고 하는 것은 반드시 실재로서의 〈나〉라고 할 수 없다.

여하간 의식 속에 있는 나라는 존재는 의식에 의하여 인식된 〈나〉라는 것이다.

인간은 각자 〈나〉라는 자기상(自己像)을 의식 속에 갖고 있다. 그것은 다른 사람이나 물질을 인식하는 것과 같은 의식 작용에 의하여 파악된 상이며, 우리의 육체나 정신이라는 생명 활동 그 자체가 아니다.

인간의 생명 활동은 의식하고 안 하는 것에 관계 없이 존재한다. 예를 들면 위(胃)가 건전한 사람은 위를 의식하지 않는다. 그러나 무의식이기 때문에, 위의 활동은 자유로이 건전하게 원활한 활동을 하는 것이다. 만일 우리가 위의 활동을 의식한다면, 아마도 위의 활동은 자유로이 건전하게, 원활하게 기능을 발휘할 수 없을 것이다. 사실 우리가 위를 의식하는 것은, 위의 활동이 이상을 일으켰을 때이다.

그와 마찬가지로, 우리가 〈나〉라는 의식을 가졌을 때는, 그 의식 속에 있는 〈나〉라는 존재는, 본래 있어야 할 생명 활동으로서의 〈나〉를 이탈한 것, 또는 본래의 활동이 정상적으로 안 되고 있는 〈나〉라고 해도 과언이 아니다.

즉 우리가 통상 〈나〉라고 부르고 있는 것은, 본래 있어야 할 생명 활동이 아니며, 우리의 의식 속에만 존재하는 〈나〉라는 자기상이라고 할 수 있다. 그것은 실재를 떠난 허구(虛構)의 〈나〉이며, 의식에 의하여 만들어진 〈나〉이다.

잠들어 있을 때 또는 의식을 완전히 다른 것에 집중하고 있을 때, 의식 속의 나는 없어진다. 그것이 진정한 〈나〉이다.

우리는 통각(統覺)에 의하여 그것을 분명히 알 수 있다. 아니, 의식으로써 〈아는〉 것이 아니라, 정서로써 느끼는 것이다. 그와 동시에 우리가 보통 〈나〉라고 부르는 것은, 실은 단순히 의식적 창조물이라는 것을 알 수 있다.

◆ 의식아(意識我)를 만드는 것

의식 속에 있는 자기상을 가령 〈의식아〉라 하자. 인간의 육체를 구성하는 세포는 시시각각으로 사멸생성을 되풀이하여, 한순간도 쉬지 않고 육체를 만들며 변화시킨다. 엄밀히 말하면, 어제의 자기와 오늘의 자기는 다른 것이다. 그런데 의식의 활동은 항상 유동변화하는 대상을 일시적으로 고정하여 파악하기 때문에, 시시각각으로 변하는 자기에 대한 의식은 고정관념으로 되어 기억되고, 그 기억의 누적이 〈의식아〉가 된다.

많은 사람들은, 의식아는 존재하는 나 라는 생명 활동체를 주관적으로 증명하는 것으로 생각하고 있는데, 실은 그 반대이며, 〈의식아〉가 현재의 자기를 만들고 있는 것이다.

그와 같은 설에 대해서는, 그럼 자기가 모태에 있을 때부터 아직 물심(物心)이 생겨나지 않은 유아기까지의 사이는 어떠한가. 또 의식이 개발되어 있지 않은데 의식이 인간을 만든다는 것은 줄거리가 통하지 않는 이론이 아닌가 라는 반론이 있을지 모르겠다.

여기서 분명히 해 두어야 할 것은, 의식이란 반드시 표면의식(表面意識) 뿐만이 아니라는 것이다. 의식에는 표면의식 이외에 잠재의식(潛在意識)이라는 넓은 분야가 있다는 것은 앞에서도 설명했으므로, 새삼 설명할 필요도 없이 아는 상식이다. 잠재의식은 기억의 저장고인 동시에, 표면의식이 작동하지 않은 이전부터 인간에게 잠재하는 의식이다.

아버지의 정충과 어머니의 난자가 결합하여 하나의 인간이 태어났을 때, 거기에는 부모의 육체적 인자가 가해진다. 그것은 보통 유전이라고 불리어지는데, 동시에 정신적 인자도 포함되어 있다. 그것이 육체적 발생과 동시에 의식으로서 부여된다. 또 그 부모는 또 그의 부모로부터 육체적 및 정신적 인자를 받고 있으며, 이처럼 선조로 거슬러 올라가면, 우리의 육체에는 실로 인류 발생 이래의 육체적·정신적 인자가 잠재해 있다는 것이 된다.

불교에서는 이것을 〈업(業)〉이라 한다. 업은 나쁜 것뿐만이 아니지만, 인간이 잘못된 사고작용을 가지게 된 후부터는 기억의 저장고에는 나쁜 자료가 너무나 많아져, 그것을 이어받은 자손의 업은 너무 오염되어 있다.

의식아를 형성하는 것은 이와 같은 잠재의식이다.

어떤 날 거울에 비추어진 자기의 얼굴이 지나치게 창백해 보인다고 하자. 어디가 나쁜 것일까 하는 불안이 얼핏 떠오르게 된다. 간발의 차이도 없이 콤퓨터가 활동하여 자료를 모은다. 그 경우 잠재의식의 저장고에는 나쁜 자료가 꽉 들어차 있다. 생명 활동은 실행력뿐이고 선택력이 없으므로, 콤퓨터의 해답이 〈나쁘다〉고 나오면, 그 목표에 따라 무조건 자기의 목표대로 해내는 활동을 하여, 그 결과 병자라는 〈의식아〉를 실현하는 것이다.

의식에는 창조 작용이 없으나, 창조력을 장악하는 생명 활동에 목표를 부여하는 것은 의식이기 때문에, 인간은 의식하는 대로의 모습으로 만들어지는 것이다.

스스로를 〈실패자〉로 생각하면, 그 사람은 반드시 실패자가 된다. 자기는 약한 사람이라고 인식하면, 당연히 약한 사람이 된다.

우선 〈실패자〉라는 나가 있어서, 의식이 그것을 인정하는 것이 아니라, 먼저 주관이 있어서 그것이 〈실패자〉로서 실현되는 것이다.

처음부터 약한 사람은 없다. 나는 약한 사람이라고 인식할 때, 약한 인간이 재생산되는 것이다.

이와 마찬가지로 자기를 〈성공자〉라고 인식하는 사람은 성공자로 되며, 강한 인간을 목표로 하는 사람은 강한 인간이 된다.

◆잠재의식의 정화(淨化)

앞에서의 설명처럼 의식이 각자의 운명을 결정하지만, 생명 활동에 목표를 주는 것은 지성이나 의지가 아니라 잠재의식이라고 하는 데 곤란한 점이 있는 것이다. 왜냐 하면 잠재의식은 의지의 마음대로 안 되기 때문이다.

여기에 필요한 것은, 잠재의식의 저장고에 되도록 좋은 자료를 집어넣는 것과 나쁘게 더럽혀진 자료를 정화하는 일이다.

그것은 필요한 방법이지만, 먼 옛 선조로부터 받아온 업이나 과거 오랜 세월 동안 잘못되고 부자연한 사고 방법으로 인하여 축적된 기억을 정화하고, 새로이 바른 사고작용으로 좋은 자료를 집어넣는 일은 매우 오랜 기간을 요하며, 또한 엄한 계율에 견뎌야 한다.

그래서 보다 간단하면서도 효과 있는 방법이 있으면 더할나위 없는 일이다. 다행히도 〈선도〉에는 그 방법이 설정되어 있다.

〈좌망(座忘)〉이라는 방법이 그것이다.

〈좌망〉은 선도 최고의 행법이라 일컬어지고 있다. 최고라 하니까 아무래도 보통 사람은 다가서기가 어려운 것으로 생각되어질지 모르나, 선도는 처음에도 설명했듯이 초자연적인 신령이 되기 위한 수행도(修行道)는 아니며, 평범한 인생을 여하이 즐겁게 보내느냐 하는 매우 인간적인 생활 기술이다. 당연히 최고 기법이라는 것은 현실 생활에 직결하여, 진정 즐거운 삶을 맛보기 위한 것이어야 한다.

따라서 〈좌망〉은 현실 도피도 아니며, 또 현세 초월도 아니다. 물론 단순한 정신 수양이나 정서 훈련이라는 한가한 행법도 아니다.

그것은 어디까지나 현실적이고 인간미를 풍기며 바램이 큰 삶의 추구법이다. 즐거운 인생, 개인의 행복을 얻으려고 의식적으로 만들어진 〈나〉를 해방하고, 자유분방한 생명 활동을 발현시키기 위한 기법이다. 그리고 동시에 불수의근이나 잠재의식 등 의지의 뜻대로 안 되는 생명 활동과 생각대로 안 되는 외계의 조건이나 환경을 모두 자기의 의지 지배 하에 두기 위한 행법이다.

◆ 생명의 본질

의식아가 주관에 의하여 만들어진 자기상이라면, 객관적으로 실재하는 나라는 것이 별도로 존재할 것이라는 이론이 성립된다.

예를 들어 대아(大我)와 소아(小我), 진아(眞我)와 위와(僞我)라는 말이 사용되는데, 〈나〉라는 실재가 두 개 있다는 것은 생각할 수 없다. 의식아는 의식 속의 환상이라 해도, 그 의식이 만들어 낸 자기 상이 현실의 육체나 정신으로 되어 나타나는 이상, 가공적이라 생각되지 않는다. 그런 의미에서, 진아라고 하는 말처럼 애매한 것은 없다.

데카르트는 아니지만, "나를 인정함으로써 내가 있다."라는 말과 같이, 의식하지 않은 나 라고 하는 것은 존재의 가치가 없다.

소위 진아라고 하는 것도 결국은 의식되는 나, 즉 의식아이다. 다만 잘못된 사고작용에 의하여 진실의 모습이 왜곡되어 인식되는가 바르게 인식되는가 하는 차이가 있을 뿐이다.

바르게 인식되면 생명 활동은 바르게 활동되며, 왜곡된 모습으로 인식되면 그 방향으로 생명 활동이 활동된다고 하는 것이다.

생명 활동에는 시비선악(是非善惡)의 비판력이 없다. 원래 시비선악이라는 것은 인간이 멋대로 만들어낸 것이며, 객관적 사실이 아니다. 예를 들면 비가 온다는 사실에는 시비선악은 없지만, 우산 장수에겐 선이며 운전기사에겐 악이라는 것 같은 것이다. 그런 자연현상을 선으로 하고 또는 악으로 하는 것은, 한쪽에 치우쳐 받아들이는 사람의 의식에 있는 것이다.

생명 활동도 〈도〉라고 하는 우주 원리에서 나온 일종의 자연현상이며, 자체가 선이라든가 악이라든가 하는 치우친 성질을 가지는 것은 아니다. 그저 강은 〈흐른다〉라는 본질적 성질을 가지고 있는 것과 같이, 생명 활동은 생명의 완전 발현을 다하려는 본질을 가지고 있다. 그것이 선의 방향으로 발현되느냐 악의 방향으로 발현되느냐 하는 것은 생명 활동의 본질에는 전혀 관계가 없는 것이다.

이 원리를 직시(直視)할 수 있으면, 생명 활동을 자기의 생에 플러스가 되게 이용할 수가 있다. 즉 생명 활동의 본질을 옳게 인식할 수 있는가 없는가, 생명 활동을 자기에게 유리하게 움직일 수 있게 하느냐 없느냐의 수단이 되는 것이다.

〈좌망〉의 목적은 실로 여기에 있는 것이다. 〈좌망〉은 생명의 본질을 바르게 인식하기 위한 행법이다.

우리가 인식하는 나는, 생명의 본질을 바르게 인식한 다음의 주관적 나인가, 또는 생명의 본질을 무시하고 오로지 의식만으로 만들어진 나인가에 갈림길이 있다.

◆ 진아(眞我)의 인식(虛라고 하는 것)

인간은 누구나 자기의 입장에 서서 대상을 관찰한다.

내게서 보면 그는 그 사람인데, 그 사람에게서 보면그는 〈나〉이고 내가 〈그 사람〉이다. 사물 자체에는 원래 시(是)도 비(非)도 없고, 그것을 시로 보는 것은 〈시〉의 입장에서 보니까 그런 것이며, 〈비〉의 입장에서 보면 〈시〉가 비이며 〈비〉가 시이다.

값비싼 다이아몬드라도, 기아시에는 한톨의 가치만큼도 인정받지 못할 것이다. 모든 가치 판단은 그 물건 자체의 본질이 아니고, 인간이 만든 의식 속의 존재이다.

물질의 본질을 바로 보려면, 그와 같은 물질 자체의 본질을 떠난 의식을 버리고 본질 그 자체의 자아에 직면해야 한다. 마찬가지로 생명의 본질을 알려면, 의식을 버리고 생명 자체에 몰입하는 수밖에 없다.

의식아라는 입장을 버리는 것, 그것을 〈허(虛)〉라 한다. 허가 되어 비로소 물질의 실상이 보이는 것이다. 허라는 것은 소위 무념무상(無念無想)으로 되는 것은 아니다. 또 고목(枯木)이나 죽은 재처럼 되라는 것도 아니다. 어느 곳에도 치우치지 않는 것을 허라 한다. 특정한 입장에 빠지지 않는 것이다.

육체의 일부에 고장이 생기면, 거기에 마음이 쏠리게 된다. 대상의 한 곳에 마음이 멎으면, 거기에 빠진다. 빠지면 자유를 잃는다.

어떤 사람의 말 중에, "한 나무를 향하여 붉은 잎에 마음이 쏠리면, 나머지 잎은 보이지 않는다. 잎 하나에 눈 돌리지 말고, 아무 생각 없이 나무와 마주서면 수많은 잎이 빠짐 없이 눈에 들어온다"고 했다. 그것이 허이다.

허는 무가 아니며, 전부이다. 전체를 보지 않는 것이 아니라, 하나를 봄으로써 전체를 본다는 것이다.

생명 활동을 생명 본래의 발현으로서 인식한다는 것이다. 거기에는 어떤 입장, 어떤 견지에서, 또는 어떤 한 점이라고 하는 치우침이 없음으로써 진실된 것이 인식되어진다. 그러나 의식적으로 인식하려고 하면 빠지게 된다. 오히려 정서로써 느낀다는 식으로 인식하는 것이다.

내가 나를 인식하는 것이 아니라, 내가 본질 하나로되어 본연의 생명 활동을 하는 것이다. 즉 무의식에 의한 파악이다.

2. 좌 망(座忘)

◆ 태식(胎息)과 위기(委氣)

〈선도〉의 중요한 행법의 하나는 〈복기〉이다. 복기에 대해서는 앞에서도 때때로 설명했으나, 요는 우주의 만물은 모두 〈기〉로서 이루어져 있으며, 생체에 생명 활동을 부여해 주는 것도 〈기(生氣)〉이다. 생기가 체내에서 적어지면 육체는 쇠퇴하고, 완전히 고갈되면 죽게 되는 것으로, 생명 활동을 왕성하게 하기 위해서는 항상 대기 중에서 생기(외원기)를 섭취하여, 이것을 체내의 생기(내원기)로 변화시키고 비축하여 체내에 구석구석까지 순환시키는 것이 필요하며, 이 기법이 복기법이다.

복기로 체내에 빨아들여 내원기화된 생기는 생명 활동의 원천인 생명 에너지인데, 이것을 의식에 의하여 체내에 순환시키며, 때로는 환자의 환부로 보내어 병을 고치고, 또는 몸 끝까지 흘러보내 노화를 방지한다든가, 여러 가지 방법으로 생명 활동의 완전 발현에 이용하게 된다.

이 방법이 〈용기법(用氣法)〉이라고 하는 행법이다. 용기법에는 〈행기(行氣)〉, 〈연기(煉氣)〉, 〈폐기(閉氣)〉, 〈포기(布氣)〉 등 그 목적에 따라서 〈기〉의 이용에도 여러 가지 종류가 있다. 그러나 중요한 것은, 생명력이란 그 자체가 이미 완전한 것으로, 의식에 의하여 강화되어지는 성질이라는 것이다.

단지 인간은 의식적으로 또는 무의식적으로 생명력의 완전 발현을 스스로 방해하고 있기 때문에, 제대로 자연의 생명 활동이 이루어지지 못하고, 생명력이 완전히 발현되지 않는 것이다.

그 때문에 〈재계〉로 신체의 뒤틀림을 교정하고, 내관이나 통각으로 그릇된 정신 작용을 수정하든가 하여, 생명의 완전 발현을 방해하는 것을 제거하는 노력을 기울이게 되는데, 그것만 할 수 있다면 나머지의 의식적인 노력을 하지 않아도 생명력은 완전히 발현될 것이다. 예를 들면 의식으로 〈업〉을 근절하려 한다든가, 지식으로 진아나 신을 인식하려는 노력은 힘만 들고 효과도 없으며 쓸데없는 노력이라 할 것이다. 이것은 소위 독으로 독을 제어하는 따위의 행위이며, 결국 해독으로부터 헤어날 수 없을 것이다.

그보다도 의지를 이용하지 않고, 그저 자연의 생명 활동에 일체를 맡겨 놓는 것이 제일 좋은 방법이다. 생명 활동은 〈기〉의 순환과 변화에 의하여 이루어지므로, 〈기〉를 체내에서 자유로이 순환시키는 것이다. 의식적으로 〈기〉를 움직이려 하지 말고, 〈기〉가 움직이는 대로 내버려 두는 것이다. 이것을 위기(委氣)라 한다. 〈위기법〉이라고 해서 뭔가 의식적인 기법처럼 들리지만 특별한 테크닉이 있는 것은 아니다.

이것은 〈좌망〉 때 행한다.

태식(胎息)도 위기와 마찬가지로, 호흡(복기)을 〈기〉의 자유에 맡기는 것이다. 호흡은 보통 코로 행하는데, 복기는 코, 입 외의 신체 각부에서도 행할 수 있다.

그것을 체험하기 위하여, 배꼽이나 발꿈치 또는 피부나 뼈 등으로 호흡하는 방법을 훈련하는데, 그것은 태식법의 준비 행법으로, 태식에는 의식을 사용하지 않고 〈기〉가 몸 내외를 자유로이 출입하는 데 맡기는 것이다.

◆ 수 일(守一)

태식이나 위기는 좌망의 요소인데, 그것은 결국 〈기〉로 된다는 것이다.

허에는 특수한 테크닉은 없으나, 절대 필요한 전제 조건은 이완이다. 즉 신체나 마음을 완전히 편하게 가져야 한다. 긴장하는 곳에 〈기〉가 집중되므로 육체도 정신도 긴장하면 〈기〉가 편재하여 자유로운 움직임을 상실한다.

심신 모두를 이완시키고 허가 되었을 때, 생명의 완전한 모습이 나타난다. 그것은 대뇌의 활동에 의하여 느껴지는 것이 아니고, 복뇌를 통하여 체험되는 것이다.

그것은 〈저것〉이라는 객관적 존재로 지각되는 것은 아니다. 생명 즉 〈나〉라고 하는 체득(體得)이다. 〈저것〉과 〈나〉 두 개가 있어서, 〈저것〉을 내가 발견한다는 식으로 인식되는 것이 아니다. 〈저것〉은 즉 〈나〉이며, 〈저것〉과 〈나〉는 하나라는 식으로 느껴지는 것이다. 그것은 지적인 것이 아니라 정서적 느낌이며, 이성적이 아니라 신념적 경지라는 상태이다.

그것을 노자(老子)는 다음과 같이 표현하고 있다. "모호하고 황홀하나 그 속에 상(象)이 있고, 황홀하고 모호하나 그 속에 사물이 있나니, 깊고 아득한 그 속에 정(精)이 있고, 그 정은 매우 참된 것, 그 속에 믿음이 있나니." 즉 그것은 황홀하여 분간하기 곤란하나, 그 속에 모든 활동이 진행되고 있다. 또 속 깊어 확실히 알 수 없으나, 근원적 진실이 있다는 것이다.

그것이 〈도〉이며, 생명이고, 그리고 〈나〉이다. 〈도〉는 생명을 만들고, 생명은 나를 만든 것이 아니고, 〈도—생명—나〉는 하나의 것이라는 체험이 얻어진다.

이 체험을 기준으로 하여, 새로운 자기상을 만들 수가 있다.

지금까지 가지고 있던 자기상(意識我)은 그릇된 선입관이나 부자연한 사고 작용에 의하여 만들어진 실상과는 별개의 존재였다는 것을 확실하게 알게 된다. 의식으로 오인되고 있는 현실의 〈나〉는 진실한 생명의 발현체가 아니라, 의식에 의하여 창조된 도깨비였다는 것을 깨닫는다.

실체를 안 이상, 어디까지나 실체를 지키고자 하는 기분으로 되는 것은 당연한 일이다.

이것을 〈수일(守一)〉이라 한다.

3. 무　위(無爲)

◆ 생명의 원리

좌망에 의하여 체득한 〈나〉는 본래의 생명 모습이다.

물질을 근원까지 추적해 가면 결국 파동이 되는 것처럼, 생명도 파동(氣)이다. 그것은 육체나 의식에서 발생하는 것이 아니고, 우주의 원리를 즉 〈도〉에서 발생한 것이다.

우리의 생명은 우리가 모태에서 인간으로서의 제1보를 내딛기

이전부터 존재하고 있었다. 생명은 그 자체가 완성된 것이지만, 전혀 의지를 가지고 있지 않다. 그것에 목표를 부여하고, 일정한 방향으로 활동시키는 것이 의식이다.

우리의 생명이 모태 내에 발현된 것은 우주 의식의 지시에 의한 것이다. 우주 의식은 복뇌를 통하여 생명 활동을 방향잡고, 그 패턴에 따라서 우리는 인간으로서 태어난 것이다.

우주 의식은 생명을 인간이라는 모습으로 발현되도록 방향 설정을 했다.

그 다음 생명을 리드한 것은 우리의 잠재의식이다. 잠재의식은 생명에 개성을 부여했다. 생명은 그 목표에 따라서 생김새나 성격 등 사람마다 다른 개성을 가진 인간을 만들었다. 대뇌가 발달함에 따라, 대뇌의 의식 작용이 생명의 인간 형성에 참가하였다. 이렇게 만들어진 것이 현재의 나(의식아)이다.

우리는 의지가 있는 인격적 조물주(신)에 의하여 만들어진 것이 아니고, 숙명이라는 규약에 의하여 조작되는 것도 아니며, 전적으로 자기 자신의 손으로 만들어져서, 그리하여 자기 자신의 의식에 따라 움직이고 있는 존재이다.

따라서 스스로를 행복하게 하고 또 불행하게 하는 것도 모두 우리들 자신이다.

우주의 모든 것은 〈기〉의 집산 변화이다. 유유상종(類類相從)이라는 말이 있다. 물질이나 현상의 생성은 그 말대로 〈기〉의 교감작용에 의해서 이루어진다. 성질이나 종류가 다른 음양의 두 〈기〉가 감응(感應)하여 조화하는 것에 의하여 만물이 자연적으로 생성된다.

우리 주위의 환경도 〈기〉의 교감작용이 행하여지고 있다. 슬픈 감정은 슬픈 자료를 모아서 슬픔을 실현하는 환경을 만든다. 늘 즐겁게 살려고 하는 사람 주위에는 즐거움을 만드는 자료가 모인다.

이 원리를 체득한 사람은 행복을 얻기 위하여 쓸데없는 노력을 필요로 하지 않는다. 의지나 완력으로 행복을 붙잡으려고 악착같이 해도, 정신이나 체력을 소모할 뿐 목적을 이룰 수 없다.

무위(無爲)로 되어 버린다는 것은 이것을 말한다.

◆ 유위(有爲)와 무위(無爲)

사람들은 욕망을 달성하고 즐거움을 얻으려고 지능을 짜내고 몸이 가루가 되도록 노력한다. 그런데 일하고 일해도 즐거움이 안 되는 것이 현실이다.

또는 행복을 잡으려고 사람과 다투고, 그 결과 쌍방 모두 부상을 입고 행복을 도망치게 하고 있다.

그것은 모두 생명의 원리를 모르기 때문에, 그릇된 방향으로 생명 활동을 작용시키기 때문이다. 그와 같은 의지에 의한 노력은, 고기를 잡으려고 나무에 오르는 것과 같은 쓸데없는 에너지의 소비밖에 되지 않는다.

무위라 하는 것은 그와 같은 효과 없는 행동을 일체 중지하는 삶의 방식이다. 행운은 인력으로 안 되니 기다리라는 속담이 있다. 기다리라는 것도 일종의 의식적 행위이며, 무위는 아니다.

무위는 일체의 의식(표면의식)적 행위를 내버린다. 그러나 행위 그 자체를 정지하는 것은 아니다.

움직인다는 것은 생명 활동의 본질이므로, 행동의 정지는 죽음이다. 무위는 죽는 것이 아니다. 보다 잘 살려는 방법이다. 따라서 무위는 무가 아니라 전부이다. 단지 행위가 의식적으로 행하여지지 않는다는 것뿐이다.

생명의 완전 발현을 위한 생명 활동은 인간의 지식이나 의지 등으로는 계산할 수 없는 범위에 다다른다. 그것을 지식이나 의지라고 하는 의식으로 제약하고 자유로운 생명 활동을 저해하는 것이 의지에 의한 행위이다. 이와 같은 제약이나 속박을 깨끗이 제거, 생명 활동을 자유분방하게 작용토록 하는 것이 무위이다.

다만 생명 활동에는 목표 선택의 성질이 없으므로, 의식이 그 방향을 잡아줄 필요가 있다 라고 해도 그 방향을 잡아주는 의식은 표면의식이 아니다.

야구의 외야수는 타자가 공을 치는 것과 동시에 공의 낙하점을 향하여 달리는데, 표면의식이 타구의 방향이나 강도, 공이 뻗칠 정도를 계산하여 행동을 지시하는 것은 아니다. 또 씨름 장사가 거의 순간적으로 결판나는 승부에 일일이 상대가 어떻게 나올 것인가를 머리로 생각하며 싸울 리는 없다.

이것은 모두 잠재의식이 지시를 내려 몸이 그 지시에 따라 움직이는 것뿐이다. 다만 중요한 것은, 지시를 내리는 잠재의식이 나에게 유리한 방향을 제시하느냐 않느냐에 달렸다. 실수만 하는 외야 수는, 잠재의식이 공을 떨어뜨린다는 지시를 내리는 경우가 많은 것이다. 따라서 잠재의식이 생명 활동에 〈붙잡는다〉 또는 〈이긴다〉는 최종 목표를 전제로 한 지시를 내릴 것이 필요하다. 그것은 표면의식에 의한 욕망이다.

성공하고 싶다고 바라면, 성공이라는 지상명령을 잠재의식에 내려야 한다. 표면의식의 역할은 오로지 그것뿐이다. 나머지는 모두 생명력에 맡겨두면 된다. 잠재의식은 그 지상명령에 기초하여, 필요한 모든 자료를 모아서 생명 활동에 지령을 내리고, 생명 활동은 지시대로 전력을 다한다는 경과를 따라 욕망을 달성하는 것이다.

◆ 무위가 최상의 행위

무위라고 하는 것은 행동을 의식적으로 하지 않는 행위이며 다만 최종 목표만은 표면의식이 내리지 않으면 안 된다고 설명했으나, 그것은 현실에 당면할 때 마다 그렇게 하는 것이 아니고, 미리부터 그 훈련을 해두는 것이 필요하다. 그리고 일일이 일러주지 않아도, 잠재의식에 지상명령을 기억시켜 두는 것이 필요하다. 그렇게 되면 일에 당면하여 의식을 발동시킬 필요가 없다.

미리 훈련한다는 것은, 생명의 실존을 확인하고, 생명력의 완전 발현을 저해하는 육체적 및 심리적 요소를 제거하며, 항상 그것이 의지의 방향에 따라 완전히 기능이 발휘되는 것을 확인하는 것이다. 그것을 달성하기 위해 〈재계〉, 〈내관〉, 〈통각〉, 〈좌망〉의 행법을 필요로 하는 것이다.

이와 같은 훈련에 의하여 성스러운 생명을 의식 중의 자기상으로 유지하고 있으면, 어떤 사태에 직면해도 태연히 일을 처리해 갈 수 있다.

보통 사람들의 잘못은 곤란한 현실에 당면했을 때 의식으로 그것을 극복하려고 한다. 모든 현상은 시시각각으로 변화 유동하여 가는데, 의식은 그것을 고정시킨 상태로 인식한다. 그 때부터 그 현상은 객관적 사실에서 주관 속의 존재로 옮겨간다. 그것을 의식적으로 극복하려는 것은, 즉 의식대 의식의 싸움이다. 그에 따라 정신은 동요하고 육체는 과도하게 긴장한다. 생명력은 위축되고, 생명 활동은 감퇴한다. 이런 상태라면 적절한 대책이 강구되어질 리 없다.

어떤 해변에 갈매기를 좋아하는 남자가 살고 있었다. 매일 아침 해변가에 가서 갈매기와 놀고 있었는데, 백 마리 이상의 갈매기가 그 사람 주변에 모여들었다. 그런데 어느 날, 아버지로부터 갈매기를 사로잡아 오도록 부탁받고 해변가에 나갔더니, 갈매기는 하늘 높이서 날고 있을 뿐 그전처럼 곁으로 내려오려고 하지 않았다.

이 우화는 열자(列子) 중에 들어 있는 이야기인데, 열자는 나중에 최상의 행동은 무위이다, 인간의 의식적 행위 등은 천박한 것이다, 라고 결론짓고 있다.

사람은 의식적으로 행복을 붙잡으려고 하지만, 의식적으로 노력하면 할수록 갈매기는 달아난다. 의식을 버리고 모든 것을 자연의 생명 활동에 맡겨 놓을 때, 갈매기의 큰 무리가 그 사람 곁에 모여드는 것이다.

◆무위의 훈련법

오랜 세월 지식이나 의지가 행동의 결정권을 가진다는 잘못된 사고에 젖어온 인간에게 있어서, 의식을 버리고 행동하라는 것은 빛을 버리고 어둠 속을 걸어가라는 권고로 느껴질 것이다.

그러나 외야수가 공을 잡는 것도, 씨름 장사가 순간적으로 이기는 것도 모두 의식적 행동은 아니다. 자동차의 운전에서는, 미숙할 때는 의식을 긴장시킴으로써 딱딱해져 위험스러우나, 숙련되면 무의식으로 운전하게 된다.

이처럼 무위 행동은 최상의 행동이며, 당면하는 사태에 대처하는 경우 임기응변에 가장 적절한 행동을 취할 수가 있지만, 그것은 역시 훈련이 필요하다.

외야수나 씨름 장사는 훈련을 쌓는 것에 의하여 몸에 익히는 것이며, 여기서 말하는 훈련이라 함은 개개인의 기술이 아니라 일반적인 처세법으로서의 훈련이다.

그것은 훈련이라기보다 무위 행동에 대한 확인이며, 무위가 최상의 행동이라는 신념의 확립이라고 하는 편이 적당하겠다.

자연운동법　앉거나 의자에 허리를 걸쳐도 상관없으며, 몸에는 힘주는 곳이 없게 심신이 모두 〈허〉가 된다.

이것이 되면 신체가 자연히 움직이기 시작한다. 의식은 그 움직임을 느끼는 것뿐이며, 움직이는 것에 개입해서는 안 된다. 몸이 움직이는 대로 내버려둔다.

잠재의식이 조정되어 있지 않은 사람은 심하고 조잡하게 움직인다. 뒹글며 날뛰든가, 빙빙 돌며 이상한 소리를 내기도 한다. 잠재의식이 정화(淨化)되면 움직임이 작아지고, 점잖게 된다. 그러나 여하간 의식적으로는 도저히 움직일 수 없는 속도나 범위를 가지며, 또 예상 밖의 몸짓을 나타낸다. 그것은 생명의 발현이며, 생명의 발현은 인간의 천박한 의식을 넘어선 것을 스스로의 움직임을 통하여 체험할 수 있다.

무의식화법(無意識畵法)　도화지와 연필을 책상 위에 놓고 〈허〉가 된다.

그러면 손이 움직여 연필을 잡고, 도화지에 그림을 그리기 시작한다. 이 경우도 잠재의식이 잘 조정되어 있지 않으면, 겨우 어린애가 하는 것 같은 뜻을 알 수 없는 곡선이나 직선을 겹치기로 그리게 된다. 다른 행법의 연습에 의하여 심신의 조화가 이루어짐에 따라, 짜임새 있고 뜻있는 그림이 된다. 그러나 그림은 지식이나 선입관에 의한 물체의 묘사가 아니다.

숙련이 되면, 연필 대신에 크레파스를 사용한다. 이 경우 그림은 단색 그림이 아니고 색채 그림으로 되는데, 무엇을 그릴까, 무엇을 사용할 것인가 하는 의식은 일체 하지 않는다.

더욱 숙달되면, 의식으로 목표를 지정해 준다. 예를 들어 장미꽃을 그리려고 할 때, 보통 그림을 그리는 사람처럼 그릴 물건을 앞에 놓든가 또는 마음에 그것을 그려본다. 그러나 의식은 그 이상 간섭 또는 행동하여서는 안 된다. 즉 어떻게 그릴 것인가라든가, 지금 그리고 있는 것을 의식적으로 수정하려고 해서는 안 된다.

즉흥가창법(卽興歌唱法) 극히 간단한 것으로, 익숙해지기 쉬운 멜로디를 선택한다. 품위 있고 엄숙한 맛이 있는 곡이 가장 적당하다. 박자는 4박자가 좋으며, 그 곡으로 리드미컬하게 박자를 따라 잘 알려진 옛 사람의 시조를 그 리듬과 멜로디에 실어 노래한다.

그것에 이어, 자기의 즉흥 노래를 부른다. 물론 의식적으로 만드는 것이 아니고, 허심하게, 그리 리듬에 따라 한음 한음이 자연적으로 흘러나오도록 한다. 그 한음 한음이 연결되어 맞추어진 것이 31음 노래의 형태가 되는 것이다.

처음에는 무의미한 음의 연속이지만 그것으로 괜찮으며, 뜻을 나타내려 해서는 안 된다.

숙련되면 녹음 테이프에 담아서, 후에 들으면 노래 소질이 전혀 없는 자기가 어떻게 만들어냈는지 이상한 생각이 들며 노래가 불려지는 데 놀라게 된다.

그러나 이것은 무위 행동의 훈련이며 노래 연습이 아니기 때문에, 좋은 노래가 안 되어도 일체 상관 없다. 남에게 피해 가지 않을 장소를 택하여 되도록 큰 소리도 노래할 것이다.

4. 신유관(神遊觀)

의식이라 해도 그것은 의지의 뜻대로 되지 않는 잠재의식이기 때문에, 행복한 환경을 불러들이려면 잠재의식이 그 방향으로 생명 활동을 이끌 필요가 있다. 따라서 희망을 달성하기 위해서는, 의지의 노력은 쓸모없는 정력의 수고에 지나지 않으나, 잠재의식은 원래 표면의식에 의해서 만들어진 것이므로 잠재의식의 정화나 훈련은 결국 표면의식의 정화와 훈련에 직결된다.

원래 운명이나 환경이라는 것은, 각자의 의식 속에 들어 있는 세계이다. 젊은 사람은 젊은 세계에 살며, 노인은 노인의 환경을 만든다. 마찬가지로 행복감을 가진 사람은 행복한 시절을 보내며, 불행감을 품는 사람은 불행한 운명을 따르게 된다.

그러므로 행복한 생활을 바란다면 마음 속에 행복감을 계속 가지는 것이 필요하다. 늘 마음에 행복감을 가진다는 것은, 행복한 자기상을 의식 속에 확보한다는 것이다. 만일 자기의 의식 속에 있는 자기상이 언제나 실패만을 되풀이하는 인생의 패배자라고 하면, 어찌 행복감을 가질 수 있겠는가.

의식아(意識我)가 강하고 맑으며 적극적인 자기상이라면, 여하한 사태에 놓여지더라도 반드시 유리하게 대처할 수 있다는 신뢰를 의식아에 대하여 가질 수 있는 것이다. 그리하여 그것이 현실화하는 것이다.

조용한 장소에 앉든가 또는 옆으로 누워, 호흡을 조절하고 마음의 긴장을 풀고 몸을 이완시킨다.

심신의 준비가 되었으면, 과거에 있어서 가장 즐거웠던 생각 또는 감동적인 경험, 용기 있었던 장면 등을 상기한다.

그 때의 장소, 주위의 풍물 등을 되도록 상세히, 구체적으로 생각해 낸다. 그리고 그 속에서 즐기고, 감동하며, 또는 용기가 넘치는 자기의 모습을 객관적으로 마음 속에 그린다. 그리하여 거기에 등장하는 자기상을 이상적인 모습으로서 인상(印象)짓는 것이다.

그 사람은 생명 에너지가 넘쳐흐르는 건강함 그 자체이며, 생기가 금빛으로 되어 찬연히 몸에서 빛나고 있다. 어떠한 병이나 병균도 그 사람을 해칠 수가 없다. 그 얼굴은 영원한 젊음에 빛나고 있다.

그 사람은 훌륭한 능력을 가지고 있어, 어떤 일이라도 해내지 못하는 것이 없다.

그 사람은 무한한 부(富)를 소유하고 있어 필요할 때는 얼마든지 돈을 쓸 수 있고, 결코 물질적으로 가난하지 않다. 언제나 싱글벙글 행복감에 넘쳐 모든 사람, 모든 동물, 그리고 모든 물질을 마음으로 사랑하며, 자비로우며, 만물도 그 덕을 사모하여, 그 사람 주위에는 언제나 즐거운 분위기가 감돌아 밝은 웃음소리가 그치지 않는다.

그와 같은 광경을 여러 가지로 마음에 그려보는 것이다. 그것은 서술적이 아니며, 회화적이고, 눈으로 보는 듯이 그리는 것이 필요하다.

그리하여 그 이상적인 인간상이야말로 〈나〉라는 것을 강하게 마음에 인상짓는 것이다.

숙련되면 그 얼굴이나 모습, 그 행동 등이 눈에 영상으로 되어 비쳐진다.

5. 전일관(全一觀)

◆ 자타(自他)와 일체(一體)

불행은 자기와 외계가 대립하여, 거기서 생기는 마찰에 의하여 일어난다.

인간은, 세계가 자기와 외계라고 하는 두 개의 것으로부터 이루어져 있다고 생각한다. 그러나 조용히 생각해 보면, 이 생각에는 커다란 잘못이 있다는 것을 알 수 있다. 왜냐 하면 우리가 살고 있는 우주라는 것은, 하나의 그릇과 같이 그 속에 자기와 그 밖의 무수한 사람이나 물건이 대립적으로 존재하는 것이 아니라, 자기를 포함한 그와 같은 무수한 사람이나 물건들로서 우주가 구성되어 있기 때문이다. 즉 자기와 그 밖의 것들은 함께 우주의 구성 요소라는 것이다.

이렇게 되면, 우리는 우주와 대립하여 존재하는 것이 아니라, 우주는 우리와 같은 방향을 향하여 존재한다는 것이라고 할 수 있겠다. 즉 외계와 나와는 대립하는 2원적 존재가 아니고, 하나의 것이라는 사실이 이론적으로 납득된다.

옛 인도에 무예 전반에 통달한 무예가가 있었다. 그가 무예수행 도중, 어떤 산중에서 이상한 괴물과 마주쳤다. 그는 우선 활을 당겨 괴물에 화살을 날렸다. 화살은 정확히 명중했으나, 괴물의 신체는 마치 고무풀 같은 점착성(粘着性)이어서 괴물에 맞은 화살은 모두 괴물에 달라붙고 말았다. 무예가는, 그렇다면 하고, 그의 장기인 창을 겨누어 괴물의 급소인 눈을 겨냥하여 찔렀다.

그런데 창도 또한 괴물을 찌르기 전에 몸체에 척 붙어서 찌를 수도 뺄 수도 없게 되었다.

할 수 없이 창을 버린 무예가는 허리의 대검을 휘둘러 괴물을 쳤으나, 결과는 마찬가지로 칼도 역시 괴물 몸에 붙어버리고 말았다. 만사가 허사가 된 무예가는 최후로 몸을 던져 괴물과 맞붙었다. 물론 그의 몸도 괴물에게 밀착되어 떨어지지 않게 되었다.

이 때 괴물이 말했다. "대부분의 사람들은 이렇게 되면 놀라서 도망치든가, 끈질기게 저항하다가 결국 잡혀먹게 되는데, 너는 내 몸에 들러붙었다. 어떻게 잡아먹으면 좋을까?"

그래서 무예가가, "나는 너와 한 몸이다. 먹을 수 있으면 먹어봐라."고 했더니, 괴물은 연기처럼 사라져 버렸다.

이 우화는, 대상물과 자기를 대립적으로 생각하여 저항하려 하면, 상대는 점점 더 강하게 압력을 가해 오지만, 그것에 몸을 맡기고 대상과 일체가 되어 버리면, 자기를 잡아먹을 수 없으며, 즉시 사라져 버리는 것을 묘사한 것이다. 가난하거나 병이 들거나, 불행 또는 불안의 원인이 되는 상태에 빠져도, 그것과 일체가 되면 불행으로 되지 않는다.

대상 그것에는 나를 불행하게 하려는 의도는 조금도 없다. 그것이 두려워 적대시함으로써 비로소 적이 된다. 즉 적이라는 것은 대립 사상이 만드는 의식 내의 가공적 괴물에 지나지 않는다. 대립적으로 생각하기 때문에 적으로 되며, 일체(一體)로 생각하면 모두가 내 편이 된다.

의식 내에 만든 적을 의지의 힘으로 극복하려는 것은 결국 자기의 내부 투쟁이며, 자기 마음에 상처를 안겨 몸을 약화시키고, 게다가 불행을 불러들이는 결과로 끝나는 데 지나지 않는다.

◆ 일체(一體)가 되는 방법

불행과 불안은 외계와 자기를 대립적으로 보는 데서 생기는 것이므로, 자타일체(自他一體)의 이치를 터득하면 불행은 있을 수 없다. 그럼 어떻게 하면 일체가 될 수 있을까. 그 훈련 방법 2,3개를 소개해 둔다.

외부통각법(外部統覺法)

조용한 방에 2～3미터의 간격을 두고 벽이나 벽장과 마주보고 앉고나, 또는 의자에 걸터앉는다. 미리 대면한 벽에 직경 1～2센티미터 정도의 검은 원형의 점을 백지에 그려, 그 흑점이 눈높이보다 약간 낮은 위치에 붙여 놓는다.

몸은 되도록 안정시키고, 마음을 가라앉히며, 그 흑점을 바라본다. 모든 감각을 이 흑점에 집중되도록 주의한다. 눈이나 몸에 힘을 주어 노려보지 말고, 아주 자연스럽게, 보다 더 멍하니 바라보도록 한다. 잡념이 생겨도 털어버리려 하지 말고 그대로 내버려 두며, 의식은 모두 흑점에 집중된다.

시선은 작은 흑점이면 그 중심 근처에 집중시키고, 약간 큰 흑점이면 매우 천천히 그 테두리를 따라 이동시킨다. 이것은 〈외부통각법〉이라고 하는데, 이 행법에 숙달되면 처음에는 자기가 대상물을 보고 있다는 것이 느껴지지만, 점차 흑점이 나를 보고 있다는 느낌이 든다. 더욱 진전되면, 나와 흑점의 거리가 접근하여 내가 흑점 속에 빠져 버리는 감이 든다.

그리고 나중에는 대상물이 자기인지, 자기가 대상물인지 분별 못하게 된다. 즉 자타의 대립이 없어지며, 일체감을 얻을 수 있게 된다.

이렇게 되면, 대상물을 자연물인 초목이나 꽃, 또는 달이나 태양 등으로 하여 이 방법을 행한다.

체험 상상법(體驗想像法)

책상 위의 물건, 연필이나 꽃병, 무엇이든 하나를 택해서 그 것을 바라본다. 그리고 그 물건의 과거를 거슬러올라가 상상해 본다. 예를 들어 꽃병 같으면, 산의 흙부터 시작한다. 산에서 흙을 파서, 트럭에 실려, 도시의 공장으로 운반되고, 기능공이 꽃병의 모형을 빚어서 칠을 한 다음 가마 속에 넣어서 구워냈다. 이런 식으로 그 물건의 처음부터 현재까지에 이르는 생애를 가능한 한 구체적으로 상상해 간다.

그것이 잘 되어지면, 마치 자기가 그 물건이 된 것처럼 스스로 체험을 생각해 내고 있는 기분이 되며, 그 물건의 마음이 되어질 수가 있다.

본질관찰법(本質觀察法)

관찰의 대상이 사람인 경우에는 그 얼굴 생김이나 눈에 띄는 특징 등 외면적인 것은 되도록 안 보도록 한다.

보통 타인을 관찰하는 경우에 외부적인 특징, 그것도 대부분의 경우 그 사람의 결함이나 단점에 주의를 돌린다. 코가 얕다든가, 다리를 전다는 특징으로 그 사람의 인상을 그리게 된다.

그런 방법을 버리고, 외면적인 특징에 신경쓰지 않으며, 그 사람의 본질을 보도록 한다. 즉 생명의 본질을 꿰뚫어보도록 한다.

그 사람의 내부에는 생명이 빛나고 있다. 그 생명은 완전히 원만하며, 행복이 넘치고, 바르고 건전한 생명 활동을 하고 있다. 그 사람의 생명은 우주 대생명에서 나타난 것이며, 나의 생명과 같은 근원에서 태어난 것이라는 느낌을 취한다.

이렇게 해서 자기와 대면하는 인간, 자연물은 결국 모두가 자기와 일체다 라고 보는 습관을 붙이면, 자연과의 대립감이 엷어져 환경을 적대시하거나 두려워하는 일이 없이 주위 환경도 또한 자기에게 반기며 웃어 주게 된다.

◆ 만물동근 (萬物同根 ; 사랑이라는 것)

자타가 일체라는 것은 단순한 관념의 유희가 아니라, 이미 과학 분야에서도 실증되어 가고 있는 사실이다.

실상을 알지 못하는 감각기관 위에 세워진 착각적 선입관이나 잘못된 사고 습관은 진실을 인정할 것을 거부하고 있는 데 불과하다.

상식이라고 하는 돌아버린 허구를 모두 버리고 허(虛)가 되어 세계에 몰입할 때, 그것은 체험적으로 명백하게 파악되는 것이다.

인간의 지식 세계는 보통 빙산(氷山)에 비유된다. 빙산의 바다 위 부분이 표면의식인데, 빙산의 전체 크기로 보면 얼마 안 되는 부분이며, 대부분이 해면 아래 숨어 있다. 이 해면 아래에 숨어 있는 부분에 해당하는 것이 잠재의식 분야이다.

한 마디로 잠재의식이라 해도, 이것은 또한 많은 영역으로 갈라져 있다. 학자의 분류를 종합하면, 그것은 반의식(半意識), 무의식(無意識), 초의식(超意識)의 분야로 나눌 수 있고, 또다시 초의식은 집단의식(또는 지방의식), 종족 또는 인류의식, 영의식(靈意識), 우주의식으로 나눌 수 있다.

인간은 누구나 이 광범한 식역(識閾)의 세계를 가지고 있다. 그리하여 해상에 개별적으로 나타나 있는 빙산이 해면 아래서 서로 연락하고 있는 것처럼, 별개로 독립하고 있는 인간도 식역의 세계에서는 서로 연락이 되고 있는 것이다.

비교적 얕은 영역에서 연락하고 있는 사람도 있으며, 깊은 부분에서 비로소 일체가 되는 사람도 있겠지만, 최종적으로는 전 인류는 하나로 연결되어 있을 뿐만 아니라, 전 동물, 전 식물, 그리고 모든 물질, 현상이 근본적 바탕에서는 하나의 것으로부터 발생하고 있음을 알 수 있다.

그것은 우주 의식의 영역이며, 이 상태를 만물동근(萬物同根)이라고 한다.

사람과 사람의 합의는 그의 연결되고 있는 영역을 통하여 하고 있다. 텔레파시나 감응현상 또는 투시 같은 것도 이 원리에 의해서 비로소 설명할 수가 있다.

한국인이 한국인으로서 공통의 자각을 지니고 있는 것도, 환경이나 교육에 기인된 것이 아니라, 민족 의식이라는 식역의 세계에서 일체가 되어 있기 때문이다. 지구상의 전 인류는 인류 의식이라는 공통의 세계를 가지고 있다.

그리하여 우주 의식의 세계에서는 동물도 식물도 모두 하나로 연결되어 있다. 즉 우주의 만물은 표현 형식으로서는 천차만별의 모습을 하고 있으나, 근원은 하나이다.

거기에 〈기〉가 부여될 때 진정한 사랑이 생겨난다. 남을 사랑하는 것은 즉 나를 사랑하는 것이며, 남을 미워하는 것은 결국 자기를 미워하는 것이다. 아무도 자기를 미워하는 사람은 없다. 자기를 사랑하지 않는 사람도 없다. 자기를 사랑하는 것은 즉 남을, 만물을 사랑하는 것이다.

인간의 정신 작용 중에서 사랑한다는 기분처럼 즐거운 것은 없다. 그것은 남을 사랑하며 만물을 아끼는 것이 궁극적으로 자기를 사랑하며 자기 행복을 가져오게 하는 것이다.

6. 즐거운 인생

인생의 묘미는 즐겁게 매일을 보내고, 오래 살며, 즐거움을 만끽하는 데 있다.

그런데 현실은 냉정하고, 바라는 것은 달성되지 않으며, 불만과 고통의 나날을 보내고 있는 것이 인간이다.

그것은 생명의 원리를 알지 못하기 때문이며, 즐거움을 찾는 방법이 잘못되어 있기 때문이다. 가난으로 고생하는 사람은, 즐거운 인생이 되려면 절대 돈이 필요하다고 생각한다. 병들어 있는 사람은 건강만 얻으면 행복이 올 것으로 생각한다. 또 신앙으로 행복을 얻으려는 사람도 있을 것이다. 분명히 즐거움은 헌신적 자기 희생의 보수라고 생각하는 사람도 있을 것이다.

그와 같은 사람들은 즐거운 인생이란 어떤 조건 또는 매개물에 의해서 비로소 얻어지는 것으로 생각하고 있는 것 같다. 그러나 즐겁다든가 행복이라는 것은 금전이나 건강과 같이 구체적인 또는 객관적인 사물이 아니고, 단지 각자의 심리 상태라는 것을 망각하고 있다. 동시에 예를 들어 가난과 질병이라는 현재의 입장이 불행이라고 하는 것을 굳게 믿고 있는 것이다.

행복이라는 것이나 불행이라는 것은 객관적으로 존재하지 않는다. 현재 상태가 불행하다고 느끼는 사람은 현재의 생활 중에 불행을 가지고 있다. 불행감을 가지는 사람은 어떤 환경에 있어도 불행하다. 행복이라는 경우는 존재하지 않기 때문이다.

앞에서의 설명처럼, 사람의 환경이나 운명이란 스스로 만들어 낸 것이다. 불행감을 갖는 사람은 불행한 환경을 만든다. 우주의 물질과 현상은 모두 〈기〉로 구성되어 있으며, 〈기〉는 감응작용(感應作用)에 의하여 같은 종류가 모여지기 때문이다.

불행감을 가지는 사람 주위에는 불행한 경우를 만드는 〈기〉가 모여든다.

그것은 행복의 경우도 같다. 항상 행복감에 넘치는 사람 주위에는 행복을 만드는 소재(素材)가 모인다.

즐거운 인생을 가지기를 원하면서, 금전이나 신 같은 매개물을 의지하지 아니하고, 즐거운 마음의 상태를 만들면 된다.

욕망의 달성이 즐거운 마음의 상태를 만드는 것이 아니라, 즐거운 마음이 욕망을 달성시킨다. 이것이 생명의 원리, 〈도〉의 본질이다. 선도(仙道)의 행법(行法)은 그것을 터득하기 위하여 실천되어야 할 것이다.

우주는 누구의 손으로 만들어진 것이 아니고, 또 누군가에 의하여 운영되고 지배되는 것도 아니다. 우주는 그 자체가 이미 완성된 것이며, 자연적으로 움직이고 있는 것이다. 다만 그것이 〈도〉라는 원리에 따라 움직임으로써 스스로 통제와 질서가 유지되고 있는 것이다.

생명도 〈도〉의 원리에 따라 생명 활동을 하고 있다. 생명은 완전무결한 것으로, 그 본연의 역할이 유지되는 한 〈행복〉한 것이다. 그 위에 어떤 조건도, 무슨 매개체도 필요 없다.

그런데 인간은 생명의 원리를 모르고, 천박한 지식에 의지하여 자연에 반하는 사고와 행동으로 본래의 생명 활동을 손수 방해하며, 그 때문에 본래 즐거워야 할 인생을 불행하게 하고 있는 것이다. 따라서 즐거운 인생을 갖기 위해서는, 자연에 순응하는 생활을 한다는 것만이 필요함과 동시에, 그 이외는 방법이 없다 할 것이다.

자연에 따르는 생활이란 어떤 것인가. 그것에 대하여 나는 수백 페이지를 소비하며 설명해 왔으나, 최종적으로 요약해 둔다.

① 오랜 세월 반자연 생활로 인하여 생긴 신체의 뒤틀림을 〈재계〉로 교정하여, 체내의 〈기〉 순환을 원활히 할 것.

② 신체 내외에 〈기〉의 감응작용을 이용하여, 좋은 〈기〉만을 모으도록 할 것. 그 방법의 첫번째는 외형(外形)을 고치는 것이다. 찌푸린 얼굴이나 이맛살은 어둡고 불안한 〈기〉를 신체 내외에 불러들이므로 가능한 한 이맛살을 펴고 명랑한 얼굴을 갖도록 하며, 또한 태도도 항상 명랑하고 즐겁게 행동한다.

두번째는 사고작용(思考作用)을 고치는 것이다. 어떤 사태에 직면했을 때 나쁜 사람, 나쁜 방향으로 생각을 발전시키지 말고, 가능한 한 즐거운 방향으로 사고를 전개시키도록 한다. 그러기 위해서 항상 즐거웠던 과거의 어떤 장면을 추억하며, 또 장차 바람직한 상태에 놓여질 자기를 상상하고, 강하게 자기상(自己像)으로써 간직해 두도록 한다.

③ 육체 및 정신의 긴장을 풀어 항상 편한 상태를 유지할 것.

그러기 위해서 감각을 통제하고, 복뇌(腹腦)를 훈련하여 대뇌(大腦)의 독주를 억제하며, 되도록 심신 모두 허(虛)의 상태를 유지하도록 한다.

④ 만물동근(萬物同根)의 이치를 체득하고, 가상의 적을 만들지 않을 것.

⑤ 생명의 완전성을 믿고, 인공적인 공작을 추방하며, 일체를 생명의 자연활동에 일임해 둘 것.

이상의 여러 가지 점에 마음을 써서 그것을 일상 생활에 응용해 가면, 무리한 수고를 하지 않고도 즐거운 인생을 젊게 보낼 수 있을 것이다.

역자 후기

이 책의 저자 小野田大藏은 일본인으로 중국선도의 진수(眞髓)를 제대로 이어받은 현대에 있어서 몇 안 되는 선도 수행가의 한 사람이다. 내가 처음 선도에 관한 입문 공부로 이 책을 대한 이래 무려 십년 만에 다시 이 책을 접하고 보니 감회가 무척 새롭다. 이 책 「기적의 氣功」은 지금껏 나온 여타의 여러 선도 수련 교본과는 좀 다른 각도에서 선도를 친절히 설명하고 있다.

인간의 평균수명은 현대에 이르러 점점 길어지고 있으나 그에 못지않게 질병의 종류는 늘어만 가고 있는 게 현실이다. 게다가 불행하게도 현대의학은 점차 막다른 한계점에 도달해 가고 있다. 그러면 건강과 장수에 관한 한 인류의 미래는 불안하기만 한 것인가 하면 그렇지만도 않다. 그 마지막 돌파구로 최대의 각광을 받고 있는 것이 바로 선도인 것이다. 〈기(氣)〉의 운용(運用)에 능한 기공사(氣功師)가 아무런 장비나 기구의 도움이 없이 단지 손끝으로부터 〈기〉를 방사(放射)해 수술 환자의 전신을 마취시키고 〈기〉의 힘으로 암(癌)을 간단히 극복하는 등 실로 선도의 발전은 눈부신 바 있다. 이러한 차제에 「기적의 氣功」을 국내에 번역 소개할 수 있게 됨을 진실로 기쁘게 생각한다. 선도의 기본적 양생(養生)의 도(道)인 반로환동(返老還童)은 물론 초범입성(超凡入聖)에 이르기까지 누구에게나 훌륭한 지표가 되어줄 것이다. 모쪼록 이 책 안에 들어 있는 무궁무진한 선도의 비보(秘寶)를 획득하여 하루 빨리 목적하는 바 수선(修仙)의 성취를 이루기 바란다.

한국선도학회 가락동(可樂洞) 수련도장에서
순양(純陽) 안광수(安光洙) 근식(謹識)

부록 : 仙道行法体系要覧

( ) 안의 숫자는 이 책의 페이지를 나타냄.

段階	行法大別	行法의 主要目的	所屬行法種別
第1段階 齋戒(養生)門	導引法	(1) 바른 자세로 心身의 조화를 도모하고, 각종 行法의 基礎體位로 함.	座 法－正座法＝端座·盤座·扶座 倒座法＝腕座·肩座·頭座 서는法＝站立法·鶴立法 臥 法＝仰臥·横臥·俯臥 步行法＝運步法·肩走法外
		(2) 신체의 屈身運動으로 몸의 뒤틀림이나 결함을 矯正除去하여 氣의 원활한 流通을 도모함.	早晨修法·그 밖의 修法 均齋齋法·八段錦法(122) 그 밖에 五禽舞法 · 易筋經十二勢 등 여러 가지가 있음.
		(3) 皮膚表面을 마찰하고 누르고 두드려 血行 및 氣의 流通을 도모함.	눈의 導引法(49) 코의 導引法(60) 입의 導引法(64) 귀의 道引法(69) 그 밖의 器官 및 皮膚의 導引(72) 推究法·按腹法·轉指·抓指法 등
		(4) 外部器官 및 表皮의 清淨化를 도모함.	洗面法·研究法·灌水法(73)·入浴法(78) 등
		(5) 病의 치료를 목적으로 함.	却病座功法·排便法
	食餌法	(1) 食事方法	吃飯法＝半天法·四半天法·一天法 嚥津法·鶴飲·亀飲法
		(2) 飲料를 마시는 法	素食法·木餌法
		(3) 飲食物의 선택	辟穀法(105)
	吐納法	(1) 呼吸調節로 生命의 리듬을 바로잡고 心身의 위화를 제거함.	弛緩法·緩困導引法(137) 睡覺法 뼈·발·배꼽 등에서의 吐納法(237)
	服氣法	(1) 呼吸으로 外元氣를 體内에 집어넣어 體内元氣의 充實을 도모함.	陰陽服氣法 向陽(陰)服氣法 半身服氣法·淨身服氣法 洗腦服氣法·乾坤服氣法 皴宮服氣法(152)

			鶴息法·亀息法·胎息法은 第4段階에 속함.
	用氣法	(1) 體外에서 導入시킨 外元氣를 體內에서 생명에너지(精)로 만듬. (2) 氣의 이용으로 病을 고침.	嚥氣法·行氣法 煉氣法 委氣法은 第4段階에 속함. 閉氣法(90) 收氣法(86) 六氣法(93) 神氣法(100) 布氣法(103)
	房中術	(1) 바른 性交法으로 精의 充實을 도모하면서 陰陽合德의 聖業에 참가하는 기쁨을 맛본다.	性器強化法(149) 射精防止法(158) 還精補腦法(167)
第2段階 安處(制感)門	內觀法	(1) 內在의 神을 探求하고, 眞我의 發見을 목적으로 함. (2) 病의 治療, 性格改善, 欲求達成 등 實用面에 응용함.	軟酥觀(192) 日(月)想觀(190) 天想觀·地想觀 數息觀 神遊觀(259)
		이상을 築氣의 行法이라 하며, 第3段階 이하를 煉鼎의 行이라고 한다. 築氣는 煉鼎의 準備行法으로 築氣가 완성되지 않으면 煉鼎의 결실을 얻을 수 없다.	
第3段階 存想(統覺)門	統覺法	(1) 感覺을 통제하고, 眞我의 눈을 뜨고, 服腦(超能力)의 開發을 도모함. (2) 기타 일체, 萬物은 한 뿌리임을 터득함.	內部統覺法(止息法)(234) 外部統覺法(263)
第4段階 座忘(還元)門	座 忘	(1) 일체의 對立에서 떠나 宇宙根源(道)에 의존함.	鶴息法 胎息法(246) 委氣法(249) 無爲의 行(251)

第 5 段階	**日常生活即行法**	(1) 3次元世界의 拘束에서 벗어나 죽음의 轉機를 경유하지 않고, 灵界, 幽界에 자유로 출입 하며, 宇宙法則(道)과 일체가 되어 自由自在의 활동을 함.	이 段階는 과정이라기보다 到達點이기 때문에 특별한 行法은 없으며, 그 境地 및 能力을 日常現實의 생활에 적용하여 人生을 즐기며 不老不死의 生을 이어가는 것뿐이다.
		이상을 仙道正法(表의 行法)이라 하며, 달리 補助行法 및 方術(權法 또는 裏行)이 있음.	
補助行法	**拳 法**	護身의 목적 외에 氣의 円滑한 流通을 도모함과 동시에 天地自然의 이치를 體得하는 수단이며, 攻擊을 목적으로 하는 武術이 아님.	太極拳
	相 法	얼굴의 변화로 未來의 氣運을 알아내고, 思想·言動을 조심하는 것이 목적임.	주로 血色·草苞·画相·神動線의 發動變化로 鑑定함.
	医 法	病의 치료로, 患者의 救濟를 목적으로 함.	漢方醫法
裏 行 法	**方 術**	옛날에는 實用的인 기술이었으나, 현대에 있어서는 實用價値가 적고, 또한 함부로 實用에 이용할 것이 아니다. 다만 자기의 행동과 결과를 목적으로 사용하는 것은 무방함.	讀心術 分身術 呪縛術 飛行術 變化術

편역자와의
계약으로
인지생략

氣功의 세계 ②
기적의 氣功　　　　값 15,000원

1996년 3월 20일 제2판제1쇄인쇄
1996년 3월 25일 제2판제1쇄발행

편역자 안 광 수
펴낸이 박 명 호

펴낸곳 명 지 사

서울특별시 동대문구 장안동 369-1
등 록 : 1978. 6. 8. 제5-28호
전 화 : 243-6686 · FAX 249-1253
사 서 함 : 서울청량우체국사서함 제154호
대체구좌 : 010983-31-1742329

ISBN 89-7125-106-9 03690　　* 잘못된 책은 바꾸어 드립니다.

仙道氣功

MEMO